Sección: Literatura

Miguel de Unamuno:
Vida de Don Quijote y Sancho

Introducción de Ricardo Gullón

El Libro de Bolsillo
Alianza Editorial
Madrid

PQ
6352
U54
1987

© Herederos de Miguel de Unamuno
© Alianza Editorial, S. A., Madrid, 1987
   Calle Milán, 38, 28043 Madrid; teléf. 200 00 45
   ISBN: 84-206-0248-5
   Depósito legal: M. 14.471-1987
   Papel fabricado por Sniace, S. A.
   Impreso en Lavel. Los Llanos, nave 6. Humanes (Madrid)
   Printed in Spain

Al comenzar la lectura de *Vida de Don Quijote y Sancho,* casi resulta inevitable preguntarse si en sus páginas vamos a encontrar una biografía, una doble biografía, según parece anunciar el título, una novela con protagonistas prestados a otra, o un ensayo sobre la obra de Cervantes dedicada al ingenioso hidalgo. No por deseo de clasificar y fijar el género a que pertenece; sí para entrar en la recepción del texto con alguna seguridad conviene despejar un poco el terreno.

Se supone en el lector un mínimo de competencia: conocer la novela cervantina y no desconocer el arte y el pensamiento de Unamuno, ni su afán de inmortalidad. Esto último explica la atracción por figuras novelescas como las de Don Quijote y Sancho, llamados a no morir, portadores de alguna manera del espíritu creador. En la creación sobrevivía Cervantes y tal ejemplo de supervivencia no fue perdido para quien siglos después caminará otra vez con los mismos personajes.

¿Novela, pues? Es una lectura admisible pensando precisamente en eso: el hidalgo y su escudero reviven la historia, episodios y aventuras, en compañía de un narrador que no se priva del autoatribuido derecho a ingerirse en lo narrado, trasluciendo en el comentario una voluntad crítica tanto como creadora. Así, «ensayo» también, muy en el estilo del autor, con incursiones en los temas centrales de su preocupación.

La fluidez de los géneros literarios se acusa en este libro, de originalidad evidente, que, entre otras cosas, plantea el tema del quijotismo desde la perspectiva y el talante quijotesco del gran rector de Salamanca. Que este salía cada mañana en busca de follones y malandrines, dispuesto a enderezar entuertos y separar injusticias, proclamando su verdad con voz tan alta como la puesta en el aire por su patrono cada vez que un noble empeño le solicitaba. Ya se entiende, pues, porqué la biografía del héroe puede ser para el glosador una manera de autobiografía.

Admitamos la complejidad según se nos propone: como requerimiento del texto que el lector debe aceptar desde el principio. Es el autor quien ya tardíamente se atribuye «experiencia quijotesca» al revisar su obra como lector y prologarla en su tercera edición, estableciendo por sí mismo una analogía que no parecerá discutible al conocedor del paño.

Bueno será recordar la fecha —1905— de publicación y la situación de don Miguel —rector de la Universidad de Salamanca—, para no atribuir sus ideas y decires a la lucha política en que más tarde se vio enganchado —y no contra su voluntad. Cuando el narrador afirma la necesidad de una guerra civil es dudoso que su aseveración tenga mucho que ver con la actitud de don Quijote y sí con la convicción de que era necesario remover las conciencias, despertándolas de la soñarrera en que habitaban.

Sueño de soñar y no sueño de dormir, pedía, incansable, y más después del Desastre que tanta pequeñez pusiera al descubierto. El gran agitador de almas no se resignaba al desánimo generalizado de los españoles, y su exaltación del hidalgo manchego y de su generosa locura era, sí, un modo de autoafirmarse, pero sobre todo una propuesta de vida heroica. Si coincide con Joaquín Costa en considerar la regeneración de la patria como primera tarea del intelectual español, disentía en cuanto a los medios; en vez de echar siete llaves al sepulcro del Cid, abrir las puertas del campo a las mesnadas de la guerra, a los decididos a no renunciar a combatir, si este era el precio que había de pagarse para salir de la modorra. Si no con la crudeza de Ángel Ganivet y su tremenda aceptación de su trágica fórmula, echar medio millón de españoles a los perros, no le temblaba el pulso al calificar de víboras —«raza de víboras»— a quienes pedían paz.

Y si la opción resuelta en favor del combate puede sorprender al lector superficial, de fijo será porque no ha leído bien la superficie, pues en ella está la profundidad, que se le escapa por buscarla en una dimensión que es pura metáfora. La congruencia del texto conduce por sus pasos contados a una declaración que anuncia las que estaban oyéndose en otras voces y con otro acento: la ley del cuadrillero no se hizo para el heros, cuyos motivos y designios han de parecer arca cerrada al vulgo. ¡Qué declaración tan clara! «La ley no se hizo para tí, ni para nosotros los creyentes; nuestras premáticas son nuestra voluntad», brusco arranque en que el tú de quien se habla y el yo dicente reclaman y alinean a los demás, a «los creyentes» en la religión del heroísmo.

Quien grite «anarquismo», «paradoja», «antidemocracia» o expresiones del mismo jáez, apenas hará sino declara su incomprensión. Pues la afirmación unamuniana establece la prioridad indiscutible de la justicia sobre la ley, de lo justo sobre lo legal. La declaración anticipa posiciones que no tardarán en producirse —Baroja, Ortega—, cuando la actualidad refresque tristes memorias del pasado y los cuadrilleros vuelvan a ejercer por los caminos del mundo oficios de autoridad. Y si bien se mira, la opinión de don Miguel, leida en contexto, es una defensa de los humillados y ofendidos por encima de las restricciones destinadas a coartar su libertad.

De la libertas trata este libro y ello explica que su redacción absorbiera y apasionara a Unamuno. En carta a su amigo Pedro de Múgica fechada el 28 de junio de 1904 le dice estar escribiendo la *Vida* y la califica de «meditaciones» sobre el texto cervantino. «Tomo el *Quijote* como una obra eterna, sin autor y aparte de la época en que se escribiera», y tal condición de eternidad le permite producir un texto actualizado, y una versión de los acontecimientos que, siendo tan de su época y de su autor, aspiran a trascender las fronteras del tiempo.

Antes de tres meses (15 de septiembre) informa a Múgica de que el libro está terminado: «Este verano pude gozar de alguna tranquilidad desde junio a fines de agosto y la aproveché para escribir un libro que titulo *La vida de Don Quijote y Sancho según M. de C. S. explicada y comentada por M. de U.* La he hecho de un tirón y por viviparición —otros libros los he escrito por oviparición, empollando notas—, trabajando en él hasta cinco y seis horas algunos días, y de aquí el que me haya salido con más calor que otras cosas mías. El texto cervantino me sirve de cañamazo en que bordo mis propias imaginaciones». Importa retener aquí el hecho de que si en el proyectado título se habla de explicar y comentar, al final de las líneas citadas se habla de imaginar, es decir, de invención sobre la invención, de novelar y metanovelar —novelar en y acerca de la novela. La última línea del párrafo se refiere a las «imaginaciones» con variación que es atenuación: «libres meditaciones sobre la base del *Quijote.*»

Entre Navidad y Año Nuevo, el 28 de diciembre, la confidencia es, si cabe, más personal y reveladora. Desde el comienzo de la carta vuelve el tema: «Renuncio a describirle hasta qué punto estoy empozado en mi *Quijote.* No veo, ni oigo, ni siento otra cosa. Ahora lo estoy poniendo en limpio y en cuartillas, labor que me lleva seis y más horas diarias. Me va a resultar un volumen de regular tamaño, unas 300 páginas, y sin duda mi obra más personal y propia». No puede estar más clara la apropia-

ción: «mi *Quijote*», «mi obra más personal». Cervantes
—«un pobre diablo muy inferior a su obra»— y lo que
quiso decir, le «tiene completamente sin cuidado». Su
modo de remachar el clavo es cualquier cosa menos
ambiguo: «El texto cervantino no es sino un pretexto
para que sobre él levante yo mis propias elucubraciones».

A otro amigo y confidente, Pedro Jiménez Ilundáin, le
anunciaba en carta de 11 de diciembre la publicación de la
Vida a primeros de 1905, anticipando lo dicho a Múgica:
«el texto cervantino me da pie para todo género de
revoloteos, y no es sino un pretexto para verter mi
pensamiento y mi sentimiento todo.»

Como hiciera en otras ocasiones, al recibir el libro,
Jiménez Ilundáin, además de agradecer el envío, opina
sobre él: «Es una manera, a lo Nietzsche, de presentar
ideas en perfecto orden desordenado y de sentar principios con meras afirmaciones. Me hace el efecto de esos
libros que, conteniendo una nueva concepción de la vida
o de sus relaciones, necesitan un nuevo comentarista que
acierte a exponer una y otra». La comunicación del amigo
(25 de abril de 1905) es extensa, detallada y sincera.

No recuerdo haber leído la reacción de Múgica al
recibir y leer la *Vida;* cabe inferirla de lo escrito por
Unamuno (15 de junio de 1905) al contestarle y darle
gracias por la buena acogida prestada al libro en contraste
con la hostilidad del «cotarro literario» madrileño; com-
pensada también por «la intensidad del aplauso de los que
me lo aplauden, y la calidad de éstos, me desquita de todo
lo demás [...] Hay pobres diablos que no me perdonan mi
poco respeto a Cervantes y eso de que prescindo de él y
en vez de comentar docta, documental y eruditamente su
Quijote, hago el mío». Tenía razón y no puede ser más
congruente con ella su propósito de disparar, como dis-
paró en seguida, contra la ramplonería predominante.

Con más precisión había escrito a Ilundáin el mes
anterior (9 de mayo de 1905) apuntando de dónde proce-
día la hostilidad con que algunos sectores recibían su
libro: «no son los católicos los más escandalizados, sino

los otros, los de la Ciencia (con mayúscula), los de esa informe bazofia que se nos da ahora en tomos de cuatro reales. ¡Están alcanzando a España y hay que acabar con esa ralea! La salvación está en volver, con sabor moderno (con verdadero sabor moderno, no con ciencia de la Bibliothèque Alcan), a nuestros místicos». Su corresponsal ya había detectado el misticismo en las páginas del libro, y el impulso «anticientífico» que le empujaba en esa dirección aún se discerniría mejor en el *Tratado del amor de Dios*, en que ya andaba empeñado y del cual se encuentran múltiples referencias en sus cartas, desde entonces hasta su publicación en 1913 con el título: *Del sentimiento trágico de la vida en los hombres y en los pueblos.*

De los entusiastas en la acogida a la *Vida* quiero destacar, por ser quien es y por el calor detectable en sus juicios, a Antonio Machado, a mitad de camino entre las *Soledades* de 1903 y la enriquecida segunda edición, *Soledades. Galerías. Otros poemas.* Quien publica en *La República de las Letras* (9 de septiembre de 1905), «Divagaciones» en torno al libro del Maestro es hombre en cabal dominio de su expresión, maduro, reflexivo y modesto (modesto cuando se compara con don Miguel; no se olvide lo que su modestia tiene de orgullosa).

Empieza Machado declarando su admiración por la «heroica y constante actividad espiritual» de Unamuno y señalando como notas dominantes de su carácter «el impulso acometedor, la ambición de gloria y la afirmación constante y decidida de su personalidad». Con leve matización estos tres rasgos servirían para caracterizar a Don Quijote, y todavía, inequívoco, salta a la página la calificación «caballero andante» atribuía a don Miguel, «siempre dispuesto a todo noble combate».

Generalizaciones respecto a la persona, muy justificadas como antecedente de lo anotado sobre el libro en sí: «¿Necesita maestros de cordura esta tierra de vividores, de fríos y discretos bellacones? Locos necesitamos, que siembran para no cosechar. Cuerdos que talen el árbol para alcanzar al fruto, abundan, por desdicha. ¿Dónde están los lunáticos, los idealistas, los renunciadores, los ascetas, los románticos, que apenas se ven por ninguna parte? [...] Tierra es esta de vividores. Venga en último caso, quien enseñe y ayude a bien morir».

Nótese la semejanza en el estilo, manifestación de parentesco espiritual en línea directa. Dos puntos conviene observar, la identificación entre lector y autor en primer término; en segundo lugar el hecho —desolador— de la resonancia del ayer en lo presente que no podrá menos de captar el leyente de hoy. Lo que Machado vio era fiel contraste de la realidad en 1905. que, mirando en torno mientras le escuchamos, nos parezca que está refiriéndose a 1987, es triste signo de inmovilismo, testimonio de algo que incita a la pesadumbre: lo escrito hace ochenta años por Unamuno, por Machado; hace siglo y medio por Larra; quizá las nada fantásticas alegaciones de Cadalso..., conservan actualidad y vigencia.

Cuando el comentarista señala que el libro «está impregnado de tan profundo y potente sentimiento que las ideas del pensador adquieren fuerza y expresión de imágenes de poesía» y de ahí concluyo: «Sólo el sentimiento es creador», confirma desde fuera lo vivido desde dentro y de ahí su exhortación inicial y su afán por convertir al destinatario de su obra en partícipe de la experiencia en que el texto se transfigura.

Nace el héroe en un lugar de la Mancha; cuenta al nacer alrededor de cincuenta años y es hidalgo pobre, con pobreza asimilada a la de su tierra, perdió el juicio con locura que el reinventor califica de admirable, en cuanto necesaria y útil para sanear el país. Aquí apunta una variante decisiva: la necesidad de que el hombre sacrifique su juicio al bien común se debe a dos tipos de exigencia: uno psicológico, relacionado con la proyección del autor en la figura, y otro estructural: sólo el demente será capaz de entender los engaños de la apariencia, de sustituir la fantasía colectiva —gigantes— con imágenes de su propio delirio y de ver en las mozas de partido una

posibilidad de reversión que la mirada realista nunca
vería.

Dulcinea era inevitable, y llegó, pero en el texto unamuniano es desde su aparición no ya símbolo de la
Gloria, sino la Gloria encarnada. No tardará en oírse a
Sancho, voz complementaria y no antagonista. Este, estos, en plural, son los bachilleres, los reductores de la
idealidad a la lógica. Sancho es bien recibido por sencillo,
creyente —no crédulo— y socarrón; contrapunto del
héroe a quien sigue fielmente. Con él se completa Don
Quijote: «Necesitábalo para hablar, esto es, para pensar
en voz alta sin rebozo, para oírse a sí mismo y para oír el
rechazo vivo de su voz en el mundo».

Habla el narrador de su criatura y está confesando su
personal urgencia de interlocutor, no para escucharle, sí
para atender el rebote de sus ideas en quien le escucha.
Ahora, el criado ha salido respondón y las respuestas de
Sancho acreditan la razón del narrador unamuniano al
reconocer que no le faltaba sal en la mollera —gratuita
afirmación de Cervantes, desmentida por el texto—, y si
no fuera así poco serviría calificarle de bueno: «en realidad ningún majadero es bueno», leemos, versión del
conocido dicho decidero del saber popular.

No se contenta el narrador con elogiar la buena disposición de Sancho; le admira —además— por su fe, «que
por el camino de creer sin haber visto le lleva a la
inmortalidad de la fama», fe quijotesca y fe en su señor
—a quien no puede asimilar, como su reinventor hace, a
Iñigo de Loyola, porque acaso ni sabe quien fuere el
Santo—, pero a quien llega a querer con comprensión y
compasión que lo enaltece. Sale Unamuno en su defensa
frente a «los maliciosos», frente a quienes piensan mal
para acertar, negando que la codicia fuere el motor de su
conducta.

Situar a Sancho en el título de la novela implicaba ya
una toma de posición autorial beneficiosa para el escudero y en nada reductora del caballero. Según progresa el
texto irá declarándose la correlación de los actantes, su

complementariedad y el movimiento que, siendo inverso, les acercará tan visiblemente a lo llamado por Unamuno quijotización de Sancho y sanchificación de Don Quijote.

No sé si hablar de «evolución» estaría justificado en este caso: el cambio de Sancho, en las páginas unamunianas, viene prefigurado desde el comienzo, y siendo así, el cambio puede ser considerado como realización, como descubrimiento de lo envuelto en una capa de rusticidad y socarronería que apenas lo dejaba ver.

Inspiración y no programa es el principio rector de lo quijotesco, atendiendo al incidente de cada momento sin trazarse un plan para resolverlo, según aconsejaría la prudencia. Don Quijote es el gran inspirado, el iluminado por la llama de su pasión de justicia: «cuando uno se apresta a una hazaña no debe pararse en por qué puerta ha de salir». Se lanza sin escuchar advertencias y avisos; no reflexiona, acosado por la aventura inminente. No se busque en sus acciones la lógica de las escuelas sino la coherencia del comportamiento heroico.

Si llama doncellas a las rameras que le asisten en la venta, el error no es cosa de risa, aunque la sorpresa las haga reír a ellas y a los demás, sin caer en la cuenta «de su locura redentora». El héroe, desplazado de su ámbito natural, encontrará la burla, como la encontrará Sancho, entre unos y otros, toscos y refinados, malsines y aristócratas, no iguales, pero semejantes en su reacción. Y serán los de alta estirpe quienes pongan a prueba al escudero y al pretender convertirle en bufón dan ocasión a que actúe como discreto.

Tiene el Quijote de esta nueva historia conciencia de misión, como su inventor; sabe quien es («¡Yo sé quien soy!») y, según explica el cronista de sus dichos y hechos, tiene derecho a decirlo porque «discurre con la voluntad y al decir "¡Yo sé quien soy!", no dijo sino «¡Yo sé quien quiero ser!». Y si el evangelio según don Miguel reza que Cristo se hizo hijo de Dios por voluntad y a fuerza de ponerse a ello, ¿cómo dudar de que Alonso Quijano pudo instituirse en héroe y llegar a ser quien quiso ser?

Personaje autónomo, libre de ligaduras con su primer autor, se debate en las páginas de su segunda vida novelesca, ansiando independizarse de quien tanta sustancia personal le transfirió. Si en la segunda parte de su libro logró Cervantes presentar a héroe y escudero con plena autonomía, Unamuno, que en este punto desea hacer lo mismo, se engancha en su propio discurso, incapaz de alejarse de los especular.

Aliviada la soledad del héroe por la compañía del escudero que le entretiene y distrae, aún si a veces le irrita, algo les separa y mantiene a Don Quijote dentro de su conciencia misionera; el sentimiento de tener una misión que cumplir no le abandona; por eso disuena su voz en la música estridente de nuestro tiempo, música de aturdidos que prefieren el ruido a un silencio que les asusta por que podrían oír su propia voz y no reconocer la realidad de su condición.

Sordo a la trascendencia, al hombre común es preciso amonestarle para que salga de sí y recuerde: «Sólo es hombre hecho y derecho el hombre cuando quiere ser más que hombre». Confinado en el círculo de las ideas recibidas, inducido a vivir en la sacrosanta hecnología, removerle no es fácil como bien supieron criatura y creador. Aquél acertaba al considerar gigantes a los molinos de viento y Unamuno explica el caso y la cosa: «Tenía razón el Caballero: el miedo y sólo el miedo le hacía a Sancho y nos hace a los demás simples mortales ver molinos de viento en los desaforados gigantes que siembran mal por la tierra [...] Hoy no se nos aparecen ya como molinos, sino como locomotoras, dinamos, turbinas, buques de vapor, automóviles, telégrafos con hilos o sin ellos...». Paradoja, gritarían en su época los de siempre, los «científicos», evangelistas del otro evangelio, el del progreso. Instruidos por el paso del tiempo y desde una perspectiva abarcadora vemos a don Miguel utilizando el símbolo para facilitar la penetración en las sombras, en la sombra. Viviendo en un mundo dominado por la técnica y cercano a la robotización, leemos estas consideraciones como premonición, no como paradoja, aunque esta le sirva para producir el conveniente efecto de choque.

Más allá, adelantando en su construcción, al referirse el autor al episodio de los galeotes, dialoga con Angel Ganivet y deplora lo descaminado de sus juicios sobre la justicia y el castigo. Se ha de castigar para después perdonar y que «el perdón no sea gratuito y pierda así todo mérito; para que gane valor costando adquirirlo, teniendo que completarlo con sufrir castigo...» Insertar en el contexto del pensamiento penalista español —de Dorado Montero, de Salillas, de Concepción Arenal, correccionalistas para quien la pena sirve un fin aleccionador— la interpretación de Unamuno es comprensible y estimulante; no es tan seguro, en cambio, que concuerde con los motivos de Don Quijote al libertar a los presos.

Más personal y por caminos oblicuos más trasladables a los otros, al héroe y al lector, son las reflexiones —melancólicas reflexiones— acerca del desencanto que trae el triunfo, reflexiones o más bien confidencias: «El lector echará de ver, de seguro, que escribo estás líneas bajo un apretón de desaliento», y lo que tenemos a la vista son referencias a un discurso pronunciado con buen éxito de público. A la pregunta sobre las causas del desaliento se anticipa la respuesta, una respuesta reiterada en numerosas páginas del autor: el temor a estarse convirtiendo en histrión y a hacer representación de su vida. Aquí se expone con claridad bastante el conflicto entre el yo íntimo y el yo histórico que irá acentuándose a medida que aquél se adentre en la Historia para desempeñar en ella papel de protagonista.

Este dilema, intimidad-historicidad, va cayendo en desuso. La Historia, según la entendieron Galdós y Unamuno y Ganivet, no existe; es cosa del pasado y pasada. Lo que existe, rige y prolifera es la política (con minúscula muy chiquita), cosa de burócratas y activistas cuyas disponibilidades ideológicas no pueden ser más parvas. El fin de las ideologías, anunciado con estrépito hace años,

acaso esté a la vista y no sé cómo hubiera reaccionado el
Maestro ante los nuevos mecanismos de dirección y
secuestro de la libertad.

Eternidad, infinitud, alma, conciencia... acaso perdie-
ron sentido para el hombre de hoy que vive de sucedá-
neos y nombra por aproximación cuando no le faltan
palabras para nombrar. Pienso que *Vida de don Quijote y
Sancho* puede serle útil por su misma desmesura, por su
excepcionalidad. Aquel anciano de Salamanca, en tensión
perpetua, en lucha permanente contra esto y aquello,
heterodoxo de todas las ortodoxias y de todas las hetero-
doxias, puede enseñarle el valor del disentimiento, las
ventajas —intelectuales, espirituales; no materiales— de
la discrepancia, lo cual, en un mundo moldeado por el
conformismo puede ser tabla de salvación.

Aprenda el lector a traducir de un idioma a otro, del
unamuniano al propio, y verá todo más claro. Como que
de claridades se trata en esta *Vida* y en estos personajes, el
ficticio y el ficcionalizado, en simbiósis perfecta y mutua
iluminación. Se reconoce Miguel en el espejo del hidalgo
y éste se reencuentra en el espíritu de aquél, duplicación
interior establecida muy adrede por quien necesita justificar su alejamiento de la intrahistoria por la concordancia,
la hermandad, el parentesco, con un modelo digno de ser
revivido. No vale el pasado inoperante: «sólo existe de
verdad lo que obra», y tal es la razón de que la leyenda se
resista a los historiadores. Provistos de su bagaje documental arremeterán contra las leyendas y hasta se persua-
dirán de su victoria. Así, por ejemplo, pueden pensar que
el significado de la rebeldía de los Comuneros es otro
después de sus eruditas alegaciones, sin advertir que la
imagen legendaria sigue vigente en el corazón del pueblo.
No estoy seguro de si lo dijo don Miguel alguna vez, pero
si no fue así, debió decirlo: el mito es inmortal y sólo otro
mito podrá desalojarlo y asentarse en su lugar.

No parecen erosionadas estas ideas, ni las conectadas
con ellas y relativas a la verdad y a la mentira: «Toda
creencia que lleva a obras de vida es creencia de verdad y

lo es de mentira la que lleva a obras de muerte». Todo es relativo, ya lo sabemos, y la relatividad de los conceptos verdad y mentira no precisó de Einstein para ser conocida. Después de Heisenberg y de Jngarden podría darse por superado el dicho unamuniano, y, con todo, no es así: la conexión verdad-mentira arraiga en territorios mentales donde el principio de indeterminación no tiene vigencia.

Menciono muy de propósito nombres ilustres; no a «los científicos» de cuatro cuartos aludidos despectivamente por nuestro amigo, sino a quienes encarnan el pensamiento renovador del siglo presente. No serían ellos los disgrepantes de las tesis de Unamuno, de las apuntadas y de otras expuestas en este libro y confirmadas en otros trabajos suyos, como la relación entre libertad y voluntad de que se habla a propósito del encantamiento del Caballero. Enalteciendo su temple y su fe, declara el cronista que no hay fuerza humana que pueda esclavizar al hombre, libre de pensar bajo las cadenas.

Acontecimientos casi cotidianos nos ilustran y despiertan la duda. No se equivoca el teórico, pero el práctico objeta que observaciones como esa, válida para una sociedad liberal —una sociedad de hombres libres— es cada vez menos segura en los modelos hoy proliferantes donde el enjaulado puede ser destruido en cuerpo y alma.

Declaraciones como la relativa a la salvación por la humildad y la fe, admirables como son, apenas serán entendidas en un mundo desacralizado, y más, vuelto de espaldas a la espiritualidad. Precisamente por eso, por inoportunas (ya en su tiempo estaba el proceso desespiritualizante muy avanzado, sobre todo entre las capas de la burguesía en que el autor reclutaba la inmensa mayoría de sus lectores), por ir contra corriente debiera decirse, siguiendo la norma unamuniana de decir a cada cual lo que no quiere oír, incluso a riesgo de contradecir en Valladolid lo dicho en Bilbao o viceversa. Y si entonces era recomendable obrar así, más urgente será hoy en que la espiritualidad no está en retroceso sino desbaratada y en trance de extinción.

Lo oportuno de la inoportunidad pudiera ser rúbrica acogedora de los no escasos ejemplos unamunianos de esta práctica. Sin salir del texto ahora examinado, todavía quiero señalar dos o tres temas que van en la misma dirección. En el capítulo 74 de la segunda parte, presidido por la copla final de Jorge Manrique a la muerte de su padre, y al tratar de la del buen hidalgo, constan hechos y dichos indicadores de cómo en el punto de la muerte se le reveló a éste el misterio de su vida, el de la finalidad y el destino de su vida.

Aquel mismo año de 1905 se publicó en Madrid el libro de Rubén Darío, *Cantos de vida y esperanza*, cerrado por un poema en contradicción con el título: «Y no saber donde vamos, ni de donde venimos», lamentación a la que desde el capítulo citado de la *Vida* responderá el Caballero: si la vida es sueño, la muerte es vida. A esto añade el cronista: «si fue sueño y vanidad tu locura de no morir, entonces sólo tienen razón en el mundo los bachilleres».

Cerca están Sancho y los demás actantes, mas ya el autor ficcionalizado se adueñó del texto y del personaje («Don Quijote mío») y su voz es protagonista y mediadora. Por su mediación asistimos a la escena, oímos al cura y, ¡tan destacada!, la palabra de Sancho, «henchido de fe y loco de remate cuando su amo se moría cuerdo». No hay misterio en esta conversión-inversión, testimonio de cuanto puede la convivencia con el hombre bueno y justo. Pedagogía del ejemplo.

Se confiesa el moribundo con el cura y se confiesa el autor con el lector, declarando esperanzas que apenas se atreven a decir su nombre. Veinte años más tarde dramatizará en *Sombras de sueño* (192?) lo aquí —y en textos como «Recuerdo de la Granja de Moreruela»— expuso tan hermosamente: «¡La vida es sueño! ¿Será acaso también, sueño, Dios mío, este tu Universo de que eres la Conciencia eterna e infinita?, ¿será un sueño tuyo?, ¿será que nos estás soñando? ¿Seremos sueño, sueño tuyo, nosotrso los soñadores de la vida? Y si así fuese, ¿qué será el Universo todo?, ¿qué será de nosotros, qué será de mí cuando Tú, Dios de mi vida, despiertes? ¡Suéñanos, señor! Y, ¿no será que despiertas para los buenos cuando a la muerte despiertan ellos del sueño de la vida? ¿Podemos acaso nosotros, pobres sueños soñadores, soñar lo que sea la vela del hombre en tu eterna vida, Dios nuestro?»

No, no son preguntas retóricas sino expresión del sentimiento agónico de una vida oscilante entre esperanza y desesperanza; preguntas dirigidas a tres destinatarios: Dios, el hombre-escritor y el hombre-lector, invocado directamente el primero; asociados los otros dos en el plural «nos» y «nosotros», «pobres sueños soñadores», Miguel es la presencia activa y expresiva; Dios, invocación suya; el lector su compañero y asociado en un destino común. En la cadena interrogativa se intercala el ruego, la petición urgente al soñador cuyo sueño nos mantiene vivos para que no deje de vivirnos; «¡Suéñanos, Señor!» Ruego imperativo, como de quien al gritarlo le va en ello la vida.

La pasión y la belleza de esta página no pueden, no deben pasar inadvertidas. Es, en varios aspectos, una culminación; lo es desde luego, en el de la relación entre hablante y leyente. Desde la primera línea del volumen («mi buen amigo») está presente el lector. Según progrese el discurso, la presencia se hace permanente y necesaria. El destino del autor va unido al del lector (o se salvan los dos, «todos», o no se salva ninguno; no hay pases de favor para la eternidad), y la escritura tiene un destinatario individual, el Tú a quien el yo necesita como partícipe callado de su soliloquio.

Si Unamuno prefería llamar monodiálogo a esta modalidad narrativa cercana al examen de conciencia, resulta evidente que el Yo hablante es el primer destinatario de la reflexión, y no menos claro parece que se propone informar a un Tú que, cuando menos, está sugerido en el discurso. Tampoco es dudoso que ese Tú es un individuo, «especie única» y no partícula o parcela de la entidad abstracta llamada público que poco o nada le interesaba.

Fijándonos en la cadena narrativa según se constituye en y por la crítica actual, observamos —y he señalado el fenómeno alguna vez— la escasa validez de la constitución teórica cuando de Unamuno se trata. Narrador y autor implícito (el segundo yo del autor, la figura productora del texto y perceptible en él) aparecen apretados hasta el punto de ser casi indistinguibles, y más: el personaje, conforme observamos, corre riesgo de convertirse en pretexto (pre-texto lo es desde antes de ponerse en marcha la operación narrativa). Don Quijote conserva personalidad y figura, mas en la versión unamuniana, la presión de un espíritu urgido por el prurito de inmortalizarse, atenúa su protagonismo, transfiriéndolo al novelador que ficcionalizado se sitúa en análoga posición actancial.

Algo semejante se produce al costado receptor de la comunicación: el lector virtual, convocado con recargada insistencia en la *Vida*, no sólo está en el texto como lector implícito, participante en él y dilucidador de su significado, cuando entre narrador y lector se establece el diálogo, siquiera sea una y única la voz reportante, el lector implícito puede ser llamado destinatario directo de la narración, a quien ésta se dirige sin rodeos.

No olvido el carácter de las páginas iniciales, «El sepulcro de Don Quijote», y justamente su función introductoria me hace pensar en que allí se establece la razón primera de la escritura, con referencias al lector, a quien se transmiten preocupaciones acaso derivadas de alguna sugerencia del «amigo».

Puesto que el lector a quien yo hablo tiene entre sus manos la introducción citada podría contentarme con remitirle a esas páginas. A ellas habrá de acudir para confirmar lo dicho aquí, pero antes considero apropiado llamar su atención sobre tres o cuatro indicaciones que refuerzan mi aserto. Nótese en primer lugar fórmulas representativas del Tú, que acreditan y justifican su presencia: «Me preguntas», «Me hablas»: en seguida la afinidd de narrador y narratario: «Como tú siendo yo», «como tú quisiera vivir» y a renglón seguido el plural asociativo: «Si consiguiéramos». Se aviva el diálogo y la participación: «Y vuelta a lo mismo, a tu pregunta, a tu preocupación», «Si te preguntan, como acostumbran», «Y no me preguntes más, querido amigo», «¡No, mi buen amigo, no!», «Mira, amigo», «Te hablarán»... Podría transcribir bastantes locuciones análogas, pero éstas son suficientes para acreditar el tipo de relación textual que une al ente introductorio y a su corresponsal. Comentando el último capítulo de la obra, señalé la utilización de la interrogación como método discursivo: el Yo y el Tú, unidos de distinta manera, pero unidos, cierran el texto y sellan la comunidad establecidad en la introducción.

Queda por dilucidar la identidad de ese lector, instituido en amigo, a veces lector implícito y eventualmente narratario, nunca designado por su nombre —si alguno tiene. Anonimidad razonable para quien como él es invención, por desdoblamiento, de un hablante que fija su perfil y su competencia según el texto lo reclama.

La función del lector virtual, actualizador y generador de lo escrito, siendo crítica, habrá de ser valorativa. Juzgando desde su perspectiva tal vez rechace los excesos y la pertinaz beligerancia del autor, el Yoismo extremado, el vivir como representación, la heterodoxia sistemática... Acaso este lector sienta en algún momento la tentación del antagonismo, mas no podrá menos de sentir la energía y la vigencia de un pensamiento cuyas inquisiciones siguen teniendo validez para el hombre de hoy, tan distante y tan cercano como siempre al unamuniano «hombre eterno».

Para concluir esta introducción considero oportuno recordar que el interés de Unamuno por Don Quijote y su historia es anterior en casi diez años a la publicación de *Vida*. De octubre 1895 es el artículo «Quijotismo» y de 1898 el titulado «La vida es sueño», coincidente en buena parte con las ideas del anterior. En *Los lunes del Imparcial* aparecieron, con menos de un mes de diferencia (22 de diciembre 1902 y 12 de enero 1903) «El fondo del quijotismo» y «La causa del quijotismo». Todos antecedentes del libro.

Mas, ¿qué pensar de otro texto, tan contrario a los anteriores y no sé si determinante por reacción de la *Vida de Don Quijote y Sancho*? Me refiero al artículo «¡Muera Don Quijote!», en *Vida nueva* (26 de junio 1898), causante en su día de gran revuelo. Como escribió Rubén Darío, grito de español herido por el Desastre, y clamor de paz, pues sin ella «no hay honra verdadera, honra cristiana y no pagano pundonar caballeresco», concluyendo «¡Muera Don Quijote para que renazca Alonso el Bueno! ¡Muera Don Quijote!»

Cito lo esencial de esta página: a la vista del «pecado» pueda apreciarse el arrepentimiento de don Miguel concretado en al capítulo 54 de la segunda parte de *Vida*: «Yo lancé contra tí, mi señor Don Quijote, aquel muera. Perdóname; perdóname porque lo lancé lleno de sana y buena, aunque equivocada intención [...], queriendo servirte te ofendí acaso». Noble rectificación de un alma noble, que en el *Quijote* y con Don Quijote encontró consuelo para el espíritu y aliento para la creación.

RICARDO GULLÓN

Me preguntas, mi buen amigo, si sé la manera de desencadenar un delirio, un vértigo, una locura cualquiera sobre estas pobres muchedumbres ordenadas y tranquilas que nacen, comen, duermen, se reproducen y mueren. ¿No habrá un medio, me dices, de reproducir la epidemia de los flagelantes o la de los convulsionarios? Y me hablas del milenario.

Como tú siento yo con frecuencia la nostalgia de la Edad Media; como tú quisiera vivir entre los espasmos del milenario. Si consiguiéramos hacer creer que un día dado, sea el 2 de mayo de 1908, el centenario del grito de la independencia, se acababa para siempre España; que en este día nos repartían como a borregos, creo que el día 3 de mayo de 1908 sería el más grande de nuestra historia, el amanecer de una nueva vida.

Esto es una miseria, una completa miseria. A nadie le importa nada de nada. Y cuando alguno trata de agitar aisladamente este o aquel problema, una u otra cuestión, se lo atribuyen o a negocio o a afán de notoriedad y ansia de singularizarse.

No se comprende aquí ya ni la locura. Hasta al loco creen y dicen que lo será por tenerle su cuenta y razón. Lo de la razón de la sinrazón es ya un hecho para todos estos miserables. Si nuestro señor Don Quijote resucitara y volviese a esta su España, andarían buscándole una segunda intención a sus nobles desvaríos. Si uno denuncia un abuso, persigue la injusticia, fustiga la ramplonería, se preguntan los esclavos: ¿Qué irá buscando en eso? ¿A qué aspira? Unas veces creen y dicen que lo hace para que le tapen la boca con oro; otras que es por ruines sentimientos y bajas pasiones de vengativo o envidioso; otras que lo hace no más sino por meter ruido y que de él se hable, por vanagloria; otras que lo hace por divertirse y pasar el tiempo, por deporte. ¡Lástima grande que a tan pocos les dé por deportes semejantes!

Fíjate y observa. Ante un acto cualquiera de generosidad, de heroísmo, de locura, a todos estos estúpidos bachilleres, curas y barberos de hoy no se les ocurre sino preguntarse: ¿Por qué lo hará? Y en cuanto creen haber descubierto la razón del acto —sea o no la que ellos suponen— se dicen: ¡Bah!, lo ha hecho por esto o por lo otro. En cuanto una cosa tiene razón de ser y ellos la conocen, perdió todo su valor la cosa. Para eso les sirve la lógica, la cochina lógica.

Comprender es perdonar, se ha dicho. Y esos miserables necesitan comprender para perdonar el que se les humille, el que con hechos o palabras se les eche en cara su miseria, sin hablarles de ella.

Han llegado a preguntarse estúpidamente para qué hizo Dios el mundo, y se han contestado a sí mismos: ¡para su gloria!, y se han quedado tan orondos y satisfechos, como si los muy majaderos supieran qué es eso de la gloria de Dios.

Las cosas se hicieron primero, su para qué después. Que me den una idea nueva, cualquiera, sobre cualquier cosa, y ella me dirá para qué sirve.

Alguna vez, cuando expongo algún proyecto, algo que me parece debía hacerse, no falta quien me pregunte: ¿Y después? A estas preguntas no cabe otra respuesta que una pregunta, y al «¿después?» no hay sino dar de rebote un «¿y antes?»

No hay porvenir; nunca hay porvenir. Eso que llaman el porvenir es una de las más grandes mentiras. El verdadero porvenir es hoy. ¿Qué será de nosotros mañana? ¡No hay mañana! ¿Qué es de nosotros hoy, ahora? Esta es la única cuestión.

Y en cuanto a hoy, todos esos miserables están muy satisfechos porque hoy existen, y con existir les basta. La existencia, la pura y nuda existencia, llena su alma toda. No sienten que haya más que existir.

Pero ¿existen? ¿Existen de verdad? Yo creo que no; pues si existieran, si existieran de verdad, sufrirían de existir y no se contentarían con ello. Si real y verdaderamente existieran en el tiempo y el espacio, sufrirían de no ser en lo eterno y lo infinito. Y ese sufrimiento, esta pasión, que no es sino la pasión de Dios en nosotros, Dios, que en nosotros sufre por sentirse preso en nuestra infinitud y nuestra temporalidad, este divino sufrimiento les haría romper todos esos menguados recuerdos a sus menguadas esperanzas, la ilusión de su pasado a la ilusión de su porvenir.

¿Por qué hace eso? ¿Preguntó acaso nunca Sancho por qué hacía Don Quijote las cosas que hacía?

Y vuelta a lo mismo, a tu pregunta, a tu preocupación: ¿Qué locura colectiva podríamos imbuir en estas pobres muchedumbres? ¿Qué delirio?

Tú mismo te has acercado a la solución en una de esas cartas con que me saltas a preguntas. En ella me decías: ¿No crees que se podría intentar alguna nueva cruzada?

Pues bien, sí; creo que se puede intentar la santa cruzada de ir a rescatar el sepulcro de Don Quijote del poder de los bachilleres, curas, barberos, duques y canónigos que lo tienen ocupado. Creo que se puede intentar la santa cruzada de ir a rescatar el sepulcro del Caballero de la Locura del poder de los hidalgos de la Razón.

Defenderán, es natural, su usurpación y tratarán de probar con muchas y muy estudiadas razones que la guardia y custodia del sepulcro les corresponde. Lo guardan para que el Caballero no resucite.

A estas razones hay que contestar con insultos, con pedradas, con gritos de pasión, con botes de lanza. No hay que razonar con ellos. Si tratas de razonar frente a sus razones, estás perdido.

Si te preguntan, como acostumbran, ¿con qué derecho reclamas el sepulcro?, no les contestes nada, que ya lo verán luego. Luego..., tal vez cuando ni tú ni ellos existáis ya, por lo menos en este mundo de las apariencias.

Y allí donde está el sepulcro, allí está la cuna, allí está el nido. Y de allí volverá a surgir la estrella refulgente y sonora, camino del cielo.

Y no me preguntes más, querido amigo. Cuando me haces hablar de estas cosas me haces que saque del fondo de mi alma, dolorida por la ramplonería ambiente que por todas partes me acosa y aprieta, dolorida por las salpicaduras del fango de mentira en que chapoteamos, dolorida por los arañazos de la cobardía que nos envuelve, me haces que saque del fondo de mi alma dolorida las visiones sin razón, los conceptos sin lógica, las cosas que ni yo sé lo que quieren decir, ni menos quiero ponerme a averiguarlo.

¿Qué quieres decir con esto?, me preguntas más de una vez. Y yo te respondo: ¿Lo sé yo acaso?

¡No, mi buen amigo, no! Muchas de estas ocurrencias de mi espíritu que te confío, ni yo sé lo que quieren decir, o, por lo menos, soy yo quien no lo sé. Hay alguien dentro de mí que me las dicta, que me las dice. Le obedezco y no me adentro a verle la cara ni a preguntarle por su nombre. Sólo sé que si le viese la cara y si me dijese su nombre me moriría yo para que viviese él.

Estoy avergonzado de haber alguna vez fingido entes de ficción, personajes novelescos, para poner en sus labios lo que no me atrevía a poner en los míos y hacerles decir como en broma lo que yo siento muy en serio.

Tú me conoces, tú, y sabes bien cuán lejos estoy de rebuscar adrede paradojas, extravagancias y singularidades, piensen lo que pensaren algunos majaderos. Tú y yo, mi buen amigo, mi único amigo absoluto, hemos hablado muchas veces a solas de lo que sea la locura, y hemos comentado aquello del *Brand* ibseniano, hijo de Kierkegaard, de que está loco el que está solo. Y hemos concordado en que una locura cualquiera deja de serlo en cuanto se hace colectiva, en cuanto es locura de todo un pueblo, de todo el género humano acaso. En cuanto una alucinación se hace colectiva, se hace popular, se hace social, deja de ser alucinación para convertirse en una realidad, en algo que está fuera de cada uno de los que la comparten. Y tú y yo estamos de acuerdo en que hace falta llevar a las muchedumbres, llevar al pueblo, llevar a nuestro pueblo español, una locura cualquiera, la locura de uno cualquiera de sus miembros que esté loco, pero loco de verdad y no de mentirijillas. Loco, y no tonto.

Tú y yo, mi buen amigo, nos hemos escandalizado ante eso que llaman aquí fanatismo y que, por nuestra desgracia, no lo es. No; no es fanatismo nada que esté reglamentado y contenido y encauzado y dirigido por bachilleres, curas, barberos, canónigos y duques; no es fanatismo nada que lleve un pendón con fórmulas lógicas, nada que tenga programa, nada que se proponga para mañana un propósito que puede un orador desarrollar en un metódico discurso.

Una vez, ¿te acuerdas?, vimos a ocho o diez mozos reunirse y seguir a uno que les decía: ¡Vamos a hacer una barbaridad! Y eso es lo que tú y yo anhelamos: que el pueblo se apiñe y gritando ¡vamos a hacer una barbaridad! se ponga en marcha. Y si algún bachiller, algún barbero, algún cura, algún canónigo o algún duque le detuviese para decirles: «¡Hijos míos!, está bien, os veo henchidos de heroísmo, llenos de santa indignación; también yo voy con vosotros; pero antes de ir todos, y yo con vosotros, a hacer esa barbaridad, ¿no os parece que debíamos ponernos de acuerdo respecto a la barbaridad que vamos a hacer? ¿Qué barbaridad va a ser ésa?»; si alguno de esos malandrines que he dicho les detuviese para decirles tal cosa, deberían derribarle al punto y pasar todos sobre él, pisoteándole, y ya empezaba la heroica barbaridad.

¿No crees, mi amigo, que hay por ahí muchas almas solitarias a las que el corazón les pide alguna barbaridad, algo de que revienten? Ve, pues, a ver si logras juntarlas y formar un escuadrón con ellas y ponernos todos en marcha —porque yo iré con ellos y tras de ti— a rescatar el sepulcro de Don Quijote, que, gracias a Dios, no sabemos dónde está. Ya nos lo dirá la estrella refulgente y sonora.

Y ¿no será —me dices en tus horas de desaliento cuando te vas de ti mismo—, no será que creyendo al ponernos en marcha caminar por campos y tierras, estemos dando vueltas en torno al mismo sitio? Entonces la estrella estará fija, quieta sobre nuestras cabezas y el sepulcro en nosotros. Y entonces la estrella caerá, pero caerá para venir a enterrarse en nuestras almas. Y nuestras almas se convertirán en luz, y fundidas todas en la estrella refulgente y sonora subirá ésta, más refulgente aún, convertida en un sol, en un sol de eterna melodía, a alumbrar el cielo de la patria redimida.

En marcha, pues. Y ten en cuenta no se te metan en el sagrado escuadrón de los cruzados bachilleres, barberos, curas, canónigos o duques disfrazados de Sanchos. No importa que te pidan ínsulas; lo que debes hacer es expulsarlos en cuanto te pidan el itinerario de la marcha, en cuanto te hablen del programa, en cuanto te pregunten al oído, maliciosamente, que les digas hacia dónde cae el sepulcro. Sigue a la estrella. Y haz como el Caballero: endereza el entuerto que se te ponga delante. Ahora lo de ahora y aquí de lo de aquí.

¡Poneos en marcha! ¿Que adónde vais? La estrella os lo dirá: ¡al sepulcro! ¿Qué vamos a hacer en el camino mientras marchamos? ¿Qué? ¡Luchar! Luchar, y ¿cómo?

¿Cómo? ¿Tropezáis con uno que miente?, gritarle a la cara: ¡mentira!, y ¡adelante! ¿Tropezáis con uno que roba?, gritarle: ¡ladrón!, y ¡adelante! ¿Tropezáis con uno que dice tonterías, a quien oye toda una muchedumbre con la boca abierta?, gritarles: ¡estúpidos!, y ¡adelante! ¡Adelante siempre!

¿Es que con eso —me dice uno a quien tú conoces y an-

sía ser cruzado—, es que con eso se borra la mentira, ni el
ladronicio, ni la tontería del mundo? ¿Quién ha dicho que
no? La más miserable de todas las miserias, la más repug-
nante y apestosa argucia de la cobardía es esa de decir que
nada se adelanta con denunciar a un ladrón porque otros
seguirán robando, que nada se adelanta con decirle en su
cara majadero al majadero, porque no por eso la majadería
disminuirá en el mundo.

Sí, hay que repetirlo una y mil veces: con que una vez,
una sola vez, acabases del todo y para siempre con un solo
embustero habríase acabado el embuste de una vez para
siempre.

¡En marcha, pues!, y echa del sagrado escuadrón a todos
los que empiecen a estudiar el paso que habrá de llevarse
en la marcha y su compás y su ritmo. Sobre todo, ¡fuera
con los que a todas horas andan con eso del ritmo! Te convertirán el escuadrón en una cuadrilla de baile, y la marcha
en danza. ¡Fuera con ellos! Que se vayan a otra parte a cantar a la carne.

Esos que tratarían de convertirte el escuadrón de marcha
en cuadrilla de baile se llaman a sí mismos, y los unos a
los otros entre sí, poetas. No lo son. Son cualquier otra cosa.
Esos no van al sepulcro sino por curiosidad, por ver cómo
sea, en busca acaso de una sensación nueva, y por divertirse en el camino. ¡Fuera con ellos!

Esos son los que con su indulgencia de bohemios con-
tribuyen a mantener la cobardía y la mentira y las miserias
todas que nos anonadan. Cuando predican libertad no piensan más que en una: en la de disponer de la mujer del prójimo. Todo es en ellos sensualidad, y hasta de las ideas, de
las grandes ideas, se enamoran sensualmente. Son incapaces de casarse con una grande y pura idea y criar familia
de ella; no hacen sino amontonarse con las ideas. Las toman de queridas, menos aún, tal vez de compañeras de una
noche. ¡Fuera con ellos!

Si alguien quiere coger en el camino tal o cual florecilla
que a su vera sonríe, cójala, pero de paso, sin detenerse, y
siga al escuadrón, cuyo alférez no habrá de quitar ojo de la

estrella refulgente y sonora, y si se pone la florecilla en el peto sobre la coraza, no para verla él, sino para que se la vean, ¡fuera con él!, que se vaya, con su flor en el ojal, a bailar a otra parte.

Mira, amigo, si quieres cumplir tu misión y servir a tu patria, es preciso que te hagas odioso a los muchachos sensibles que no ven el universo sino a través de los ojos de su novia. O algo peor aún. Que tus palabras sean estridentes y agrias a sus oídos.

El escuadrón no ha de detenerse sino de noche junto al bosque o al abrigo de la montaña. Levantará allí sus tiendas, se lavarán los cruzados sus pies, cenarán lo que sus mujeres les hayan preparado, engendrarán luego un hijo en ellas, les darán un beso y se dormirán para recomenzar la marcha al siguiente día. Y cuando alguno se muera le dejarán a la vera del camino, amortajado a su armadura, a merced de los cuervos. Quede para los muertos el cuidado de enterrar a sus muertos.

Si alguno intenta durante la marcha tocar pífano o dulzaina o caramillo o vihuela o lo que fuere, rómpele el instrumento y échale de filas, porque estorba a los demás oír el canto de la estrella. Y es, además, que él no lo oye. Y quien no oiga el canto del cielo no debe ir en busca del sepulcro del Caballero.

Te hablarán esos danzantes de poesía. No les hagas caso. El que se pone a tocar su jeringa —que no es otra cosa la «syringa»— debajo del cielo, sin oír la música de las esferas, no merece que se le oiga. No conoce la abismática poesía del fanatismo, no conoce la inmensa poesía de los templos vacíos, sin luces, sin dorados, sin imágenes, sin pompas, sin armas, sin nada de eso que llaman arte. Cuatro paredes lisas y un techo de tablas: un corralón cualquiera.

Echa del escuadrón a todos los danzantes de la jeringa. Échalos antes de que se te vayan por un plato de alubias. Son filósofos cínicos, indulgentes, buenos muchachos, de los que todo lo comprenden y todo lo perdonan. Y el que todo lo comprende no comprende nada, y el que todo lo perdona nada perdona. No tienen escrúpulo en venderse.

Como viven en dos mundos pueden guardar su libertad en
el otro y esclavizarse en éste. Son a la vez estetas y perezis-
tas o lopezistas o rodriguezistas.

Hace tiempo que se dijo que el hambre y el amor son
los dos resortes de la vida humana. De la baja vida humana, de la vida de tierra. Los danzantes no bailan sino por
hambre o por amor; hambre de carne, amor de carne también. Échalos de tu escuadrón y que allí, en un prado, se
harten de bailar mientras uno toca la jeringa, otro da pal-
maditas y otro canta a un plato de alubias o a los muslos
de su querida de temporada. Y que allí inventen nuevas pi-
ruetas, nuevos trenzados de pies, nuevas figuras de rigodón.

Y si alguno te viniera diciendo que él sabe tender puentes y que acaso llegue ocasión en que se deba aprovechar
sus conocimientos para pasar un río, ¡fuera con él!, ¡fuera
el ingeniero! Los ríos se pasarán vadeándolos, o a nado, aunque se ahogue la mitad de los cruzados. Que se vaya el ingeniero a hacer puentes a otra parte, donde hacen mucha
falta. Para ir en busca del sepulcro basta la fe como puente.

Si quieres, mi buen amigo, llenar tu vocación debida-
mente, desconfía del arte, desconfía de la ciencia, por lo menos de eso que llaman arte y ciencia y no son sino mezquinos remedos del arte y de la ciencia verdaderos. Que te baste tu fe. Tu fe será tu arte, tu fe será tu ciencia.

He dudado más de una vez de que puedas cumplir tu
obra al notar el cuidado que pones en escribir las cartas que
escribes. Hay en ellas, no pocas veces, tachaduras, enmien-
das, correcciones, jeringazos. No es un chorro que brota vio-
lento, expulsando el tapón. Más de una vez tus cartas de-
generan en literatura, en esa cochina literatura, aliada natural de todas las esclavitudes y de todas las miserias. Los
esclavizadores saben bien que mientras está el esclavo cantando a la libertad se consuela de su esclavitud y no piensa
en romper sus cadenas.

Pero otras veces recobro fe y esperanza en ti cuando sien-

to bajo tus palabras atropelladas, improvisadas, cacofóni-
cas, el temblar de tu voz dominada por la fiebre. Hay ocasiones en que puede decirse que ni están en un lenguaje determinado. Que cada cual lo traduzca al suyo.

Procura vivir en continuo vértigo pasional, dominado por
una pasión cualquiera. Sólo los apasionados llevan a cabo
obras verdaderamente duraderas y fecundas. Cuando oigas
de alguien que es impecable, en cualquiera de los sentidos
de esta estúpida palabra, huye de él; sobre todo si es artista. Así como el hombre más tonto es el que en su vida no
ha hecho ni dicho una tontería, así el artista menos poeta,
el más antipoético —entre los artistas abundan las natura-
lezas antipoéticas— es el artista impecable, el artista a
quien decoran con la corona de laurel, de cartulina, de la
impecabilidad, los danzantes de la jeringa.

Te consume, mi pobre amigo, una fiebre incesante, una
sed de océanos insondables y sin riberas, un hambre de universos y la morriña de la eternidad. Sufres de la razón. Y
no sabes lo que quieres. Y ahora, ahora quieres ir al sepulcro del Caballero de la Locura y deshacerte allí en lágrimas,
consumirte en fiebre, morir de sed de océanos, de hambre
de universos, de morriña de eternidad.

Ponte en marcha, solo. Todos los demás solitarios irán a
tu lado, aunque no los veas. Cada cual creerá ir solo, pero
formaréis batallón sagrado: el batallón de la santa e inacabable cruzada.

Tú no sabes bien, mi buen amigo, cómo los solitarios todos, sin conocerse, sin mirarse a las caras, sin saber los unos
los nombres de los otros, se dan las manos, se felicitan mutuamente, se bombean y se denigran, murmuran entre sí y
va cada cual por su lado. Y huyen del sepulcro.

Tú no perteneces al cotarro, sino al batallón de los libres
cruzados. ¿Por qué te asomas a las tapias del cotarro a oír
lo que en él se cacarea? ¡No, amigo, no! Cuando pases junto a un cotarro tápate los oídos, lanza tu palabra y sigue
adelante, camino del sepulcro. Y que en esa palabra vibren
toda tu sed, toda tu hambre, toda tu morriña, todo tu
amor.

Si quieres vivir de ellos, vive para ellos. Pero entonces, mi pobre amigo, te habrás muerto.

Me acuerdo de aquella dolorosa carta que me escribiste cuando estabas a punto de sucumbir, de derogar, de entrar en la cofradía. Vi entonces cómo te pesaba tu soledad, esa soledad que debe ser tu consuelo y tu fortaleza.

Llegaste a lo más terrible, a lo más desolador; llegaste al borde del precipicio de tu perdición: llegaste a dudar de tu soledad, llegaste a creerte en compañía. «¿No será —me decías— una mera cavilación, un fruto de soberbia, de petulancia, tal vez de locura, esto de creerme solo? Porque yo, cuando me sereno, me veo acompañado, y recibo cordiales apretones de mano, voces de aliento, palabras de simpatía, todo género de muestras de no encontrarme solo, ni mucho menos.» Y por aquí seguías. Y te vi engañado y perdido, te vi huyendo del sepulcro.

No, no te engañas en los accesos de tu fiebre, en las agonías de tu sed, en las congojas de tu hambre; estás solo, eternamente solo. No sólo son mordiscos los mordiscos que como tales sientes; lo son también los que sientes como besos. Te silban los que aplauden, te quieren detener en tu marcha al sepulcro los que te gritan: ¡adelante! Tápate los oídos. Y ante todo cúrate de una afección terrible que, por mucho que te la sacudas, vuelve a ti con terquedad de mosca: cúrate de la afección de preocuparte cómo aparezcas a los demás. Cuídate sólo de cómo aparezcas ante Dios, cuídate de la idea que de ti Dios tenga.

Estás solo, mucho más solo de lo que te figuras, y aun así no estás sino en camino de la absoluta, de la completa, de la verdadera soledad. La absoluta, la completa, la verdadera soledad consiste en no estar ni aun consigo mismo. Y no estarás de veras completa y absolutamente solo hasta que no te despojes de ti mismo, al borde del sepulcro. ¡Santa soledad!

Todo esto dije a mi amigo, y él me contestó, en una larga carta, llena de un furioso desaliento, estas palabras:

«Todo eso que me dices está bien, está bien, no está mal;
pero ¿no te parece que en vez de ir a buscar el sepulcro de
Don Quijote y rescatarlo de bachilleres, curas, barberos, canónigos y duques, debíamos ir a buscar el sepulcro de Dios
y rescatarlo de creyentes e incrédulos, de ateos y deístas,
que lo ocupan, y esperar allí dando voces de suprema de-
sesperación, derritiendo el corazón en lágrimas, a que Dios
resucite y nos salve de la nada»

Prólogos del autor

A la segunda edición

Apareció en primera edición esta obra en el año 1905, coincidiendo por acaso, que no de propósito, con la celebración del tercer centenario de haberse por primera vez publicado el Quijote. No fue, pues, una obra de centenario.

Salió, por mi culpa, plagada, no ya sólo de erratas tipográficas, sino de errores y descuidos del original manuscrito, todo lo que he procurado corregir en esta segunda edición.

Pensé un momento si hacerla preceder del ensayo que «Sobre la lectura e interpretación del Quijote» publiqué el mismo año de 1905 en el número de abril de La España Moderna, mas he desistido de ello en atención a que esta obra toda no es sino una ejecución del programa en aquel ensayo expuesto. Lo que se reduce a asentar que dejando a eruditos, críticos e historiadores la meritoria y utilísima tarea de investigar lo que el Quijote pudo significar en su tiempo y en el ámbito en que se produjo y lo que Cervantes quiso en él expresar y expresó, debe quedarnos a otros libre al tomar su obra inmortal como algo eterno, fuera de época y aun de país, y exponer lo que su lectura nos sugiere. Y sostuve que hoy ya es el Quijote

de todos y cada uno de sus lectores, y que puede y debe cada
cual darle una interpretación, por así decirlo, mística, como
las que a la Biblia suele darse.

Mas si renuncié a insertar al frente de esta segunda edición de mi obra aquel citado ensayo, no así con otro que con
el título de «El sepulcro de Don Quijote» publiqué en el número de febrero de 1906 de la misma susomentada revista La
España Moderna.

Esta obra es de las mías la que hasta hoy ha alcanzado
más favor del público que me lee, como lo prueba esta segunda
edición y el haber aparecido hace poco una traducción italia-
na bajo el título de Commento al Don Chisciotte, hecha por
G. Beccari y publicada en la colección Cultura dell'anima,
dirigida por G. Papini y que edita R. Carabba en Lanciano.
A la vez que se prepara una traducción francesa.

Y me complazco en creer que a esta mayor fortuna de esta
entre mis otras obras habrá contribuido el que es una libre y
personal exégesis del Quijote, en que el autor no pretende descubrir el sentido que Cervantes le diere, sino el que le da él,
ni es tampoco un erudito estudio histórico. No creo deber repetir que me siento más quijotista que cervantista y que pre-
tendo libertar al Quijote del mismo Cervantes, permitiéndo-
me alguna vez hasta discrepar de la manera como Cervantes
entendió y trató a sus dos héroes, sobre todo a Sancho. Sancho
se le imponía a Cervantes, a pesar suyo. Es que creo que los
personajes de ficción tienen dentro de la mente del autor que
los finge una vida propia, con cierta autonomía, y obedecen
a una íntima lógica de que no es del todo conciente ni dicho
autor mismo. Y el que desee más aclaraciones a este respecto,
y no se escandalice de la proposición de que nosotros podemos
comprender a Don Quijote y Sancho mejor que Cervantes que
los creó —o mejor, los sacó de la entraña espiritual de su pueblo—, acuda al ensayo que cité primero.

Salamanca, enero de 1913.

A la tercera edición

Esta edición —la tercera— de mi Vida de Don Quijote
y Sancho, *que forma parte de la de mis* Obras Completas,
*no difiere nada de la segunda, en que se corrigieron, no sólo
las muchas erratas tipográficas, sino los errores del original,
hijos de mis precipitaciones de improvisador, que infestaban
la primera, publicada en 1905 —hace veintitrés años—,
coincidiendo, por acaso, no de propósito, con la celebración del
tercer centenario de la primera publicación del* Quijote, *ya
que no me propuse hacer obra de centenario.*

*Al corregir ahora aquí, en el destierro fronterizo, las prue-
bas de esta nueva edición, he sentido más de una vez tentaciones de añadir algo a su texto o modificarlo, mas me he abs-
tenido pensando que cualquier añadido o modificación halla-
rá mejor lugar en otra obra. Añadidos y modificaciones que
me inspira mi experiencia quijotesca de cuatro años de expa-
triación de mi pobre España esclavizada. Al repasar, sobre
todo, mi comentario a la aventura de la liberación de los galeotes pensé añadir unos párrafos explicando cómo los galeotes
apedrearon a Don Quijote porque lo que querían no era que
les quitase sus cadenas, sino que les echase otras haciéndoles
cuadrilleros de la Santa Hermandad, lo que me enseñaron en
el Ateneo de Madrid ciertos mocitos que se dicen intelectuales
de minoría selecta.*

*En este tiempo se han publicado ya cuatro traducciones de
esta mi obra: dos en italiano, una en alemán y otra en inglés.
Y por cierto el autor de esta última y excelente traducción, el
profesor Homer P. Earle, de la Universidad de California,
tuvo la delicada atención de llamármela sobre que en cierto
pasaje pongo en boca de Sancho palabras que en el texto cervantino figuran en la de Sansón Carrasco y de preguntarme
si modificaba o suprimía el pasaje o le añadía alguna nota
en defensa preventiva de reparos de la crítica eruditesca. Pude
haberle remitido a mi ensayo* Sobre la lectura e interpretación del Quijote (1), *publicado por primera vez en el número*

---

(1) Publicado en el tomo primero de estas *Obras Completas.* (N. del E.)

de abril de 1905 de la revista La España Moderna, *donde establecí bien claramente mi propósito y espíritu comentariales —los místicos han comentado en pareja forma las Sagradas Escrituras cristianas— y decirle que dejo a eruditos, críticos literarios e investigadores históricos la meritoria y utilísima tarea de escudriñar lo que el* Quijote *pudo significar en su tiempo y en el ámbito en que se produjo y lo que Cervantes quiso en él expresar y expresó. Pero preferí darle otra explicación, y es ésta:*

En el prólogo del Quijote —que, como casi todos los prólogos (incluso éste) no son apenas sino mera literatura—, Cervantes nos revela que encontró el relato de la hazañosa vida del Caballero de la Triste Figura en unos papeles arábigos de un Cide Hamete Benengeli, profunda revelación con la que el bueno —¡y tan bueno!— de Cervantes nos revela lo que podríamos llamar la objetividad, la existencia —ex-istere quiere decir estar fuera— de Don Quijote y Sancho y su coro entero fuera de la ficción del novelista y sobre ella. Por mi parte, creo que el tal Cide Hamete Benengeli no era árabe, sino judío y judío marroquí, y que tampoco fingió la historia. En todo caso, ese texto arábigo del Cide Hamete Benengeli le tengo yo y aunque he olvidado todo el poquísimo árabe que me enseñó el señor Codera en la Universidad de Madrid —¡y me dio el premio en la asignatura!—, lo leo de corrido y en él he visto que en el pasaje a que aludía el profesor Earle fue Cervantes el que leyó mal y que mi interpretación, y no la suya, es la fiel. Con lo cual me creo defendido de todo posible reparo de una crítica profesional o profesoral.

Ni creo deber alargarme más aquí, en este sencillo prólogo a exponer una doctrina, que tantas veces he expuesto respecto a la realidad histórica, tanto más que preparo un obra sobre el quijotismo, en que me esforzaré por esclarecer la diferencia entre estar, ser y existir. Y cómo Don Quijote y Sancho son —no es sólo que lo fueron— tan independientes de la ficción poética de Cervantes como lo es de la mía aquel Augusto Pérez de mi novela Niebla, al que creí haber dado vida para darle después muerte, contra lo que él, y con razón, protestaba.

Y ahora, atento lector, hasta que volvamos a encontrarnos.

Miguel de Unamuno

En el destierro de Hendaya, en mi nativo país
vasco y en la frontera misma de mi España, mayo de 1928.

A la cuarta edición

*Nada tengo que añadir a este prólogo de la tercera edición
al corregir pruebas de la cuarta.*

Miguel de Unamuno

Salamanca, fin de diciembre de 1930.

Primera parte

CAPITULO I

Que trata de la condición y ejercicio del famoso hidalgo Don Quijote de la Mancha

Nada sabemos del nacimiento de Don Quijote, nada de su infancia y juventud, ni de cómo se fraguara el ánimo del Caballero de la Fe, del que nos hace con su locura cuerdos. Nada sabemos de sus padres, linaje y abolengo, ni de cómo hubieran ido asentándose en el espíritu las visiones de la asentada llanura manchega en que solía cazar; nada sabemos de la obra que hiciese en su alma la contemplación de los trigales salpicados de amapolas y clavelinas; nada sabemos de sus mocedades.

Se ha perdido toda la memoria de su linaje, nacimiento, niñez y mocedad, no nos la ha conservado ni la tradición oral ni testimonio alguno escrito, y si alguno de éstos hubo, hase perdido o yace en el polvo secular. No sabemos si dio o no muestras de su ánimo denodado y heroico ya desde tiempo infante, al modo de esos santos de nacimiento que

ya desde mamoncillos no maman los viernes y días de ayu-
no, por mortificación y dar buen ejemplo.

Respecto a su linaje, declaró él mismo a Sancho departiendo con éste después de la conquista del yelmo de Mambrino, que si bien era «hijodalgo de solar conocido, de posesión y propiedad y de devengar quinientos sueldos», no
descendía de reyes, aunque, no obstante ello, el sabio que
escribiese su historia podría deslindar de tal modo su parentela y descendencia que le hallase ser quinto o sexto nieto de rey. Y de hecho no hay quien, a la larga, no descienda de reyes, y de reyes destronados. Mas él era de los linajes que son y no fueron. Su linaje empieza en él.

Es extraño, sin embargo, cómo los diligentes rebuscado-
res que se han dado con tanto ahínco a escudriñar la vida
y milagros de nuestro Caballero no han llegado aún a pes-
quisar huellas de tal linaje, y más ahora en que tanto peso
se atribuye en el destino de un hombre a eso de su herencia. Que Cervantes no lo hiciera, no nos ha de sorprender,
pues al fin creía que es cada cual hijo de sus obras y que
se va haciendo según vive y obra; pero que no lo hagan estos inquisidores que para explicar el ingenio de un héroe
husmean si fue su padre gotoso, catarroso o tuerto, me cho-
cha mucho, y sólo me lo explico suponiendo que viven en
la tan esparcida cuanto nefanda creencia de que Don Quijote no es sino ente ficticio y fantástico, como si fuera hacedero a humana fantasía el parir tan estupenda figura.

Aparécesenos el hidalgo cuando frisaba en los cincuenta
años, en un lugar de La Mancha, pasándolo pobremente
con una «olla de algo más vaca que carnero, salpicón las
más noches, duelos y quebrantos los sábados, lentejas los
viernes y algún palomino de añadidura los domingos», lo
cual todo consumía «las tres partes de su hacienda», acabando de concluirla «sayo de velarte, calzas de velludo para
las fiestas con sus pantuflos de lo mismo y los días de entre
semana... vellorí de lo más fino». En un parco comer se le
iban las tres partes de sus rentas, en un modesto vestir la
otra cuarta. Era, pues, un hidalgo pobre, un hidalgo de go-
tera acaso, pero de los de lanza en astillero.

Era hidalgo pobre, más, a pesar de ello, hijo de bienes, porque, como decía su contemporáneo, el doctor don Juan Huarte en el capítulo XVI de su *Examen de ingenios para las ciencias,* «la ley de la Partida dice que hijodalgo quiere decir hijo de bienes; y si se entiende de bienes temporales, no tiene razón, porque hay infinitos hijosdalgos; pero si se quiere decir hijo de bienes que llamamos virtud, tiene la misma significaciónn que dijimos». Y Alonso Quijano era hijo de bondad.

En esto de la pobreza de nuestro hidalgo estriba lo más de su vida, como de la pobreza de su pueblo brota el manantial de sus vicios y a la par de sus virtudes. La tierra que alimentaba a Don Quijote es una tierra pobre, tan desollada por seculares chaparrones, que por donde viera afloran a ras de ella sus entrañas berroqueñas. Basta ver cómo van por los inviernos sus ríos apretados a largos trechos entre tajos, hoces y congostos y llevándose al mar en sus aguas fangosas el rico mantillo que habría de dar a la tierra su verdura. Y esta pobreza del suelo hizo a sus moradores andariegos, pues o tenían que ir a buscarse el pan a lenguas tierras, o bien tenían que ir guiando a las ovejas de que vivían de pasto en pasto. Nuestro hidalgo hubo de ver, año tras año, pasar a los pastores pastoreando sus merinas, sin hogar asentado, a la de Dios nos valga, y acaso viéndolos así soñó alguna vez ver tierras nuevas y correr mundo.

Era pobre, «de complexión recia, seco de carnes, enjuto de rostro, gran madrugador y amigo de la caza». De lo cual se saca que era de temperamento colérico, en el que predominan calor y sequedad, y quien lea el ya citado *Examen de ingenios* que compuso el doctor don Juan Huarte, dedicándoselo a S. M. el Rey don Felipe II, verá cuán bien cuadra a Don Quijote lo que de los temperamentos calientes y secos dice el ingenioso físico. De este mismo temperamento era tambien aquel caballero de Cristo, Iñigo de Loyola, de quien tendremos mucho que decir aquí y de quien el P. Pedro de Rivadeneyra (*) en la vida que de él compuso, y en el capítulo V del libro V de ella, nos dice que era muy cálido de complexión y muy colérico, aunque ven-

ció luego la cólera, quedándose «con el vigor y brío que ella
suele dar, y que era menester para la ejecución de las cosas
que trataba». Y es natural que Loyola fuese del mismo temperamento que Don Quijote, porque había de ser capitán
de una milicia y su arte, arte militar. Y hasta en los más
pequeños pormenores se anunciaba lo que había de ser,
pues al descubrirnos la estatura y disposición de su cuerpo
en el capítulo XVIII del libro IV nos dice el citado Padre,
su historiador, que tenía la frente ancha y desarrugada y
una calva de muy venerable aspecto. Lo que consuena con
la cuarta señal que pone el doctor Huarte para conocer al
que tenga ingenio militar, y es tener la cabeza calva, y «está
la razón muy clara», dice, añadiendo: «Porque esta diferencia de imaginativa reside en la parte delantera de la cabeza,
como todas las demás, y el demasiado calor quema el cue-
ro de la cabeza y cierra los caminos por donde han de pasar
los cabellos; allende que la materia de que se engendra, dicen los médicos que son los excrementos que hace el cerebro al tiempo de su nutrición, y con el gran fuego que allí
hay, todos se gastan y consumen y así falta materia de qué
poderse engendrar.» De donde yo deduzco, aunque el puntualísimo historiador de Don Quijote no nos lo diga, que
éste era también de frente ancha, espaciosa y desarrugada,
y además calvo.

Era Don Quijote amigo de la caza, en cuyo ejercicio se
aprenden astucias y engaños de guerra, y así es como tras
las liebres y perdices corrió y recorrió los aledaños de su lugar, y debió de recorrerlos solitario y escotero bajo la ter-
sura sin mancha de su cielo manchego.

Era pobre y ocioso; ocioso estaba los más ratos del año.
Y nada hay en el mundo más ingenioso que la pobreza en
la ociosidad. La pobreza le hacía amar la vida, apartándole
de todo hartazgo y nutriéndole de esperanzas, y la ociosidad debió hacerle pensar en la vida inacabable, en la vida
perturbadora. ¡Cuántas veces no soñó en sus mañaneras ca-
cerías con que su nombre se desparramara en redondo por
aquellas abiertas llanuras y rodeara ciñendo a los hogares todos y resonase en la anchura de la tierra y de los siglos! De

sueños de ambición apacentó su ociosidad y su pobreza, y despegado del regalo de la vida, anheló inmortalidad no acabadera.

En aquellos cuarenta y tanto años de su oscura vida, pues frisaba ésta en los cincuenta cuando entró en obra de inmortalidad nuestro hidalgo, en aquellos cuarenta y tantos años, ¿qué había hecho fuera de cazar y administrar su hacienda? En las largas horas de su lenta vida, ¿de qué contemplaciones nutrió su alma? Porque era un contemplativo, ya que sólo los contemplativos se aprestan a una obra como la suya.

Adviértase que no se dio al mundo y a su obra redentora hasta frisar en los cincuenta, en bien sazonada madurez de vida. No floreció, pues, su locura hasta que su cordura y su bondad hubieron sazonado bien. No fue un muchacho que se lanzara a tontas y a locas a una carrera mal conocida, sino un hombre sesudo y cuerdo, que enloquece de pura madurez de espíritu.

La ociosidad y un amor desgraciado de que hablaré más adelante le llevaron a darse a leer libros de caballerías con «tanta afición y gusto, que olvidó casi de todo punto el ejercicio de la caza y aun la administración de su hacienda» y hasta «vendió muchas fanegas de tierras de sembradura para comprar libros de caballerías», pues no sólo de pan vive el hombre. Y apacentó su corazón con las hazañas, y proezas de aquellos esforzados caballeros que, desprendidos de la vida que pasa, aspiraron a la gloria que queda. El deseo de la gloria fue su resorte de acción.

«Y así del poco dormir y del mucho leer se le secó el cerebro de manera que vino a perder el juicio.» En cuanto a lo de secársele el cerebro, el doctor Huarte, de quien dije, nos dice en el capítulo I de su obra que el entendimiento pide «que el cerebro sea seco y compuesto de partes sutiles y muy delicadas», y por lo que hace a la pérdida del juicio, nos habla de Demócrito Abderita, «el cual vino a tanta pujanza de entendimiento, allá en la vejez, que se le perdió la imaginativa, por la cual razón comenzó a hacer y decir dichos y sentencias tan fuera de término, que toda la ciudad

Abdera le tuvo por loco», mas al ir a verle y curarle Hipócrates, se encontró con que era «el hombre más sabio que
había en el mundo», y los locos y desatinados los que le hicieron ir a curarle. Y fue la ventura de Demócrito —agrega el doctor Huarte— que todo cuanto razonó con Hipócrates «en aquel breve tiempo fueron discursos de entendimiento, y no de la imaginativa, donde tenía la lesión». Y
así se ve también en la vida de Don Quijote que en oyéndole discursos de entendimiento, teníanle todos por hombre discretísimo y muy cuerdo, mas en llegando a los de
imaginativa, donde tenía la lesión, admirábanse todos de
su locura, verdaderamente admirable.

«Vino a perder el juicio.» Por nuestro bien lo perdió;
para dejarnos eterno ejemplo de generosidad espiritual. Con
juicio, ¿hubiera sido tan heroico? Hizo en aras de su pueblo el más grande sacrificio: el de su juicio. Llenósele la fantasía de hermosos desatinos, y creyó ser verdad lo que es
sólo hermosura. Y lo creyó con fe tan viva, con fe engendradora de obras, que acordó poner en hecho lo que su desatino le mostraba, y en puro creerlo hízolo verdad. «En
efecto, rematado ya su juicio, vino a dar en el más extraño
pensamiento que jamás dio loco en el mundo, y fue que le
pareció convenible y necesario, así para el aumento de su
honra como para el servicio de su república, hacerse caballero andante e irse por el mundo con sus armas y caballo
a buscar las aventuras y a ejercitarse en todo aquello que él
había leído que los caballeros andantes se ejercitaban, deshaciendo todo género de agravio y poniéndose en ocasiones
y peligros, donde acabándolos cobrarse eterno nombre y
fama.» En esto de cobrar eterno nombre y fama estribaba
lo más de su negocio; en ello el aumento de su honra primero y el servicio de su república después. Y su honra ¡qué
era? ¿Qué era eso de la honra de que andaba entonces tan
llena nuestra España? ¿Qué es sino un ensancharse en espacio y prolongarse en tiempo la personalidad? ¿Qué es sino
darnos a la tradición para vivir en ella y así no morir del
todo? Podrá ello parecer egoísta, y más noble y puro buscar
el servicio de la república primero, si no únicamente por lo

de buscar el reino de Dios y su justicia, buscarlo por amor al bien mismo, pero ni los cuerpos pueden menos de caer a la tierra, pues tal es su ley, ni las almas menos de obrar por ley de gravitación espiritual, por ley de amor propio y deseo de honra. Dicen los físicos que la ley de la caída es ley de atracción mutua, atrayéndose una a otra la piedra que cae sobre la tierra y la tierra que sobre aquélla cae, en razón inversa a su masa, y así entre Dios y el hombre es también mutua la atracción. Y si El nos tira a Sí con infinito tirón, también nosotros tiramos de El. Su cielo padece fuerza. Y es El para nosotros, ante todo y sobre todo, el eterno productor de inmortalidad.

El pobre e ingenioso hidalgo no buscó provecho pasajero ni regalo de cuerpo, sino eterno nombre y fama, poniendo así su nombre sobre sí mismo. Sometióse a su propia idea, al Don Quijote eterno, a la memoria que de 'él quedase. «Quien pierda su alma la ganará» —dijo Jesús; es decir, ganará su alma perdida y no otra cosa. Perdió Alonso Quijano el juicio, para ganarlo en Don Quijote: un juicio glorificado.

«Imaginábase el pobre ya coronado por el valor de su brazo, por lo menos del imperio de Trapisonda, y se dio priesa a poner en efecto lo que deseaba.» No fue un contemplativo tan sólo, sino que pasó del soñar a poner en obra lo soñado. «Y lo primero que hizo fue limpiar unas armas que habían sido de sus bisagüelos», pues salía a luchar a un mundo para él desconocido, con armas heredadas que «luengos siglos había que estaban puestas y olvidadas en un rincón». Mas antes limpió las armas

que el orín de la paz gastado había
    (Camoens: *Os Lusiadas,* IV, 22.)

y se arregló una celada de encajas con cartones, y todo lo demás que sabéis de cómo lo probó sin querer repetir la probatura, en lo que mostró lo cuerda que su locura era. «Y fue luego a ver a su rocín» y engrandeciólo con los ojos de la fe y le puso nombre. Y luego se lo puso a sí mismo, nombre nuevo, como convenía a su renovación interior, y se llamó Don Quijote, y con este nombre ha cobrado eternidad de fama. E hizo bien en mudar de nombre, pues con el nuevo llegó a ser de veras hidalgo, si nos atenemos a la doctrina del dicho doctor Huarte, que en la ya citada obra nos dice: «El español que inventó este nombre, hijodalgo, dio bien a entender... que tienen los hombres dos géneros de nacimiento. El uno es natural, en el cual todos son iguales, y el otro espiritual. Cuando el hombre hace algún hecho heroico o alguna extraña virtud y hazaña, entonces nace de nuevo y cobra otros mejores padres, y pierde el ser que antes tenía. Ayer se llamaba hijo de Pedro y nieto de Sancho; ahora se llama hijo de sus obras. De donde tuvo origen el refrán castellano que dice: cada uno es hijo de sus obras, y porque las buenas y virtuosas llama la Divina Escritura algo, y los vicios y pecados nada, compuso este nombre hijodalgo, que quiere decir ahora descendiente del que hizo alguna extraña virtud...» Y así Don Quijote, descendiente de sí mismo, nació en espíritu al decidirse a salir en busca de aventuras, y se puso nuevo nombre a cuenta de las hazañas que pensaba llevar a cabo.

Y después de esto buscó dama de quien enamorarse. Y en la imagen de Aldonza Lorenzo, «moza labradora de muy buen parecer de quien él un tiempo anduvo enamorado, aunque según se entiende ella jamás lo supo ni se dio cata de ello», encarnó la Gloria y la llamó Dulcinea del Toboso.

CAPITULO II

Que trata de la primera salida que de su tierra hizo Don Quijote

«Y así, sin dar parte a persona alguna de su intención, y sin que nadie le viese, una mañana antes del día se armó de todas sus armas, subió sobre su Rocinante... y por la puerta falsa de un corral salió al campo con grandísimo con-

tento y alborozo de ver con cuánta facilidad había dado
principio a su buen deseo.» Así, sólo, sin ser visto, por puerta falsa de corral, como quien va a hacer algo vedado, se
echó al mundo. ¡Singular ejemplo de humildad! El caso es
que por cualquier puerta se sale al mundo, y cuando uno
se apresta a una hazaña no debe pararse en por qué puerta
ha de salir.

Mas pronto cayó en la cuenta de que no era armado caballero, y él, sumiso a la tradición siempre, «propuso de hacerse armar caballero del primero que topase». Porque no
iba al mundo a derogar ley alguna, sino a hacer que se cum-
plieran las de caballerosidad y la justicia.

¿No os recuerda esta salida la de aquel otro caballero, de
la Milicia de Cristo, Iñigo de Loyola, que después de haber
procurado en sus mocedades «de aventajarse sobre todos sus
iguales y de alcanzar fama de hombre valeroso, y honra y
gloria militar», y aun en los comienzos de su conversión,
cuando se disponía a ir a Italia, siendo «muy atormentado
de la tentación de la vanagloria», y habiendo sido, antes de
convertirse, «muy curioso y amigo de leer libros profanos
de caballerías», cuando después de herido en Pamplona leyó
la vida de Cristo, y las de los Santos, comenzó a «trocársele
el corazón y a querer imitar y obrar lo que leía»? Y así, una
mañana, sin hacer caso de los consejos de sus hermanos,
«púsose en camino acompañado de sus criados» y emprendió su vida de aventuras en Cristo, poniendo en un principio «todo su cuidado y conato en hacer cosas grandes y
muy dificultosas... y esto no por otra razón sino porque los
Santos que él había tomado por su dechado y ejemplo habían echado por este camino». Así nos lo cuenta el P. Pedro de Rivadeneira en los capítulos I, III y X del libro I
de su *Vida del bienaventurado Padre Ignacio de Loyola,* obra
que apareció en romance castellano el año 1583, y era una
de las que figuraban en la librería de Don Quijote, que la
leyó, y una de las que en el escrutinio que de tal librería
hicieron el cura y el barbero, fue indebidamente a fuego
del corral, por no haber ellos reparado en ella, que a haberla descubierto habríala el cura respetado y puesto sobre su

cabeza. Y de que no reparó en ella, es buena prueba el que
Cervantes no lo cita.

Resuelto Don Quijote a hacerse armar caballero del primero que topase, «se quietó y prosiguió su camino sin llevar otro que aquel que su caballo quería, creyendo que en
aquello consistía la fuerza de las aventuras». Y creyendo
muy bien al creer así. Su heroico espíritu igual habría de
ejercerse en una que otra aventura: en la que Dios tuviese
a bien depararle. Como Cristo Jesús, de quien fue siempre
Don Quijote un fiel discípulo, estaba a lo que la aventura
de los caminos le trajese. El divino Maestro, yendo a despertar de su mortal sueño a la hija de Jairo, se detuvo con
la mujer de la hemorragia. Lo más urgente es lo de ahora y
lo de aquí; en el momento que pasa y en el reducido lugar
que ocupamos están nuestra eternidad y nuestra infinitud.

Se deja llevar de su caballo el Caballero, al azar de los
senderos de la vida. ¿Qué menos daba esto si era siempre
la misma y siempre fija su alma heroica? Salía al mundo a
enderezar los entuertos que al encuentro le salieran, mas sin
plan previo, sin programa alguno reformatorio. No salía él
a aplicar ordenamientos de antemano trazados, sino a vivir
conforme a como los caballeros andantes habían vivido; su
dechado eran vidas creadas y narradas por el arte, que conviene añadir, además, que por entonces no había aún esta
cosa que llamamos ahora sociología por llamarla de algún
modo.

Y conviene vernos también en esto de dejarse llevar del
caballo uno de los actos de más profunda humildad y obediencia a los designios de Dios. No escogía, como soberbio, las aventuras, ni iba a hacer esto o lo otro, sino lo que
el azar de los caminos le deparase, y como el instinto de las
bestias depende de la voluntad divina más directamente
que nuestro libre albedrío, de su caballo se dejaba guiar.
También Iñigo de Loyola, en famosa aventura de que ha-
blaremos, se dejó guiar de la inspiración de su cabalgadura.

Esto de la obediencia de Don Quijote a los designios de
Dios es una de las cosas que más debemos observar y admirar en su vida. Su obediencia fue de la perfecta, de la

que es ciega, pues jamás se le ocurrió pararse a pensar si
era o no acomodada a él la aventura que se le presentase:
se dejó llevar, como según Loyola debe dejarse llevar el perfecto obediente, como un báculo en mano de un viejo, o
«como un pequeño crucifijo que se deja volver de una parte a otra sin dificultad alguna».

«Yendo, pues, caminando nuestro flamante aventurero,
iba hablando consigo mesmo y diciendo: ¿quién duda sino
que en los venideros tiempos, cuando salga a la luz la verdadera historia de mis famosos hechos...?», y todo lo demás que, según nos cuenta Cervantes, iba diciéndose Don
Quijote. Cuya locura tira siempre a su centro, a buscar eterno nombre y fama, a que se escriba su historia en los venideros tiempos. Fue el fondo de pecado, es decir, la raíz
hondamente humana de su generosa empresa, la de buscar
nombre y fama en ella, la de emprenderla por la gloria.
Pero ese mismo fondo de pecado la hizo, ¡es natural!, en-
trañadamente humana. Toda vida heroica o santa corrió
siempre en pos de la gloria, temporal o eterna, terrena o celestial. No creáis a quienes os digan que buscan el bien por
el bien mismo, sin esperanza de recompensa; de ser ello verdad, serían sus almas como cuerpos sin peso, puramente
aparenciales. Para conservar y acrecentar la especie humana
se nos dio el instinto y sentimiento del amor entre mujer y
hombre; para enriquecerla con grandes obras se no dio la
ambición de gloria. Lo sobrehumano de la perfección toca
en lo inhumano, y en ello se hunde.

Y entre los disparates que en este acto de su primera salida iba nuestro Caballero ensartando, fue de lo primero
acordarse de la princesa Dulcinea de la Gloria, que le hizo
el agravio de despedirle y reprocharle con el riguroso afin-
camiento de mandarle no paracer ante la su fermosura. La
gloria es conquistadera, mas con harto trabajo, y el buen hidalgo, impaciente como novicio, se desesperaba de haber
caminado todo aquel día «sin acontecerle cosa que de contar fuese». No te desespere eso, buen Caballero: lo heroico
es abrirse a la gracia de los sucesos que nos sobrevengan,
sin pretender forzarlos a venir.

Mas al caer de este primer día de su carrera de gloria
«vio, no lejos del camino por donde iba, una venta», llegando a ella «a tiempo que anochecía». Y las primeras
personas con que topó en el mundo fueron «dos mujeres
mozas, destas que llaman del partido»; encuentro con dos
pobres rameras fue su primer encuentro en su ministerio heroico. Mas a él le parecieron «dos hermosas doncellas o dos
graciosas damas, que delante de la puerta del castillo»
—pues por tal tuvo la venta— «se estaban solazando». ¡Oh
poder redentor de la locura! A los ojos del héroe las mozas
del partido aparecieron como hermosas doncellas; su castidad se proyecta a ellas y las castiga y depura. La limpieza
de Dulcinea las cubre y limpia a los ojos de Don Quijote.

Y en esto un porquero tocó un cuerno para recoger sus
puercos, y lo tomó Don Quijote por señal de algún enano,
y se llegó a la venta y a las transfiguradas mozas. Llenas éstas de miedo —¿y qué sino miedo ha de criar en ellas su
desventurado oficio?— se iban a entrar en la venta, cuando el Caballero, alzada la visera de papelón y descubierto
el seco y polvoroso rostro, les habló «con gentil talante y
voz reposada» llamándolas doncellas. ¡Doncellas! ¡Santa limosna de la palabra! Pero ellas, al oírse llamar cosa «tan fuera de su profesión, no pudieron tener la risa, y fue de manera que Don Quijote vino a correrse».

He aquí la primera aventura del hidalgo, cuando responde la risa a su cándida inocencia, cuando al verter sobre
el mundo su corazón la pureza de que esta henchido, recibe de rechazo la risa, matadora de todo generoso anhelo.
Y ved que las desgraciadas se ríen precisamente del mayor
honor que pudiera hacérseles. Y él, corrido, les reprendió
su sandez, y arreciaron a reír ellas, y él a enojarse, y salió
el ventero, «hombre que por ser muy gordo era muy pacífico», y le ofreció posada. Y ante la humildad del ventero
humillóse Don Quijote y se apeó. Y las mozas, reconcilia-
das con el, pusiéronse a desarmarle. Dos mozas del partido
hechas por Don Quijote doncellas, ¡oh poder de su locura
redentora!, fueron las primeras en servirle con desinteresado cariño.

> Nunca fuera caballero
> de damas tan bien servido.

Recordad a María de Magdalena lavando y ungiendo los pies del Señor, y enjugándoselos con su cabellera, acariciada tantas veces en el pecado; a aquella gloriosa Magdalena de que tan devota era Teresa de Jesús, según ella misma nos lo cuenta en el capítulo IX de su *Vida,* y a la que se encomendaba para que le alcanzase perdón.

El Caballero manifestó sus deseos de cumplir hazañas en servicio de aquellas pobres mozas, que aún aguardan el Don Quijote que enderece su entuerto. «Pero tiempo vendrá —les dijo— en que las vuestras señorías me manden y yo obedezco.» Y las mozas, que «no estaban hechas a oír semejantes retóricas» y sí soeces groserías, «no respondían palabra»; sólo le preguntaron «si quería comer alguna cosa». Cesó la risa; sintiéronse mujeres las adoncelladas mozas del partido, y le preguntaron si quería comer. «Si quería comer...» Hay todo un misterio de la más sencilla ternura en este rasgo que Cervantes nos ha transmitido. Las pobres mozas comprendieron al Caballero calando hasta el fondo su niñez de espíritu, su inocencia heroica, y le preguntaron si quería comer. Fueron dos pobres pecadoras de por fuerza las primeras que se cuidaron de mantener la vida del heroico loco. Las adoncelladas mozas, al ver a tan extraño Caballero, debieron de sentirse conmovidas en lo más hondo de sus injuriadas entrañas, en sus entrañas de maternidad, y al sentirse madres, viendo en Don Quijote al niño, como las madres a sus hijos, le preguntaron maternalmente si quería comer. Toda caridad de mujer, todo beneficio, toda limosna que rinde, lo hace por sentirse madre. Con alma de madres preguntaron las mozas del partido a Don Quijote, si quería comer. Ved, pues, si las adoncelló con su locura, pues que toda mujer, cuando se siente madre, se adoncella.

Si quería comer... «A lo que entiendo me haría mucho al caso —respondió Don Quijote—, pues el trabajo y peso de las armas no se puede llevar sin el gobierno de las tripas.» Y comió, y al oír, mientras comía, el silbato de cañas de un castrador de puercos, acabóse de confirmar «que estaba en algún famoso castillo y que le servían con música, y que el abadejo eran truchas, el pan candial y las rameras damas, y el ventero castellano del castillo, y con esto daba por bien empleada su determinación y salida». Con razón se dijo que nada hay imposible para el creyente, ni nada como la fe sazona y ablanda el pan más áspero y duro.

«Mas lo que más le fatigaba era el no verse armado caballero, por parecerle que no se podría poner legítimamente en aventura alguna sin recibir la orden de caballería.» Y decidió hacerlo.

CAPITULO III

Donde se comenta la gloriosa manera que tuvo Don Quijote en armarse caballero

Va Alonso Quijano a recibir su caballeresco bautismo como Don Quijote. Y así, ahincó ambos hinojos ante el ventero pidiéndole un don, que le fue otorgado, cual fue el de que le armara caballero, y prometiendo velar aquella noche las armas en la capilla del castillo. Y el ventero «por tener que reír aquella noche, determinó de seguirle el humor», por donde se ve que era uno de estos que toman al mundo en espectáculo, cosa natural en quien estaba hecho a tanto trajín y trasiego de yentes y vinientes. ¿Cómo no tomar en espectáculo el mundo quien vive en el de una posada en donde nadie posa de veras? El tener que separarse de uno apenas conocido y tratado nos lleva a buscar que reír.

Era el ventero un hombre que había corrido mundo sembrando fechorías y cosechando prudencia. Y tan claveteada ésta, que al responder Don Quijote a una pregunta suya «que no traía blanca porque él nunca había leído en las historias de los caballeros andantes que ninguno las hubiese traído», le dijo se engañaba, que puesto caso «que en las historias no se escribía, por haberles parecido a los autores dellas que no era menester escribir una cosa tan clara y tan necesaria de traerse, como eran dineros y camisas limpias, no por eso se había de creer que no los trujeron; y así tuviese por cierto y averiguado que todos los caballeros andantes llevaban herradas las bolsas por lo que pudiese sucederles». A lo cual «prometió Don Quijote de hacer lo que se le aconsejaba», pues era un loco muy razonable y ante la intimación de los dineros no hay locura que no se quiebre.

Pero ¿no vive el sacerdote del altar?, se dirá. Y ¿no es bien que de sus hazañas viva el hazañoso? ¡Dineros y camisas limpias! ¡Impurezas de la realidad! Impurezas de la realidad, sí, pero a las que tienen que acomodarse los héroes. También Iñigo de Loyola se esforzaba por vivir en verdadero caballero andante a lo divino, tornando, apenas salía de enfermedades, a sus acostumbradas asperezas de vida, «pero al fin la larga experiencia y un grave dolor de estómago que a menudo le saltaba —nos cuenta su historiador, libro I, cap. IX— y la esperanza del tiempo, que era en medio del invierno, le ablandaron un poco para que obedeciese a los consejos de sus devotos y amigos; los cuales le hicieron tomar dos ropillas cortas, de un paño grosero y pardillo, para abrigar su cuerpo y del mismo paño una media caperuza para cubrir la cabeza».

Púsose luego Don Quijote a velar las armas en el patio de la venta, a la luz de la luna y espiado por los curiosos. Y entró un arriero a dar agua a su recua y quitó las armas que estaban sobre la pila, pues cuando hay que dar de beber a nuestra hacienda arrancamos cuanto nos estorbe llegar al manantial. Mas recibió su pago en un fuerte astazo de lanza que lo derribó aturdido. Y a otro, que iba a lo mismo, acaecióle igual. Y a poco empezaron los demás arrieros a apedrear al Caballero, y él a dar voces llamándoles «soez y baja canalla», y los llamó «con tanto brío y denuedo», que logró atemorizarlos. Poned, pues, alma en vuestras voces, llamad con denuedo y brío canalla a los arrieros que arrancan de su reposadero las armas del ideal para poder abrevar sus recuas, y conseguiréis atemorizarlos.

El ventero, temeroso de otros males, abrevió la ceremonia, llevó un libro «donde asentaba la paja y cebada que daba a los arrieros, y con un cabo de vela que traía un muchacho y con las dos ya dichas doncellas», hizo ponerse de rodillas a Don Quijote y leyendo una devota oración le dio un golpe y el espaldarazo. El libro en que asentaba la paja y cebada sirvió de Evangelio ritual, y cuando el Evangelio se convierte en puro rito es lo mismo. Una de las mozas, la Tolosa, toledana, le ciñó la espada deseándole venturas en lides, y él le rogó se pusiese Don y se llamase Doña Tolosa, y la otra moza, la Molinera, antequerana, le calzó la espuela «y le pasó casi el mismo coloquio» con ella. Y luego se salió sin que le pidieran la costa.

Ya le tenemos armado caballero por un bellaco, que harto de hurtar la vida a salto de mata, la asegura desvalijando a mansalva a los viandantes, y por dos rameras adoncelladas. Tales le entraron en el mundo de la inmortalidad, en que había de reprenderle canónigos y graves eclesiásticos. Ellas, la Tolosa y la Molinera, le dieron de comer, ellas le ciñeron espada y le calzaron espuela, mostrándose con él serviciales y humildes. Humilladas de continuo en su fatal profesión, penetradas de su propia miseria y sin siquiera el orgullo hediondo de la degradación, fueron adoncelladas por Don Quijote y elevadas por él a la dignidad de doñas. Fue el primer entuerto del mundo enderezado por nuestro Caballero, y como todos los demás que enderezó, torcido queda. ¡Pobres mujeres que, sencillamente, sin ostentación cínica, doblan la cerviz a la necesidad del vicio y a la brutalidad del hombre, y para ganarse el pan se resignan a la infamia! ¡Pobres guardadoras de la virtud ajena, hechas sumideros de lujuria, que estancándose mancharía a las otras! Fueron las primeras en acoger al loco sublime; ellas le ciñeron espada, ellas le calzaron espuela, y de sus manos entró en el camino de la gloria.

Y aquella vela de armas, ¿no os recuerda la del caballero andante de Cristo, la de Iñigo de Loyola? También Iñigo, la víspera de la Navidad de 1522, veló sus armas ante el altar de Nuestra Señora de Monserrate. Oigámoslo al P. Rivadeneira (lib. I, cap. IV): «Como hubiese leído en sus libros de caballerías que los caballeros noveles solían velar sus

armas, por imitar él, como caballero novel de Cristo, con
espiritual representación aquel hecho caballeroso y velar sus
nuevas y al parecer pobres y flacas armas, mas en hecho de
verdad muy ricas y fuertes, que contra el enemigo de nuestra naturaleza se había vestido, toda aquella noche, parte
en pie, parte de rodillas, estuvo velando delante de la imagen de Nuestra Señora, encomendándose de todo corazón
a ella, llorando amargamente sus pecados y proponiendo la
enmienda de la vida para en adelante.»

CAPITULO IV

De lo que sucedió a nuestro Caballero cuando salió de la
venta

Salió de la venta Don Quijote y, acordándose de los consejos del sesudo ventero, determinó volverse a casa a pro-
veerse de lo necesario y a tomar escudero. No era un necio
que fuese a tiro hecho, sino un loco que admitía las leccio-
nes de la realidad.

Y al volver a casa, «a acomodarse de todo», oyó voces sa-
lientes de la espesura de un bosque, y se entró por el y vio
a un labrador que azotaba a un muchacho «desnudo de medio cuerpo arriba», reprendiéndole a cada golpe. Y al ver
un castigo se sublevó el espíritu de justicia del Caballero e
increpó al labrador que se tomaba con quien no podía defenderse, e invitóle a luchar con él, por ser de cobardes lo
que hacía. «Es un mi criado», respondió con buenas palabras el castigador, contando después cómo le perdía ovejas
de la manada, y que al castigarle decía el criado lo hacía
su amo por miserable, en lo que mentía, según el amo.
«¿Miente delante de mí, ruin villano? —dijo Don Quijote—; por el sol que nos alumbra que estoy por pasaros de
parte a parte con esta lanza; pegadle luego sin más réplica;
si no, por el Dios que nos rije, que os concluya y aniquile
en este punto: desatadlo luego.»

¿Mentir? ¿Mentir delante de Don Quijote? Ante él sólo

miente quien reprocha de mentira a otro, siempre que el
reprochador sea el más fuerte. En el bajo y triste mundo
no les queda de ordinario a los débiles otra defensa que la
mentira contra la fortaleza de los fuertes, y así éstos, los leones, han declarado nobles sus armas, las recias quijadas y las
robustas garras, y viles el veneno de la víbora, las patas
veloces de la liebre, la astucia del zorro y la tinta del calamar.
y vilísima la mentira, arma de quien no tiene otra a que
acogerse. Pero ¿mentir ante Don Quijote, o mejor dicho,
mentir a solas con quien sabe la verdad? Quien miente es
el fuerte, que teniendo atado y azotando al débil le echa en
cara su mentira. ¿Miente? ¿Y por qué él, Juan Haldudo el
rico, al ser cojido en flagrante delito, va a aumentarlo ejer-
ciendo de acusador, de diablo? Todo amo que se toma la
justicia por su mano tiene que hacer de diablo para poder
tomársela e inventar imputaciones. Siempre el fuerte busca
razones con que cohonestar sus violencias, cuando en rigor
basta la violencia, que es razón de sí misma, y sobran las
razones. Es preferible un pisotón a secas, cuando nos lo dan
adrede, que no con un «usted dispense» de añadidura.

Bajó el rico labrador la cabeza —¿y qué iba a hacer ante
la verdad que, armada de lanzón le hablaba amenazado-
ra?—, bajó la cabeza sin responder, desató al criado y ofreció, so pena de muerte, pagarle sesenta y tres reales cuando
llegaran a casa, pues no tenía allí dinero. Resistióse el mozo
a ir, por miedo a nueva paliza, mas Don Quijote replicó:
«no hará tal, basta que yo se lo mande para que me tenga
respeto, y con que él me lo jure por la ley de caballería que
ha recibido, le dejaré ir libre y aseguraré la paga.» Protestó
el criado, diciendo no ser caballero su amo, sino Juan Haldudo el rico, vecino de Quintanar, a lo que respondió
Don Quijote que puede haber Haldudos caballeros «y cada
uno es hijo de sus obras». Lo de haberle tomado por caballero Don Quijote vino de que vio «tenía una lanza arrimada a la encina adonde estaba arrendada la yegua»; y ¿quiénes sino los caballeros usan lanzas, ni como sino por ellas
va a conocérseles?

Notemos aquel «no hará tal, basta que yo se lo mande

para que me tenga respeto», sentencia probadora de la honda fe del caballero en sí mismo, fe en que se ensalzaba, pues no teniendo aún obras, creíase hijo de las que pensaba acometer y por las que cobraría eterno renombre y fama. Poco cristiano a primera vista lo de tener a un hijo de Dios por hijo de sus obras, mas es que el cristianismo de Don Quijote estaba más adentro, mucho más adentro, por debajo de gracia de fe y de mérito de obras, en la raíz común a la naturaleza y a la gracia.

Prometido, pues, por Juan Haldudo el rico, el pagar a su criado un real sobre otro'y aun sahumados, sahumerio del que le hizo gracia Don Quijote, encomendándole cumpliera como juró, pues de otro modo juraba él volver a buscarlo y castigarle, pues tendría que hallarlo aunque se escondiese más que una lagartija; prometido así por Juan Haldudo, se apartó Don Quijote. Y cuando hubo traspuesto el bosque y ya no parecía, volvióse el rico Haldudo a su criado, tornó a atarle a la encina y le hizo pagar cara la justicia de Don Quijote. Y con esto el criado «se partió llorando y su amo se quedó riendo; y de esta manera deshizo el agravio el valeroso Don Quijote» —agrega Cervantes maliciosamente—. Y con él maliciarán cuantos hablan de lo contraproducente del ideal. Mas ahora, ¿ahora quién ríe y quién llora ahora? El Caballero se fue su camino, lleno de fe, ponderando su hazaña y cómo quitó el látigo de la mano «a aquel despiadado enemigo que tan sin ocasión vapuleaba a aquel delicado infante». Al cual le fue sin duda de mayor premio la segunda tanda de azotes con que le dejó por muerto su amo, que no la primera y sin duda muy merecida en justicia humana. Más le valieron y más le enseñaron aquellos segundos furiosos azotes, que le hubieran valido y enseñado los sesenta y tres reales sahumados. Aparte de lo cual, tienen las aventuras todas de nuestro Caballero su flor en el tiempo y en la tierra, pero sus raíces en la eternidad, y en la eternidad y en los profundos, el entuerto del criado de Juan Haldudo el rico quedó muy bien y para siempre enderezado.

Siguió Don Quijote el camino que a Rocinante le placía,

pues todos ellos llevan a la eternidad de la fama cuando el
pecho alberga esforzado empeño. También Iñigo de Loyola, cuando, camino de Monserrate, se separó del moro con
quien había disputado, determinó dejar a la cabalgadura
en que iba la elección de camino y de porvenir. Y yendo
así Don Quijote, es cuando dio con aquel tropel de mercaderes toledanos que iban a comprar seda a Murcia. Y vio
nueva aventura y se plantó ante ellos como Cervantes nos
lo cuenta, y quiso hacerlos confesar, ¡a los mercaderes!, que
«no hay en el mundo todo doncella más hermosa que la em-
peratriz de la Mancha, la sin par Dulcinea del Toboso».

Los corazones mezquinos que sólo miden la grandeza de
las acciones humanas por el bajo provecho de la carne o el
sosiego de la vida externa, alaban el intento de Don Quijote al querer hacer pagar a Haldudo el rico o al socorrer a
menesterosos, pero no ven sino mera locura en esto de querer que los mercaderes confesasen, sin haberla nunca visto,
la sin par hermosura de Dulcinea del Toboso. Y ésta es,
sin embargo, una de las más quijotescas aventuras de
Don Quijote; es decir, una de las que más levantan el corazón de los redimidos por su locura. Aquí Don Quijote no
se dispone a pelear por favorecer a menesterosos, ni por enderezar entuertos, ni por reparar injusticia, sino por la conquista del reino espiritual de la fe. Quería hacer confesar a
aquellos hombres, cuyos corazones amonedados sólo veían
el reino material de las riquezas, que hay un reino espiritual, y redimirlos así, a pesar de ellos mismos.

Los mercaderes no se rindieron a primeras, y duros de
pelar, acostumbrados a la sisa y al regateo, regatearon la
confesión, disculpándose con no conocer a Dulcinea. Y aquí
Don Quijote monta en quijotería y exclama: «Si os la mos-
trara, ¿qué hiciérades vosotros en confesar una verdad tan
notoria? La importancia está en que sin verla lo habéis de
creer, confesar, afirmar, jurar y defender.» ¡Admirable Caballero de la Fe! ¡Y cuán hondo su sentido de ésta! Era de
su pueblo, que fue también, tizona en la diestra y en la si-
niestra el Cristo, a hacer confesar a remotas gentes un credo que no conocían. Sólo que alguna vez cambió de manos

y erigió en alto la espada y golpeó con el crucifijo. «Gente
descomunal y soberbia» llamó con razón Don Quijote a los
mercaderes toledanos, pues ¿cuán mayor soberbia que ne-
garse a confesar, afirmar, jurar y defender la hermosura de
Dulcinea, sin haberla visto? Mas ellos, retusos en la fe, in-
sistieron, y como los contumaces judíos, que pedían al Señor señales, pidieron al Caballero les mostrase algún retrato
de aquella señora, aunque fuera «tamaño como un grano
de trigo», y, añadiendo a la contumacia protervia, blasfemaron.

Blasfemaron, suponiendo a la sin par Dulcinea lucero de
nuestras andanzas por sobre los senderos de esta baja vida,
consuelo en las adversidades, manadero de acometedores
bríos, doncella engendradora de altas empresas, por quien
es llevadera la vida y vividera la muerte; supusieron a la
sin par Dulcinea «tuerta de un ojo y que del otro le mana
bermellón y piedra azufre. No le mana, canalla infame
—respondió Don Quijote encendido en cólera—, no le
mana eso que decís, sino ámbar y algalia entre algodones,
y no es tuerta ni corcovada, sino más derecha que un huso
de Guadarrama». ¡No le mana!, ¡no le mana! —repitamos
nosotros todos—, ¡no le mana!, ¡no le mana, infames mercaderes!, ¡no le mana sino ámbar y algalia entre algodones!
Ambar mana de los ojos de la Gloria que con ellos nos
mira, infames mercades.

Y para hacerles pagar, y cara, tan gran blasfemia, arremetió Don Quijote con la lanza baja contra el que lo había
dicho «con tanta furia y enojo, que si la buena suerte no
hiciera que en la mitad del camino tropezara y cayera Rocinante, lo pasara mal el atrevido mercader».

Ya está en el suelo Don Quijote, gustando con sus costillas la dureza de la madre tierra; es su primer caída. Parémonos a considerarla. «Cayó Rocinante, y fue rodando su
amo una buena pieza por el campo, y queriéndose levan-
tar, jamás pudo; tal embarazo le causaban la lanza, adarga,
espuelas y celada con el peso de las antiguas armas.» Ya diste en tierra, mi señor Don Quijote, por fiar en tu propia
fortaleza y en la fortaleza de aquel rocín a cuyo instinto fia-

bas tu camino. Tu presunción te ha perdido; el creerte hijo
de tus obras. Ya diste en tierra, mi pobre hidalgo, y en ella
tus armas antes te sirven de embarazo que de ayuda. Mas
no te importe, pues tu triunfo fue siempre el de osar y no
el de cobrar suceso. La que llaman victoria los mercaderes
era indigna de ti; tu grandeza estribó en no reconocer nunca tu vencimiento. Sabiduría del corazón y no ciencia de la
cabeza es la de saber ser derrotado y usar de la derrota. Hoy
son los mercaderes toledanos los que están en derrota y en
gloria tú, noble Caballero.

Y desde el suelo, tendido en él pugnando por levantarte,
aún los denostabas llamándolos «gente cobarde, gente cau-
tiva», y haciéndoles ver que no por tu culpa, sino por la de
tu caballo, estabas allí tendido. Tal nos sucede a nosotros,
tus creyentes: no por nuestra culpa, sino por la culpa de los
rocines que nos llevan por los senderos de la vida, estamos
tendidos y sin poder levantarnos, pues nos embaraza para
hacerlo el peso de la antigua armadura que nos cubre.
¿Quién nos desnudará de ella?

Y llegó un mozo de mulas, «que no debía de ser muy
bienintencionado» según Cervantes, «y oyendo decir al pobre caído tantas arrogancias no lo pudo sufrir sin darle la
respuesta en las costillas» y le molió a palos «hasta envidar
todo el resto de su cólera» y sin hacer caso a las voces de
sus amos de que le dejase. Ahora, ahora que estás tendido
y sin poder levantarte, mi señor Don Quijote, ahora viene
el mozo de mulas, peor intencionado que los mercaderes a
que sirve, y te da palos. Pero tú, sin par Caballero, molido
y casi deshecho, tiénaste por dichoso, pareciéndote ser esa
«propia desgracia de caballeros andantes», y con este tu parecer, encumbras tu derrota, trasmudándola en victoria.
¡Ah, si nosotros, tus fieles, nos tuviésemos por dichosos de
haber sido molidos a palos, desgracia propia de caballeros
andantes! Más vale ser león muerto que no perro vivo.

Esta aventura de los mercaderes trae a mi memoria aquella otra del caballero Iñigo de Loyola, que nos cuenta el P.
Rivadeneira en el capítulo III del libro I de su *Vida,* cuando yendo Ignacio camino de Monserrate «topó acaso con

un moro de los que en aquel tiempo quedaban en España en los reinos de Valencia y Aragón» y «comenzaron a andar juntos, y a trabar plática y de una en otra vinieron a tratar de la virginidad y pureza de la gloriosísima Virgen Nuestra Señora». Y tal se puso la cosa, que Iñigo, al separarse del moro, quedó «muy dudoso y perplejo en lo que había de hacer; porque no sabía si la fe que profesaba y la piedad cristiana le obligaba a darse priesa tras el moro, y alcanzarle y darle de puñaladas por el atrevimiento y osadía que había tenido de hablar tan desvergonzadamente en desacato de la bienaventurada siempre Virgen sin mancilla». Y al llegar a una encrucijada, se lo dejó a la cabalgadura, según el camino que tomase, o para buscar al moro y matarle a puñaladas o para no hacerle caso. Y Dios quiso iluminar a la cabalgadura, y «dejando el camino ancho y llano por do había ido el moro, se fué por el que era más a propósito para Ignacio». Y ved cómo se debe la Compañía de Jesús a la inspiración de una caballería.

CAPITULO V

Donde se prosigue la narración de la desgracia de nuestro Caballero

Tendido Don Quijote en tierra se acojió a uno de los pasos de sus libros, como a paso de los nuestros nos acojemos en nuestra derrota, y comenzó a revolcarse por tierra y a recitar coplas. En lo cual debemos ver algo así como cierta deleitación en la derrota y un convertir a ésta en sustancia caballeresca. ¡No nos está pasando lo mismo en España? ¡No nos deleitamos en nuestra derrota y sentimos cierto gusto, como el de los convalecientes, en la propia enfermedad?

Y acertó a pasar Pedro Alonso, un labrador vecino suyo, que le levantó del suelo, le reconoció, le recojió y le llevó a su casa. Y no se entendieron en el camino, en la plática que hubieron entre ambos, plática de que sin duda tuvo noticias Cervantes por el mismo Pedro Alonso, varón sencillo

y de escasas comprendederas. Y en esta plática es cuando
Don Quijote pronunció aquella sentencia tan preñada de
sustancia, que dice: «¡Yo sé quién soy!»

Sí, él sabe quién es y no lo saben ni pueden saberlo los
piadosos Pedros Alonsos. «¡Yo sé quién soy!» —dice el héroe, porque su heroísmo lo hace conocerse a sí propio. Puede el héroe decir: «yo sé quién soy», y en esto estriba su fuerza y su desgracia a la vez. Su fuerza, porque como sabe
quién es, no tiene por qué temer a nadie, sino a Dios, que
le hizo ser quien es; y su desgracia, porque sólo él sabe,
aquí en la tierra, quién es él, y como los demás no lo saben, cuanto él haga o diga se les aparecerá como hecho o
dicho por quien no se conoce, por un loco.

Cosa tan grande como terrible la de tener una misión de
que sólo es sabedor el que la tiene y no puede a los demás
hacerles creer en ella: la de haber oído en las reconditeces
del alma la voz silenciosa de Dios, que dice: «tienes que hacer esto», mientras no les dice a los demás: «este mi hijo
que aquí veis, tiene esto que hacer». Cosa terrible haber
oído: «haz eso; haz eso que tus hermanos, juzgando por la
ley general que os rijo, estimarán desvarío o quebrantamien-
to de la ley misma; hazlo, porque la ley suprema soy Yo,
que te lo ordeno». Y como el héroe es el único que lo oye
y lo sabe, y como la obediencia a ese mandato y la fe en él
es lo que le hace, siendo por ello héroe, ser quien es, puede
muy bien decir: «yo sé quién soy, y mi Dios y yo sólo sabemos y no lo saben los demás». Entre mi Dios y yo —puede añadir— no hay ley alguna medianera; nos entendemos
directa y personalmente, y por eso sé quién soy. ¿No recor-
dáis al héroe de la fe, a Abraham, en el monte Moria?

Grande y terrible cosa el que sea el héroe el único que
vea su heroicidad por dentro, en sus entrañas mismas, y
que los demás no las vean sino por fuera, en sus extrañas.
Es lo que hace que el héroe viva solo en medio de los hombres y que esta su soledad le sirva de una compañía
confortadora; y si me dijerais que alegando semejante revelación íntima podría cualquiera, con achaque de sentirse
héroe suscitado por Dios, levantarse a su capricho, os diré que

no basta decirlo y alegarlo, sino es menester creerlo. No basta exclamar «¡yo sé quién soy!», sino es menester saberlo, y pronto se ve el engaño del que lo dice y no lo sabe y acaso ni lo cree. Y si lo dice y lo cree, soportará resignadamente la adversidad de los prójimos que le juzgan con la ley general, y no con Dios.

«¡Yo sé quién soy!» Al oír esta arrogante afirmación del Caballero, no faltará quien exclame: «¡Vaya con la presunción del hidalgo!...» Llevamos siglos diciendo y repitiendo que el ahínco mayor del hombre debe ser el de buscar conocerse a sí mismo, y que del propio conocimiento arranca toda salud, y se nos viene el muy presuntuoso con un redondo «¡yo sé quién soy!». Esto sólo basta para medir lo hondo de su locura.

Pues bien, te equivocas tú, el que dice eso; Don Quijote discurría con la voluntad, y al decir «¡yo sé quién soy!», no dijo sino «¡yo sé quién quiero ser!» Y es el quicio de la vida humana toda: saber el hombre lo que quiere ser. Te debe importar poco lo que eres; lo cardinal para ti es lo que quieras ser. El ser que eres no es más que un ser caduco y perecedero, que come de la tierra y al que la tierra se lo comerá un día; el que quieres ser es tu idea en Dios, Conciencia del Universo: es la divina idea de que eres manifestación en el tiempo y el espacio. Y tu impulso querencioso hacia ése que quieres ser no es sino la morriña que te arrastra a tu hogar divino. Sólo es hombre hecho y derecho el hombre cuando quiere ser más que hombre. Y si tú, que así reprochas su arrogancia a Don Quijote, no quieres ser sino lo que eres, estás perdido, irremisiblemente perdido. Estás perdido si no despiertas en tus entrañas a Adán y su feliz culpa, la culpa que nos ha merecido redención. Porque Adán quiso ser como un dios, sabedor del bien y del mal, y para llegar a serlo comió del prohibido fruto del árbol de la ciencia, y se le abrieron los ojos y se vio sujeto al trabajo y al progreso. Y desde entonces empezó a ser más que hombre, tomando fuerzas de su flaqueza y haciendo de su degradación su gloria y del pecado cimiento de su redención. Y hasta los ángeles le envidiaron, pues nos dice el

P. Gaspar de la Figuera, jesuita, en su *Suma Espiritual*, y cuando él nos lo asegura lo sabrá de buena tinta, que Lucifer y sus compañeros se agradaron a sí mismos, pareciéndoles bien, y que «cuando llegó el mandato de Dios que adorasen a Cristo todos sus ángeles, revelándoles que había Dios de hacerse hombre y ser niño y morir, tuviéronle a gran mengua de su naturaleza espiritual, y se afrentaron de ello; de manera que quisieron más privarse de la gracia de Dios y de la gloria que les podía dar, que venir a tal desprecio». Y así se comprende que el ángel caído, porque aquél cayó por agradarse a sí mismo y de sí mismo contentarse, cayó por soberbia, y el hombre por querer ser más que es, por ambición. Cayó el ángel por soberbio y caído queda: cayó el hombre por ambicioso y se levanta a más alto asiento que de donde cayera.

Sólo el héroe puede decir «¡yo sé quién soy!», porque para él ser es querer ser; el héroe sabe quién es, quién quiere ser, y sólo él y Dios lo saben, y los demás hombres apenas saben ni quién son ellos mismos, porque no quieren de veras ser nada, ni menos saben quién es el héroe; no lo saben los piadosos Pedros Alonsos que le levantan del suelo. Conténtanse con levantarle del suelo y recojerle a su hogar, sin ver en Don Quijote más que a su vecino Alonso Quijano, y aguardar a que sea de noche para que al entrarlo al pueblo no vean «al molido hidalgo tan mal caballero».

Entretanto, estaban el cura y el barbero del lugar con el ama y la sobrina de Don Quijote comentando su ausencia y ensartando muchos más disparates que ensartara el Caballero. Llegó éste, y sin hacerles gran caso, comió y acostóse.

CAPITULO VI

Aquí inserta Cervantes aquel capítulo VI en que nos cuenta «el donoso y grande escrutinio que el cura y el barbero hicieron en la librería de nuestro ingenioso hidalgo», todo lo cual es crítica literaria que debe importarnos muy poco. Trata de libros y no de vida. Pasémoslo por alto.

CAPITULO VII

De la segunda salida de nuestro buen Caballero
Don Quijote de la Mancha

Sus anhelos interrumpiéronle el sueño a Don Quijote, pues hasta en sueños quijoteaba, pero volvió a dormirse para encontrarse al despertar con que Frestón, el encantador, se le había llevado los libros, creyendo el incauto que en ellos le llevaba el generoso aliento. Y en apoyo de Frestón acudió la sobrina, rogando a su tío se dejase de pendencia y de ir por el mundo «a buscar pan de trastrigo», sin percatarse de que es el pan de trastrigo el que hace al hombre trashombre, o como dicen hoy, sobrehombre. También para disuadir a Iñigo de Loyola de que saliese a buscar aventuras en Cristo, acudió su hermano mayor, Martín García de Loyola, para que no se arrojase a cosa «que no sólo nos quite lo que de vos esperamos —le dijo según el P. Rivadeneira, libro I, capítulo III—, sino también mancille nuestro linaje con perpetua infamia y deshonra». Pero Iñigo le respondió con pocas palabras, que él miraría por sí y se acordaría que había nacido de buenos, y salió de caballero andante.

Quince días se estuvo sosegado en casa de nuestro Caballero, y en este tiempo solicitó «a un labrador vecino suyo, hombre de bien, pero de muy poca sal en la mollera», gratuita afirmación de Cervantes, desmentida luego por el relato de sus donaires y agudezas. En rigor no cabe hombría de bien, verdadera hombría de bien, no habiendo sal en la mollera, visto que en realidad ningún majadero es bueno. Solicitó Don Quijote a Sancho y le persuadió a que fuese su escudero.

Ya tenemos en campaña a Sancho el bueno, que dejando mujer e hijos, como pedía Cristo a los que quisieran seguirle, «se asentó por escudero de su vecino». Ya está completado Don Quijote. Necesitaba a Sancho. Necesitábalo para hablar, esto es, para pensar en voz alta sin rebozo, para oírse a sí mismo y para oír el rechazo vivo de su voz en el mundo. Sancho fue su coro, la humanidad toda para él. Y en cabeza de Sancho ama a la humanidad toda.

«Ama a tu prójimo como a ti mismo» —se nos dijo—, y no «ama a la Humanidad», porque ésta es un abstracto que cada cual concreta en sí mismo, y predicar amor a la Humanidad vale, por consiguiente, tanto como predicar el amor propio. De cual estaba, por pecado original, lleno Don Quijote, no siendo su carrera toda sino una depuración de él. Aprendió a amar a todos sus prójimos amándolos en Sancho, pues es en cabeza de un prójimo, y no en la comunidad, donde se ama a todos los demás; amor que no cuaja sobre individuo, no es amor de verdad. Y quien de veras ama a otro, ¿cómo podía odiar a nadie? Y quien a alguien odie, ¿no le emponzoñará este odio los amores que tuviese? O más bien le emponzoñará el amor, no los amores, porque es uno y solo, aunque se vierta sobre muchos términos.

De la parte de Sancho empecemos a admirar su fe, la fe que por el camino de creer sin haber visto le lleva a la inmortalidad de la fama, antes ni aun soñada por él siquiera, y al esplendor de su vida. Por toda la eternidad puede decir: «Soy Sancho Panza, el escudero de Don Quijote.» Y ésta es y será su gloria por los siglos de los siglos.

Se dirá que a Sancho le sacó de su casa la codicia, así como la ambición de gloria a Don Quijote, y que así tenemos en amo y escudero, por separado, los dos resortes que juntos en uno han sacado de sus casas a los españoles. Pero aquí lo maravilloso es que en Don Quijote no hubo ni sombra de codicia que le moviese a salir, y que la de Sancho no dejaba de tener, aun sin él saberlo, su fondo de ambición, ambición que creciendo en el escudero a costa de la codicia, hizo que la sed de oro se le transformase al cabo en sed de fama. Tal es el poder milagroso del ansia pura de renombre y fama.

¿Y quién se esquiva de la codicia y quién de la ambición? Temíalas Iñigo de Loyola, y tanto las temía, que cuando don Fernando de Austria, rey de Hungría, nombró al P. Claudio Jayo obispo de Trieste y lo aprobó el Papa, acudió a éste Iñigo para estorbarlo, pues no quería que sus hijos espirituales, «deslumbrados y ciegos con el engañoso y aparente esplendor de las mitras y dignidades, viniesen a la Compañía no por huir de la vanidad del mundo, sino por buscar en ella al mismo mundo» (Rivadeneira, libro III, capítulo XV). ¿Y lo consiguió? Ese huir de las dignidades y prelacías de la Iglesia, ¿no puede envolver más refinada soberbia que el aceptarlas y aun que el buscarlas acaso? Porque «¿qué mayor engaño que buscar por medio de la humildad ser honrado y estimado de los hombres?, y ¿qué mayor soberbia que pretender ser tenido por humilde?» —dice un hijo espiritual de Loyola, el P. Alonso Rodríguez, en el capítulo XIII del tratado tercero de su libro *Ejercicio de perfección y virtudes cristianas*. Y la soberbia, ¿no se pasaría de los individuos a la Compañía misma, haciéndose colectiva? ¿Qué, sino soberbia refinada es pretender, como pretenden los hijos de Loyola, que se salva todo el que muere dentro de la Compañía, y de los que no entraron en ella no se salvan todos?

La soberbia, la refinada soberbia, es la de abstenerse de obrar por no exponerse a la crítica. El acto más grande de humildad es el de un Dios que crea un mundo que no añade un adarme a su gloria, y luego un linaje humano para que se lo critique, y si deja cabos que presten apoyo, siquiera aparente, a esa crítica, tanta mayor humildad. Y pues Don Quijote se lanzó a obrar y se expuso a que los hombres se burlasen de su obra, fue uno de los más puros dechados de verdadera humildad, aunque otra cosa nos finjan las engañosas apariencias. Y con esa humildad arrastró tras de sí a Sancho, convirtiéndole la codicia en ambición y la sed de oro en sed de gloria, único medio eficaz de curar la codicia y sed de oro.

Reunió luego Don Quijote dineros «vendiendo una cosa y empeñando otra y malbaratándolas todas», en obediencia al consejo del ventero gordo. Era nuestro Caballero un loco razonable y no ente de ficción, como creen los mundanos, sino de los hombres que han comido y bebido y dormido y muerto.

Proveyóse Sancho de asno y alforjas, de camisas y otras

prendas Don Quijote, y sin «despedirse Panza de sus hijos
y mujer, ni Don Quijote de su ama y sobrina», rompiendo
así varonilmente las amarras de la carne pecadora, «una noche salieron del lugar sin que persona los viese». Segunda
vez que sale el Caballero al mundo sin que se le vea y al
amparo de la oscuridad. Mas ahora no va solo, lleva a la
Humanidad consigo. Y salieron platicando; recordando
Panza a su amo lo de la ínsula. En lo cual quieren ver los
maliciosos una vez más su codiciosidad y que por ella servía a su amo, sin caer en la cuenta de que prueba más quijotismo seguir a un loco un cuerdo que seguir el loco sus
propias locuras. La fe se pega, y es tan robusta y ardorosa
la de Don Quijote, que rebasa a los que le quieren, y quedan llenos de ella sin que a él se le amengüe, sino más bien
le crezca. Pues tal es la condición de la fe viva: crece ver-
tiéndose y repartiéndose se aumenta. ¡Como que es, si verdadera y viva, amor!

¡Maravillas de la fe! No bien ha salido con su amo, y ya
el buen Sancho sueña con ser rey y reina Juana Gutiérrez,
su oíslo, y sus hijos infantes. ¡Todo para la casa! Mas por
causa de su mujer —siempre la mujer es causa de tropie-
zo— duda de ello; no hay reino que a ella le siente bien.
«Encomiéndalo tú a Dios, que El le dará lo que más le con-
venga» —le respondió el piadoso Don Quijote. Y tocado
de piedad, dijo Sancho que su amo sabría darle todo aquello que le estuviera bien y él pudiese llevar. ¡Oh Sancho bueno, Sancho sencillo, Sancho piadoso! No pides ya ínsula, ni
reino, ni condado, sino lo que el amor de tu amo sepa darte. Este es el más sano pedir. Lo aprendiste en lo de «hágase tu voluntad así en la tierra como en el cielo». Pidamos
todos tomar a bien lo que por mal nos dieren y habremos
pedido cuanto hay que pedir.

CAPITULO VIII

Del buen suceso que el valeroso Don Quijote tuvo en la
espantable y jamás imaginada aventura de los molinos de
viento, con otros sucesos de feliz recordación

En tales pláticas iban cuando «descubrieron treinta o cuarenta molinos que hay en aquel campo». Y Don Quijote
los tomó por desaforados gigantes, y sin hacer caso de Sancho encomendóse de todo corazón a su señora Dulcinea y
arremetió a ellos, dando otra vez con su cuerpo en tierra.

Tenía razón el Caballero: el miedo y sólo el miedo le hacía a Sancho y nos hace a los demás simples mortales ver
molinos de viento en los desaforados gigantes que siembran
mal por la tierra. Aquellos molinos molían pan, y de ese
pan comían hombres endurecidos en la ceguera. Hoy no se
nos aparecen ya como molinos, sino como locomotoras, dí-
namos, turbinas, buques de vapor, automóviles, telégrafos
con hilos o sin ellos, ametralladoras y herramientas de ova-
riotomía, pero conspiran al mismo daño. El miedo y sólo
el miedo sanchopancesco nos inspira el culto y veneración
al vapor y a la electricidad; el miedo y sólo el miedo sanchopancesco nos hace caer de hinojos ante los desaforados
gigantes de la mecánica y la química implorando de ellos
misericordia. Y al fin rendirá el género humano su espíritu
agotado de cansancio y de hastío al pie de una colosal fábrica de elixir de larga vida. Y el molido Don Quijote vivirá, porque buscó la salud dentro de sí y se atrevió a arremeter a los molinos.

Llegóse Sancho a su amo y le recordó sus advertencias,
que «no eran sino molinos de viento y no lo podía ignorar
sino quien llevase otros tales en la cabeza». Claro está, amigo Sancho, claro está; sólo quien lleve en la cabeza molinos, de los que muelen y hacen con el brazo trigo que por
los sentidos nos entra, harina de pan espiritual, sólo quien
lleve molinos moledores puede arremeter a los otros, a los
aparenciales, a los desaforados gigantes disfrazados de ellos.
Es en la cabeza, amigo Sancho, es en la cabeza en donde

hay que llevar la mecánica y la dinámica y la química y el
vapor y la electricidad, y luego... arremeter a los artefactos
y armatostes en que los encierran. Sólo el que lleva en su
cabeza la esencia eterna de la química, quien sepa sentir en
la ley de sus afectos la ley universal de los afectos de las par-
tículas materiales, quien sienta que el ritmo del universo es
el ritmo de su corazón, sólo ése no tiene miedo al arte de
formar y transformar drogas o al de armar aparatos de
maquinaria.

Lo peor fue que en esta acometida se le rompió la lanza
a Don Quijote. Es lo que pueden esos gigantes: rompernos
las armas, pero no el corazón. Mas sobran encinas y robles
con que reponerlas.

Y siguieron su camino, sin quejarse Don Quijote, pues
no le es dado a los caballeros andantes, y sin haber querido
comer cuando Sancho se acomodó a ello. Y de camino comía Sancho y caminaba, y menudeaba tragos que le hacían
olvidar las promesas de su amo y tener por mucho descan-
so el andar a busca de aventuras. Nefasto poder de las tripas, que oscurece la memoria, enturbia la fe, atándonos al
momento pasajero. Mientras se come y se bebe se es de la
comida y de la bebida. Y llegó la noche y se la pasó Don
Quijote pensando en su señora Dulcinea. Y Sancho durmiendo el bendito, sin soñar. Y fue entonces cuando reco-
mendó Don Quijote a Sancho que no pusiese mano a la espada para defenderle no siendo de canalla y gente baja. Al
hombre esforzado antes le estorban que le ayudan las de-
fensas de sus secuaces.

Y fue también estando en esta plática cuando les ocurrió
la aventura del vizcaíno, cuando salió Don Quijote a libertar a la princesa que se llevaban encantada dos frailes de
San Benito. Los cuales intentaron amansar al Caballero, pero
le hizo saber a aquella fementida canalla que no los conocía
y no había con él palabras blandas. Y dicho esto los puso
en huida. Y al ver al uno de ellos en el suelo, arremetió Sancho a desnudarlo, atento sin duda a lo de que el hábito no
hace al monje.

¡Ah Sancho, Sancho, y cuán de tierra eres! ¡Desnudar frailes! ¿Y qué ganas con eso? Así te fue, que los mozos te molieron a coces por ello.

Obsérvese cómo Sancho, apenas se encuentra en una aventura, cuando acude al punto al botín, mostrando en ello cuán de su casta era. Y pocas cosas elevan más a Don Quijote que su desprecio de las riquezas del mundo. Tenía el Caballero lo mejor de su casta y de su pueblo. No salió a campaña como el Cid, «al sabor de la ganancia» y para «perder cueta y venir a ríctad» (*Poema del Cid,* v. 1689), ni habría dicho nunca lo que dicen que dijo Francisco Pizarro en la isla del Gallo cuando haciendo con la espada una raya en el suelo, de naciente a poniente y señalando al mediodía como su derrotero, exclamó: «Por aquí se va al Perú a ser ricos; por acá se va a Panamá a ser pobres; escoja el que sea buen castellano lo que mejor lo estuviere.» De otro temple era Don Quijote; nunca buscó oro. Y al mismo Sancho, que empezó buscándolo, le veremos ir cobrando poco a poco afición y amor a la gloria, y fe en ella, fe a que le llevaba Don Quijote, y hay que convenir en que nuestros mismos conquistadores de América unieron siempre a su sed de oro sed de gloria; sin que se logre en cada caso separar la una de la otra. De gloria y de riqueza a la vez dicen que habló a sus compañeros Vasco Núñez de Balboa en aquel glorioso 25 de septiembre de 1513, en que de rodillas y anegados por el gozo en lágrimas sus ojos, descubrió desde la cima de los Andes, en el Darién, el mar nuevo.

Lo triste es que la gloria fue de ordinario una alcahueta de la codicia. Y la codicia, la innoble codicia, nos perdió. Nuestro pueblo puede decir lo que dice en el grandioso poema *Patria,* de Guerra Junqueiro, el pueblo portugués:

> Novos mundos eu vi, novos espaços,
> não para mais saber, mais adorar:
> a cubica feroz giou meus passos,
> o orgullo vingador moveu meus bracos,
> e iluminou a raiva o meu alhar!
> Não te lavava, não, sangue homicida,

nem em mil milhões d'annos a chorar!...
Cruz do Golgota em ferro traduzida.
minha espada de heroe, o cruz de morte,
cruz a que Deos baixou por nos dar vida;
vidas ceifando, deshumana e forte,
ergueste imperiós, subjugando a Oriente,
mas Deos soprou... eil-os em nada...

Luego de la aventura de Sancho, acudió el generoso
Caballero a la princesa, a darle la buena nueva de su liberación, pues los frailes que la llevaban seducida habían
huido, sin advertir, ¡oh ceguera de la nobleza!, que acaso
llevaba ella la frailería dentro. Y le pidió en pago del beneficio de haberla libertado que se volviera al Toboso a presentarse a Dulcinea. No contaba el vizcaíno, que le habló
en «mala lengua castellana y peor vizcaína», lo cual es muy
cierto, pues cabe dudar que don Sancho de Azpeitia habla-
se puntualmente como Cervantes le hace hablar. Con frecuencia se citan palabras de don Sancho de Azpeitia no más
que para hacer chacota, aunque respetuosa y cariñosa a las
veces, del modo de hablar de nosotros los vizcaínos. Cierto
es que hemos tardado en aprender la lengua de Don Quijote, y tardaremos aún en llegar a manejarla a nuestra gui-
sa, mas ahora que empezamos a dar en ella nuestro espíritu, que fue hasta ahora casi mudo, habéis de oír. Pudo decir Tirso de Molina aquello de:

Vizcaíno es el hierro que os encargo,
corto en palabras, pero en obras largo;

más habrá que oírnos cuando alarguemos nuestras palabras
a la medida de nuestras largas obras.
Don Quijote, tan pronto a llamar caballero a quien se le
pusiera delante, nególe al vizcaíno tal cualidad, olvidando
que a la gente vasca —entre los que me cuento—, según
Tirso de Molina,

Un nieto de Noé la dio nobleza,
que su hidalguía no es de ejecutoria

ni mezcla con su sangre, lengua o traje
mosaica infamia que la suya ultraje.

¿No conocía Don Quijote las palabras de don Diego Ló-
pez de Haro, tal cual le hace hablar Tirso de Molina en la
escena primera del acto segundo de *La prudencia en la mujer,* cuando empieza diciendo:

Cuatro bárbaros tengo por vasallos
a quien Roma jamás conquistar pudo,
que sin armas, sin muros, sin caballos,
libres conservan su valor desnudo?

¿Ni sabía aquello que había dicho Camoens en la estrofa
oncena del cuarto acto de sus *Lusiadas* de

A gente biscaina que carece
de polidas razones, e que as injurias
muito mal dos estanhos compadece?

Por lo menos, ya que *La Araucana,* de don Alonso de Ercilla y Zúñiga, caballero vizcaíno, era uno de los libros que
se hallaban en su librería y de los respetados en el escrutinio, tuvo que haber leído aquello de su canto XXVII, en
que habla de

La aspereza
de la antigua Vizcaya, de do es cierto
que procede y se extiende la nobleza
por todo lo que vemos descubierto.

«¿Yo no caballero?» —replicó justamente ofendido el vizcaíno, y encontráronse frente a frente dos Quijotes. Por esto
es tan prolijo Cervantes al narrarnos este suceso.

Requerido por el vizcaíno, arrojó el manchego la lanza,
sacó la espada, embrazó la rodela y arremetióle.

CAPITULO IX

*Donde se concluye y da fin a la estupenda batalla que el
gallardo vizcaíno y el valiente manchego tuvieron*

Y se trabó el singular combate o «estupenda batalla que
el gallardo vizcaíno y el valiente manchego tuvieron», como
la llama Cervantes en el título del capítulo IX, concediéndo-
dole toda la importancia que se merece.

Ahora va de igual a igual, de loco a loco, y parecen ame-
nazar al cielo, a la tierra y al abismo. ¡Oh espectáculo de
largos en largos siglos sólo visto, el de la lucha de los dos
Quijotes: el manchego y el vizcaíno, el del páramo y el de
las verdes montañas! Hay que releerlo como nos lo relata
Cervantes.

«¿Yo no caballero?» ¿Yo no caballero? ¿Oír esto un vizcaíno y oírlo de boca de Don Quijote? No, no puede su-
frirse eso.

Deja, Don Quijote, que hable de mi sangre, de mi casta, de mi raza, pues a ella debo cuanto soy y valgo, y a ella
también debo el poder sentir tu vida y tu obra.

¡Oh tierra de mi cuna, de mis padres, de mis abuelos y
y trasabuelos todos, tierra de mi infancia y de mis mocedades, tierra en que tomé a la compañera de mi vida, tierra
de mis amores, tú eres el corazón de mi alma! Tu mar y
tus montañas, Vizcaya mía, me hicieron lo que soy; de la
tierra de que se amasan tus robles, tus hayas, tus nogales
y tus castaños, de esa tierra ha sido mi corazón amasado,
Viscaya mía.

Discutía un Montmorency con un vasco, e irritado aquél,
hubo de decirle a mi paisano que ellos, los Montmorencys,
databan no sé si del siglo VIII, X o XII, y mi vasco le respondió: ¿Sí? ¡Pues nosotros los vascos no datamos! Y no, no
datamos los vascos. Los vascos sabemos quiénes somos y
quiénes queremos ser.

Ya ves, Don Quijote, que es un vasco el que ha ido a
buscarte a tu Mancha y te arremete porque le regateaste lo
de ser caballero. Y ¿cómo, contemplando a un vasco, y de

Azpeitia, no recordar una vez más a aquel otro caballero andante, vasco, y de Azpeitia también, Iñigo Yáñez de Oñaz
y Sáez de Balda, del solar de Loyola, fundador de la Milicia de Cristo? ¿No culmina en él nuestra casta toda? ¿No
es nuestro héroe? ¿No lo hemos de reclamar los vascos por
nuestro? Sí, nuestro, muy nuestro, muy más nuestro que
de los jesuitas. Del Iñigo de Loyola han hecho ellos un Ignacio de Roma, del héroe vasco un santón jesuítico. ¡Lástima de mula que montaba el héroe!

La de don Sancho de Azpeitia, con sus corcovos, dio en
tierra con el vizcaíno, lo que debe enseñarnos a pelear apeados. Y así fue vencido el vizcaíno, pero no por mayor flaqueza de su brazo ni menor coraje, sino por culpa de su
mula, que no era, de cierto, vizcaína. Si no es por la con-
denada mula lo habría pasado mal Don Quijote, estad seguros de ello, y habría aprendido a reportarse ante el hierro
vizcaíno,

　　　corto en palabras, pero en obras largo.

Aprended, hermanos míos de sangre, a pelear apeados.
Apeaos de la mula rabiosa y terca que os lleva a su paso
de andadura por sus caminos de ella, no por los vuestros,
y míos, no por los de nuestro espíritu, y que, con sus corcovos, dará con vosotros en tierra, si Dios no lo remedia.
Apeaos de esa mula, que no nació ahí ni ahí pasta, y vamos todos a la conquista del reino del espíritu. Aún no se
sabe lo que podemos hacer en este mundo de Dios. Aprended, a la vez, a encarnar vuestro pensamiento en una lengua de cultura, dejando la milenaria de nuestros padres;
apeaos de la mula luego, y nuestro espíritu, el espíritu de
nuestra casta, circundará en esa lengua, en la de Don Quijote, los mundos todos, como circundó por primera vez al
orbe la carabela de nuestro Sebastián Elcano, el fuerte hijo
de Guetaria, hija de nuestro mar de Vizcaya.

Y fue por la intervención de las damas afrailadas por lo
que perdonó Don Quijote la vida a don Sancho de Azpeitia, a promesa de ir a visitar a Dulcinea. Y fueron las da-

mas las prometedoras, que a haberlo sido don Sancho, habríala visitado, de seguro, y hasta es muy de creer que se habría enamorado perdidamente de ella y ella de él.

CAPITULO X

De los graciosos razonamientos que pasaron entre Don Quijote y Sancho Panza, su escudero

Y viene Sancho, el carnal Sancho, el Simón Pedro de nuestro Caballero, y le pide la ínsula, a lo cual responde Don Quijote: «Advertid, hermano Sancho, que esta aventura y las a ésta semejantes no son aventuras de ínsulas, sino de encrucijadas, en las que no se gana otra cosa que sacar rota la cabeza o una oreja menos.» ¡Ay Pedro, Pedro, o digo Sancho, Sancho!, y ¿cuándo comprederás que no es la ínsula, no es el poder temporal, sino la gloria de tu señor, el querer eterno, tu recompensa? Mas el carnal Sancho volvió a la carga y a pedir a su amo se retrajesen a alguna iglesia por miedo a la Santa Hermandad, Mas «¿dónde has visto tú o leído —le diremos con Don Quijote— que caballero andante haya sido puesto ante la justicia por más homicidios que hubiese cometido?» Quien abriga en su corazón la ley, está sobre la dictada por los hombres; para el que ama no hay otra ley sino su amor, y si por amar mata, ¿quién se lo imputará a culpa? Tiene, además, Don Quijote poder sobrado para sacar a los Sanchos «de las manos de los caldeos, cuanto más de las de la Hermandad».

Ocurrió luego lo de explicar Don Quijote a Sancho el bálsamo de Fierabrás, y lo de pedir Sancho a Don Quijote la receta del bálsamo como único pago por sus servicios, pues así son los servidores carnales, por muy grande que su fe sea: piden recetas para venderlas y negociar con ellas. Y entonces juró el Caballero conquistar el yelmo de Mambrino a trueque de la celada rota por don Sancho de Azpeitia, y a seguida le llamó a razón el bandullo y pidió de comer.

Una cebolla y un poco de queso no más traía Sancho, pareciéndole manjares no pertenecientes a tan valiente Caba-

llero, más éste le hizo saber que tenía a honra «no comer
en un mes, y de hacerlo lo que hallare más a mano». «Y
esto se te hiciera cierto si hubieras leído tantas historias
como yo, que aunque han sido muchas, en todas dellas no
he hallado hecha relación de que los caballeros andantes comiesen, si no era acaso, y en algunos suntuosos banquetes
que les hacían, y los demás días se lo pasaban en flores.»
Y ¡qué dicha, mi señor Don Quijote, si nos pudiésemos pasar en flores la vida toda! Del comer viene, con la fuerza
toda, también toda la flaqueza del heroísmo.

Y entonces, al explicar Don Quijote a Sancho que los caballeros andantes «no podían pasar sin comer y sin hacer todos los otros menesteres naturales», le reveló, y nos reveló,
una verdad cimental y de grandísimo consuelo para los que
no saben cómo vivir su locura, y es la de que los caballeros
andantes «eran hombres como nosotros». De donde se saca
que podemos llegar a ser nosotros caballeros andantes, y no
es ello poco. «Así que, Sancho amigo, no te congoje lo que
a mí me da gusto, ni quieras tú hacer mundo nuevo, ni sacar la caballería andante de sus quicios.» No quieras, no,
pobre Sancho, hacer mundo nuevo curando de su locura a
los generosos, ni quieras sacar a la locura de quicio, que le
tiene tan bien hincado y tan derecho como la cordura misma, como ese llamado sentido común. Sancho, como no
sabe leer ni escribir, no sabe ni ha caído en las reglas de la
profesión caballeresca, como él dice. Y es cierto lo que dices, Sancho: por el leer y escribir entró la locura en el
mundo.

CAPITULO XI

De lo que sucedió a Don Quijote con unos cabreros

Echaron a andar y fueron recogidos con buen ánimo por
unos piadosos cabreros, Dios se lo habrá pagado, que les
convidaron. Lo aceptó Don Quijote, sentóse sobre un dornajo vuelto al revés, hizo hermanalmente sentar a su lado
a Sancho, y fue entonces, después de bien satisfecho el es-

tómago, cuando tomó en la mano un puñado de bellotas
y enderezó a los cabreros aquel discurso de la edad de oro,
que en tantos muestrarios de retórica se reproduce. Mas
nosotros no estamos haciendo aquí literatura, ni nos importa la letra sonora, sino el espíritu fecundo aunque silencioso. Es el tal discurso uno de tantos vulgares discursos
como se pronuncian, y ese pasado siglo de oro, apagado re-
lumbre del futuro siglo en que morará el lobo con el cor-
dero y el león comerá, como el buey, paja, según nos cuenta el profeta Isaías (capítulo XI).

La arenga en sí tiene poco que desentrañar. «Dichosa
edad y siglos dichosos aquellos a quien los antiguos pusieron nombre de dorados...» y lo que sigue. No nos sorprenda
oír a Don Quijote cantar los tiempos que fueron. Es visión
del pasado lo que nos empuja a la conquista del porvenir;
con madera de recuerdos armamos las esperanzas. Sólo
lo pasado es hermoso; la muerte lo hermosea todo.
¿Creés que cuando el arroyo llega al mar, al enfrentarse con
el abismo que va a tragarle, no sueña con la escondida fuente de que brotó y no querría, si pudiera, remontar su curso? De ir a perderse, perderse más bien en las entrañas de
la madre tierra.

No es el discurso de Don Quijote lo que hemos de desentrañar. No valen ni aprovechan las palabras del Caballero sino en cuanto son comentarios a sus obras y repercusión
de ellas. Como hablar, hablaba conforme a sus lecturas y
al saber del siglo que tuvo a dicha albergarle; pero como
obrar, obraba conforme a su corazón y al saber eterno. Y
así en esa arenga no es la arenga misma, en sí no poco tri-
llada, sino el hecho de dirigírsela a unos rústicos cabreros
que no habrían de entendérsela, lo que hemos de considerar, pues en esto estriba lo heroico de esta aventura.

Aventura es, en efecto, y de las más heroicas. Porque
todo hablar es una suerte, y las más de las veces la más apre-
tada suerte de obrar, y hazañosa aventura la de administrar
el sacramento de la palabra a los que no han de entendér-
nosla según el sentido material. Robusta fe en el espíritu
hace falta para hablar así a los de torpes entendederas, se-

guros de que sin entendernos nos entienden y de que las
semillas van a meterse en las cárcavas de sus espíritus sin
ellos percatarse de tal cosa.

Habla tú que conmigo consideras, lleno de fe en ella, la
vida de Don Quijote; habla aunque no te entiendan, que
ya te entenderán al cabo. Y con que sólo vean que les hablas sin pedirles nada o porque de gracia te lo dieron antes,
basta ya. Habla a los cabreros como hablas a tu Dios, del
hondo del corazón y en la lengua en que te hablas a ti mismo a solas y en silencio. Cuanto más hundidos vivan en la
vida de la carne, tanto más limpias de brumas estarán sus
mentes, y la música de sus palabras resonará en ellas mucho mejor que en la mente de los bachilleres al arte de Sansón Carrasco. Porque no fueron las rebuscadas retóricas de
Don Quijote lo que alumbró la mente a los cabreros, sino
fue el verle armado de punta en blanco, con su lanzón a la
vera, las bellotas en la mano, y sentado sobre el dornajo;
dando al aire de que respiraban todos reposadas palabras
vibrantes de una voz llena de amor y de esperanza.

No faltará quien crea que Don Quijote debió atempe-
rarse al público que le escuchaba y hablar a los cabreros de
la cuestión cabreril y del modo de redimirlos de su baja condición de pastores de cabras. Eso hubiera hecho Sancho a
tener saber y arrestos para ello; pero el Caballero,
no. Don Quijote sabía bien que no hay más que una sola
cuestión, para todos la misma, y que lo que redima de su
pobreza al pobre, redimirá, a la vez, de su riqueza al
rico. ¡Mal hayan los remedios de ocasión! A cuantos van y
vienen y se asenderean llevando y trayendo remedios especí-
cos para los males de éstos o de aquéllos, cabe encajarles lo
que decía el gaucho Martín Fierro:

De los males que sufrimos
hablan mucho los puebleros,
pero hacen como los teros
para esconder sus niditos,
que en un lao pegan los gritos
y en otro tienen los güevos.

Cuando os hablen, cándidos cabreros, de la cuestión cabreril, es que están pegando gritos para alejaros del sitio en que guardan sus huevos.

Y además, ¿ha de hablarse tan sólo en vista del porvenir inmediato, del fruto que nuestros oyentes saquen de lo que decimos? Tratando de esto el maestro de espíritu P. Alonso Rodríguez, en el capítulo XVIII del tratado primero de la tercera parte de su *Ejercicio de perfección,* nos dice que «no depende nuestro merecimiento, ni la perfección de nuestra obra, de que el otro se aproveche o no; antes podemos añadir aquí otra cosa para nuestro consuelo, o para mejor decir, para consuelo de nuestro desconsuelo, y es que no solamente no depende nuestro merecimiento y nuestro premio y galardón de que los otros se conviertan y de que se haga mucho fruto, sino que en cierta manera podemos decir que hacemos y merecemos más cuando no hay nada de eso que cuando se ve el fruto al ojo».

Y este discurso de Don Quijote a los cabreros ¿fue acaso menos heroico y más inútil que aquel otro que cerca de Santa Cruz, y en casa de la india Capillana, enderezó a los indios Francisco Pizarro para explicarles los fundamentos de la religión cristiana y el poderío del rey de Castilla? Algo consiguió, pues los indios, por darle gusto, alzaron por tres veces la bandera española. No fue de todo inútil el razonamiento de Pizarro; no lo fue el de Don Quijote.

El malicioso Cervantes llama, en efecto, al discurso de éste «inútil razonamiento», para añadir que se lo escucharon los cabreros «embobados y suspensos». La verdad de la historia se le impone aquí, puesto que si los embobó y suspendió Don Quijote con sus razonamientos, no fue ésta ya inútil. Y que no lo fue lo prueba el agasajo que le rindieron dándole solaz y contento con hacer que cantara un zagal enamorado. El espíritu produce espíritu, como la letra letra, y la carne carne, y así la arenga de Don Quijote produjo, a la vuelta, cantares al son de cabreril rabel. No fue, pues, inútil ni lo es nunca la palabra pura. Si el pueblo no la entiende, siente, empero, comezón de entenderla, y al oírla, rompe a cantar.

Y mientras Don Quijote, inspirado a la vista de las bellotas, regaló a los cabreros con aquella arenga, ¿qué hizo Sancho? «Sancho... callaba y comía bellotas y visitaba muy a menudo el segundo zaque, que por que se enfriase el vino le tenían colgado de un alcornoque.» Y pensaría para sí; ¡así me las den todas!

Qué pensara Sancho de la arenga de su amo no lo sé, pero sí sé qué pensarán de ella nuestros Sanchos de hoy. Los cuales buscan ante todo eso que llaman soluciones concretas, y en cuanto se ponen a escuchar a alguien van a oír qué remedios ofrece para los males de la patria o para otros cualesquiera males. Se han hecho los oídos oyendo a los charlatanes que, subidos en un coche, en la plaza del mercado, venden frascos de cualquier droga, y así apenas alguien les habla, esperan que saque la droga enfrascada. Mientras se les habla, callan y comen bellotas, y se preguntan luego: bien, y en concreto, ¿qué? Todo eso del siglo de oro les entra por un oído y por el otro les sale; lo que ellos buscan es el elixir para curar el mal de muelas o el reuma, o para quitar manchas de la ropa; el cocimiento regenerativo, el bálsamo católico, el revulsivo anticlerical, el emplasto aduanero o el vejigatorio hidráulico. A esto llaman soluciones concretas. Estiman que el habla no se hizo para pedir o para ofrecer algo, y no hay manera de que sientan lo que tiene de revelación la música interior del espíritu. Porque la otra música, la exterior, la que les recrea los oídos carnales, ésa no dejan de entenderla y apreciarla, y hasta es el único regalo que se permiten. Si se les habla, o ha de ser para acariciarles los oídos con párrafos acompasados a compás tamborilero, o para enseñarles alguna receta de uso doméstico o político.

¡Soluciones concretas! ¡Oh Sanchos prácticos, Sanchos positivos, Sanchos materiales! ¿Cuándo oiréis la silenciosa música de las esferas espirituales?

Difícil es hablar a los Sanchos, nacidos y criados en lugares donde sólo se oyen comadrerías de solana y sermones, pero más difícil aún es hablar a bachilleres. Lo mejor es tener por oyentes a cabreros, hechos y acostumbrados a oír las voces de los campos y de los montes. Los otros os saldrán con que no os entienden o entenderán a tuertas lo que les digáis, porque no reciben vuestras palabras en silencio interior ni en atención virgen, y por mucho que agucéis vuestras explicaderas, no aguzarán sus entendederas ellos.

Es fuerte cosa que por dondequiera que uno vaya en nuestra España, derramando verdades del corazón, le salgan al paso diciéndole que no lo entienden o entendiéndolo al revés de como se explica. Y ello tiene su raíz, y es que van las gentes a oír esto o lo otro o lo demás allá, algo que se les ha dicho ya, y no a oír lo que se les diga. Los unos son clericales, anticlericales los otros, éstos unitarios o centralistas, aquéllos federales o regionalistas, los de aquí tradicionalistas, progresistas los de allá, y quieren que se les hable en uno de esos lenguajes. Ellos luchan unos con otros, pero luchan como es forzoso lo hagan los luchadores terrestres: sobre un mismo suelo, en un mismo plano y dándose cara, y si te pones a darles voces desde otro plano, por encima o por debajo del que ocupan, les distraes de su pelea y no comprenden a qué vas allá. Si estamos peleando —se dicen—, bien venido sea quien venga a animarnos con voces de ¡a ellos!, ¡adelante!, o bien a advertirnos de un peligro gritándonos: ¡ojo!, ¡atrás!; pero ¿quién es ése que desde las nubes o desde dentro de la tierra nos grita que levantemos la vista o que la hundamos en el suelo? ¿No ve que entre tanto nos degollarán los enemigos? Cuando se lucha no se puede mirar al cielo ni tratar de penetrar con la vista el seno de la tierra. Dicen así: no ven que les proponéis paz, y cada uno de los bandos os cuenta en el contrario. Y no nos queda sino ir a hablar a los sencillos, y hablarles sin intentar siquiera poneros a su alcance; hablarles en el tono más elevado, seguros de que sin entenderos os entienden.

Sólo Sancho, el carnal Sancho, estaba más para dormir que para oír canciones, sin conocer la virtud ensoñadora de éstas.

CAPITULOS XII Y XIII

De lo que contó un cabrero a los que estaban con
Don Quijote
y
Donde se da fin al cuento de la pastora Marcela, con otros
sucesos

Entonces fue cuando Pedro el cabrero contó a Don Quijote la historia de Grisóstomo y Marcela, después de aquellos tiquismiquis con que el leído Caballero corrigió sus vocablos al pastor. Era, no hemos de negarlo, impertinente Don Quijote cuando se picaba de letrado.

Fue el Caballero a ver cómo enterraban a Grisóstomo, muerto de amores por Marcela, y al ir a ello encontró a Vivaldo y platicó con él acerca de la caballería andante, profesión, si no tan estrecha como la de los frailes cartujos, tan necesaria como ella en el mundo, donde sólo el ejemplo de lo inasequible a los más puede enseñar a éstos a poner su meta más allá de donde alcancen. Así las carreras de caballos, que sólo para criar caballos de carrera sirven, mantienen la pureza de la casta caballar, impidiendo que el tiro y la noria y el vil oficio encanijen al noble bruto. Y entre ambas profesiones, la de pedir al cielo el bien de la tierra, y la de poner en ejecución lo pedido, creando, lanza en mano, el reino de Dios, cuyo advenimiento se pide en oración, no cabe primero ni segundo. «Así que somos ministros de Dios en la tierra y brazos por quien se ejecuta en la tierra su justicia», añadió Don Quijote.

¿No es acaso, desgraciado Caballero, la raíz de tus proezas y de tus desgracias a la par el noble pecado a través de cuya depuración te llevó a la gloria tu Dulcinea, esto de creerte ministro de Dios en la tierra y brazo por quien se ejecuta en ella su justicia? Fue tu pecado original y el pecado de tu pueblo: el pecado colectivo de cuya mancha y maleficio participabas. Tu pueblo también, arrogante Caballero, se creyó ministro de Dios en la tierra y brazo por quien se ejecuta en ella su justicia, y pagó muy cara su pre-

sunción y sigue pagándola. Creyóse escogido de Dios y esto
lo ensoberbeció. Pero ¿es que no estaba en lo seguro? ¿No
somos, acaso, todos ministros de Dios en la tierra y brazos
por quien se ejecuta en ella la justicia? Y el persuadirnos de
esta verdad, ¿no es tal vez el verdadero remedio para purificar y ennoblecer nuestras acciones? En vez de buscar hacer otras cosas que las que haces, luchando contra tu costumbre, persuádete de que en todo cuanto hagas, bueno o
malo a tu parecer, eres ministro de Dios en la tierra y brazo por quien se ejecuta en ella su justicia, y sucederá que
tus actos acabarán por ser buenos. Estímalos como viniendo de Dios y los divinizarás. Hay desgraciado a quien eso
que en el lenguaje de los hombres llamamos natural per-
verso o mala índole le lleva a ser azote de sus prójimos, y
si ese desgraciado se penetrase de que ese azote de castigo
lo puso en sus manos Dios, la que llamamos mala índole
le daría frutos de bondad.

No os apeguéis al miserable criterio jurídico de juzgar
de un acto humano por sus consecuencias externas y el daño
temporal que recibe quien lo sufre; llegad al sentido íntimo y comprended cuánta profundidad de sentir, de pensar
y de querer se encierra en la verdad de que vale más daño
infligido con santa intención que no beneficio rendido con
intención perversa.

Te denuestan, pueblo mío, porque dicen que fuiste a imponer tu fe a tajo y mandoble, y lo triste es que no fue del
todo así, sino que ibas también, y muy principalmente, a
arrancar oro a los que lo acumularon; ibas a robar. Si sólo
hubieras ido a imponer tu fe... Me revuelvo contra el que
viene, tizona en la diestra y en la otra libro, a querer sal-
varme el alma a pesar mío, pero al cabo se cuida de mí y
soy para él un hombre; mas para aquel que no viene sino
a sacarme los ochavos engañándome con baratijas y chu-
cherías, para éste no paso de ser un cliente, un parroquiano
o vocero. Hoy se da en ponderar esto y pedir una sociedad
en que en puro policía no pueda hacerse daño, y acabemos
porque nadie obre mal, aunque nadie sienta bien tampoco.
¡Qué horrible condición de vida! ¡Qué pesadumbre bajo la

verdura sosegada! ¡Qué quieto lago de ponzoñosas aguas!
¡No, no, y mil veces no! Dios nos dé antes un mundo en
que todos se sientan bien, aunque todos obren daño; en
que los hombres se golpeen en la ceguera del cariño, y en
que suframos todos en silencio por el mal que nos vemos
arrastrados a infligir a los demás. Sé generoso y arremete a
tu hermano; dale de tu espíritu aunque sea golpes. Hay
algo más íntimo que eso que llamamos moral, y no es sino
la jurisprudencia que escapa a la policía; hay algo más hondo que el Decálogo, que es una tabla de la ley, ¡tabla, tabla, y de ley!: hay un espíritu de amor.

Me diréis que no cabe sentir bien sin obrar bien, y que
las buenas acciones brotan, como de su fuente, de los buenos sentimientos, y sólo de ellos. Pero yo os contestaré, con
Pablo de Tarso, que no hago el bien que quiero, sino el
mal que no quiero hago, y os añadiré que el ángel que en
nosotros duerme, suele despertar cuando la bestia le arrastra, y al despertar llora su esclavitud y su desgracia. ¡Cuántos buenos sentimientos brotan de malas acciones a que la
bestia nos precipita!

Siguió discurriendo Don Quijote con Vivaldo sobre lo de
encomendarse los caballeros andantes a su dama antes que
a Dios, y dando las razones que había leído llegó a lo de
no poder ser caballero andante sin dama, «porque tan propio y tan natural les es a los tales ser enamorados como al
cielo tener estrellas, y a buen seguro que no se haya visto
historia donde se halle caballero andante sin amores, y por
el mismo caso que estuviese sin ellos no será tenido por le-
gítimo caballero, sino por bastardo, y que entró en la fortaleza de la caballería dicha, no por la puerta, sino por las
bardas, como salteador y ladrón».

Ved aquí cómo del amor a mujer brota todo heroísmo.
Del amor a mujer han brotado los más fecundos y nobles
ideales, del amor a mujer las más soberbias fábricas filosó-
ficas. En el amor a mujer arraiga el ansia de inmortalidad,
pues es en él donde el instinto de perpetuación vence y so-
yuga al de conservación, sobreponiéndose así lo sustancial
a lo meramente aparencial. Ansia de inmortalidad nos lle-

va a amar a la mujer, y así fue como Don Quijote juntó en
Dulcinea a la mujer y a la Gloria, y ya que no pudiera perpetuarse por ella en hijo de carne, buscó eternizarse por ella
en hazañas de espíritu. Fue enamorado, pero de los castos
y continentes, como dijo en otra ocasión él mismo. ¿Faltó
con su castidad y continencia al fin del amor? No, pues en-
gendró en Dulcinea hijos espirituales duraderos. Casado no
podría haber sido tan loco; los hijos de carne le hubieran
arrebatado de sus hazañosas empresas.

No le embarazó nunca cuidado de mujer que ata las alas
a otros héroes, porque, como dice el apóstol (I Cor., VII,
33), «el casado se cuida de lo del mundo, de cómo ha de
agradar a la mujer, y queda dividido».

Hasta en el más puro orden espiritual, y sin sombra de
malicia alguna, suele buscar el hombre apoyo en mujer,
como Francisco de Asís en Clara; pero Don Quijote buscó-
le en dama de sus pensamientos.

¡Y cómo embaraza la mujer! Iñigo de Loyola no quiso
que su Compañía tuviese nunca cargo de mujeres debajo
de su obediencia (Rivadeneira, lib. III, cap. XIV), y cuando doña Isabel de Rossell pretendió formar comunidad de
mujeres bajo la obediencia de la Compañía, logró Loyola
que el papa Pablo III, en letras apostólicas de 20 de mayo
de 1547, la eximiera de tal carga, pues «a esta mínima
Compañía —decíale Iñigo— no conviene tener cargo especial de dueñas con voto de obediencia». Y no es que des-
preciara a la mujer, pues la honró en lo que es tenido por
más bajo y más vil de ella, porque si Don Quijote se hizo
armar caballero ciñéndole espada y calzándole espuela dos
mozas del partido, Iñigo de Loyola acompañaba él mismo
en persona, por medio de la ciudad de Roma, a las «mu-
jercillas públicas perdidas» para ir a colocarlas «en el monasterio de Santa María o en casa de alguna señora honesta
y honrada, donde fuesen instruidas en toda virtud». (Rivadeneira, libro III, cap. IX.)

Don Quijote fue enamorado, pero de los castos y continentes, y no por ser fuerza que los caballeros andantes tengan dama a quien rendir su amor —según decía, aunque

veremos le quedaba otra dentro— por cumplir el rito. Y acaso no falte joven atolondrado que vea en esto un motivo para tener en menos a Don Quijote, pues los hay que cifran toda la calidad de un hombre en cómo se las ha en lances de amor; es decir, de eso que se llama amor a cierta edad de la vida. No recuerdo quién dijo, pero dijo muy bien quienquiera que lo dijese, que para los que aman mucho, es el amor —amor a mujer, se entiende— algo subordinado y secundario en su vida, y es lo principal de ésta para los que aman poco. Hay quienes no juzgan de la libertad de un espíritu sino según sienta en punto al amor; hay mozos para los cuales todo el valor de un poeta se cifra en cómo sienta el amor.

¿Qué diría el casto y continente Don Quijote si, volviendo al mundo, viese el chaparrón de incentivos al deseo carnal con que se trata de desviar el amor? ¿Qué diría de todos esos retratos de mujerzuelas en actitudes provocativas? De seguro que, movido por su amor a Dulcinea, por su noble y puro amor, emprendería tajo y mandoble con todos los tenderetes en que esas porquerías se nos muestran, como la emprendió con el retablo de maese Pedro. Ellas nos apartan del amor a Dulcinea, del amor de la Gloria. Siendo incentivos a que nos perpetuemos, nos apartan de la verdadera perpetuación. Acaso sea nuestro sino que haya de renunciar la carne a perpetuarse si ha de perpetuar el espíritu.

Don Quijote amó a Dulcinea con amor acabado y perfecto, con amor que no corre tras deleite egoísta y propio; entregóse a ella sin pretender que ella se le entregara. Se lanzó al mundo a conquistar gloria y laureles para ir luego a depositarlos a los pies de su amada. Don Juan Tenorio habríase dedicado a rendirla con la mira de poseerla y de saciar en ella su apetito, no más que por amor de gozarla y pregonarlo; Don Quijote, no. Don Quijote no se fue de galán al Toboso a enamorarla, sino que se echó al mundo a conquistarlo para ella. ¿Qué suele ser ese que llaman amor sino un miserable egoísmo mutuo en que busca su propio contento cada uno de los dos amantes? ¿Y no es acaso el acto de suprema unión lo que más supremamente los separa? Don Quijote amó a Dulcinea con amor acabado, sin exigir ser correspondido; dándose todo él y por entero a ella.

Amó Don Quijote a la Gloria encarnada en mujer. Y la Gloria le corresponde. «Dio un gran suspiro Don Quijote, y dijo: yo no podré afirmar si la dulce mi enemiga gusta o no de que el mundo sepa que yo la sirvo», y luego todo lo que sigue. Sí, Don Quijote mío, sí; la tu dulce enemiga, Dulcinea, lleva de comarca en comarca y de siglo en siglo la gloria de tu locura de amor. Su linaje, prosapia y alcurnia «no es de los antiguos Curcios, Gayos y Cipiones romanos, ni de los modernos Colonnas y Ursinos», ni de ninguna de las famosas familias de distintos países que Don Quijote nombró a Vivaldo; «pero es de los del Toboso de la Mancha, linaje aunque moderno tal, que puede dar generoso principio a las más ilustres familias de los venideros siglos». Con lo que nos enseñó el ingenioso hidalgo que la raíz de la gloria está en el propio lugarejo y en la propia edad en que se vive. Sólo es duradera en siglos y en vastas tierras la gloria que rebasa de los propios lugar y tiempo por haberlos perinchido y cogolmado. Lo universal riñe con lo cosmopolita; cuanto más de su país y más de su época sea un hombre es más de los países y de las épocas todas. Dulcinea es del Toboso.

Y ahora, Don Quijote mío, llévame a solas contigo, porque quiero que hablemos corazón a corazón y lo que ni a sí mismos osan decirse muchos. ¿Fue de veras tu amor a la gloria lo que te llevó a encarnar en la imagen de Dulcinea a Aldonza Lorenzo, de la que en un tiempo anduviste enamorado, o fue tu desgraciado amor a la bien parecida moza labradora, aquel amor que ella «jamás lo supo ni se dio cata de ello» el que se te convirtió en amor de inmortalidad? Mira, mi buen amigo hidalgo, que yo sé cómo es la timidez dueña del corazón de los héroes, y bien se ve en ver cuando ardías en deseo de Aldonza Lorenzo cómo no te atreviste nunca a requerirla de amores. No pudiste romper la vergüenza que te sellaba, con sello de bronce, los labios.

Tú mismo se lo declaraste a Sancho, tomándole por confidente, cuando al quedarte de penitencia en Sierra Morena (cap. XXV) le dijiste: «mis amores y los suyos han sido siempre platónicos, sin extenderse a más que a un honesto mirar, y aun esto tan de cuando en cuando que osaré jurar con verdad que, en doce años que ha que la quiero más que a la lumbre de estos ojos que ha de comer la tierra, no la he visto cuatro veces, y aun podrá ser que destas cuatro veces no hubiese ella echado de ver la una que la miraba; tal es el recato y encerramiento en que su padre, Lorenzo Corchuelo y su madre Aldonza Nogales, la han criado». ¡Cuatro veces tan sólo y en doce años! Y ¡qué fuego debía de ser el que ella despidiese para calentarte doce años el corazón con sólo cuatro lejanos toques y de soslayo! Doce años, mi Don Quijote, y cuando frisabas en los cincuenta. Te enamoraste, pues, al acercarte a tus cuarenta. ¿Qué saben los mozos lo que es la llama que se enciende en toda sazón de madurez? ¡Y tu timidez, tu insuperable timidez de hidalgo entrado ya en años!

Miradas desde lo más adentro, suspiros ahogados de que ella no se dio cata siquiera, redoblar el golpeteo de tu corazón preso de su hechizo cada una de esas cuatro veces que gozaste a hurtadillas de su vista. Y este amor contenido, este amor roto en su corriente, pues no hallabas en ti brío ni arrojo para enderezarlo a su natural término, este pobre amor te labró acaso el alma y fue el manantial de tu heroica locura. ¿No es así, buen Caballero? Acaso ni tú lo sospechabas.

Adéntrate en ti mismo y escudriña y ahonda. Hay amores que no pueden romper el vaso que los contiene y se derraman hacia adentro, y los hay inconfesables, a los que el destino formidable oprime y constriñe en el nido en que brotaron, el exceso mismo de aquéllos los cuaja y los encierra; la tremenda fatalidad de éstos los sublima y engrandece. Y presos allí, avergonzándose y ocultándose de sí mismos, empeñándose por anonadarse, bregando por morir, pues no pueden florecer a la luz del día y a la vista de todos, y menos fructificar, se hacen pasión de gloria y de inmortalidad y de heroísmo.

Dímelo aquí a solas, Don Quijote mío; dime: el intrépido arrojo que te llevó a tus proezas, ¿no era acaso el estallido de aquellas ansias de amor que no te atreviste a confesar a Aldonza Lorenzo? Si eras tan valiente ante todos, ¿no es porque fuiste cobarde ante el blanco de tus anhelos? De las íntimas entrañas de la carne te acosaba el ansia de perpetuarte, de dejar simiente tuya en la tierra; la vida de tu vida, como la vida de la vida de los hombres todos, fue eternizar la vida. Y como no lograste vencerte para dar tu vida perdiéndola en el amor, anhelaste perpetuarte en la memoria de las gentes. Mira, Caballero, que el ansia de inmortalidad no es sino la flor del ansia de linaje.

¿No te llevó acaso a llenar tus ratos ociosos con la lectura de los libros de caballerías el no haber podido romper tu medrosa vergüenza para llenarlos con el amor y las caricias de aquella moza labradora del Toboso? ¿No es que buscaste en esas ahincadas lecturas lenitivo, a la vez que alimento, a la llama que te consumía? Sólo los amores desgraciados son fecundos en frutos del espíritu; sólo cuando se le cierra al amor su curso natural y corriente es cuando salta en surtidor al cielo; sólo la esterilidad temporal da fecundidad eterna. Y tu amor fue, Don Quijote mío, desgraciado por causa de tu insuperable y heroico encogimiento. Temiste acaso profanarlo confesándolo a la misma que te lo encendía; temiste tal vez mancharlo primero y después malgastarlo y perderlo si lo llevabas a su cumplimiento vulgar y usado. Temblaste de matar en tus brazos la pureza de tu Aldonza, criada por sus padres en grandísimo recato y encerramiento.

Y dime, ¿supo Aldonza Lorenzo de tus hazañas y proezas? De seguro que si de ellas supo algo, le sirvió de solaz y de comidilla y palique en los seranos y en las solanas. ¡Sería de haber oído a Aldonza Lorenzo cuando en sus inviernos añosos, al amor de la lumbre del hogar, en el rolde de sus nietos, o en el serano de las comadres, contara las andanzas y aventuras de aquel pobre Alonso Quijano el Bueno, que salió lanza en ristre a enderezar entuertos, invocando a una tal Dulcinea del Toboso! ¿Recordaría entonces tus miradas a hurtadillas, heroico Caballero? ¿No se diría aca-

so, a solas y callandito, y en lo más adentro de sus adentros: «yo fui, yo fui la que le volví loco»?

No necesitas decírmelo, Don Quijote mío, porque comprendo lo que debe ser sacrificar ante un altar sin que el
dios que sobre él se yergue se entere siquiera del sacrificio.
Te lo creo sin que me lo jures, te lo creo a pies juntillas, sí;
te creo que cruzan el mundo Aldonzas Lorenzos que lanzan
a inauditos heroísmos a Alonsos Quijanos y se mueren tran-
quilamente y en paz de conciencia sin haber conocido la
maternidad que les cupo en los heroísmos tales.

Grande es una pasión que rompe por todo y quebranta
leyes y arrolla preceptos y desencadena torrencialmente su
caudal perinchido, pero es más grande aún cuando, temerosa de enfangarse con las tierras que ha de arrastrar en su
furiosa arremetida, se arremolina en sí y se condensa y se
mete en sí misma, como queriendo tragarse a sí propia, luchando por deshacerse en su imposibilidad misma, y re-
vienta hacia adentro y convierte en inmenso piélago el corazón. ¿No te sucedió esto?

Y luego, ven más junto a mí, mi Don Quijote, y dímelo
al oído del corazón; y luego, cuando la Gloria te ensalzaba,
¿no suspiraste en tus entrañas por aquel inconfesado amor
de tu madurez? ¿No la hubieras dado toda ella, a la Gloria, por una mirada, no más que por una mirada de cariño
de tu Aldonza Lorenzo? Si ella, pobre hidalgo, si ella se hubiese dado cata de tu amor, y compadecida te hubiese ido
un día y te hubiese abierto los brazos y entreabierto la boca,
llamándote con los ojos, si ella se te hubiese rendido, vencido tu contención grandiosa y diciéndote: «te he adivina-
do, ven y no sufras», ¿hubieras buscado la inmortalidad del
hombre y de la fama? Mas entonces, ¿no se te habría disi-
pado el encanto luego? Yo creo que ahora mismo, mientras
te tiene apretado a su pecho tu Dulcinea y lleva tu memoria de siglo en siglo, yo creo que ahora todavía te envuelve
cierta melancólica pesadumbre al pensar que ya no puedes
recibir en tu pecho el abrazo ni en tus labios el beso de Aldonza, ese beso que murió sin haber nacido, ese abrazo que
se fue para siempre y sin haber nunca llegado, ese recuerdo

de una esperanza en todo secreto y tan a solas y a calladas
acariciada.

¡Cuántos pobres mortales inmortales, cuyo recuerdo flo-
rece en la memoria de las gentes, darían esa inmortalidad
del nombre y de la fama por un beso de toda la boca, no
más que por un beso que soñaron durante su vida mortal
toda! ¡Volver a la vida aparencial y terrena, encontrarse de
nuevo en el augusto instante que una vez ido ya no vuelve,
quebrar el vergonzante miedo, trizar el tupido respeto o
romper la ley luego y deshacerse para siempre en los brazos
de la deseada!...

Mientras Don Quijote hablaba a Vivaldo de Dulcinea
del Toboso, entró Sancho, el buen Sancho, con la más maravillosa profesión de fe. Como Simón Pedro, que aun deseando plantar tiendas en lo alto del Tabor para pasarlo allí
bien y sin penalidades, y aun negando al Maestro, fue quien
con más ardor le creyó y le quiso, así Sancho a Don Quijote. Pues mientras todos los que oían la plática entre Vivaldo y el Caballero «y aun hasta los mismos pastores y cabreros conocieron la demasiada falta de juicio de nuestro
Don Quijote, sólo Sancho Panza pensaba —nos dice Cervantes— que cuanto su amo decía era verdad, sabiendo él
quién era y habiéndole conocido desde su nacimiento». ¡Oh
Sancho bueno, Sancho heroico, Sancho quijotesco! Tu fe te
levantará. Pues mientras los menguados mercaderes toledanos pedían a Don Quijote, como los judíos a Jesús, señales
para creer, un retrato de aquella señora, aunque fuera «tamaño como un grano de trigo», Sancho el heroico pensaba
que era verdad cuanto su amo decía, sabiendo quién era
Don Quijote y habiéndole conocido desde su nacimiento.
Y las gentes ligeras no quieren ver, Sancho heroico, la grandeza de tu fe y la fortaleza de tu ánimo y han dado en me-
nospreciarte y calumniarte haciéndote padrón de lo que
nunca fuiste. No quieren conocer que tu simpleza fue tan
loca, tan heroica como la locura de tu amo, pues que creíste en ésta. Y a lo más que llegan es a reprocharte de simple
porque creías en esas cosas. Mas que no lo eras, ni tu sublime fe una ceguera de embaucado, lo prueba el que, du-

daste algo «en creer aquello de la linda Dulcinea del Toboso, porque nunca tal nombre ni tal princesa había llegado
jamás a tu noticia aunque» vivías «tan cerca del Toboso».
La fe es algo que se conquista palmo a palmo y golpe tras
golpe. Y tú, Sancho, llegarás a creer en tu señora Dulcinea
del Toboso, y ella te cojerá de la mano y te llevará por los
campos perdurables.

CAPITULO XV

*Donde se cuenta la desgraciada aventura que se topó Don
Quijote con topar con unos desalmados yangüeses*

Terminado el episodio de Marcela, volvió Don Quijote
a quedar solo con Sancho en los caminos del mundo. Determinado a ir en busca de la pastora Marcela y ofrecérsele,
se entró en el bosque donde ella entrara y a las dos horas
de andar buscándola dio en un apacible prado, donde co-
mieron y descansaron los dos, amo y escudero.

Suelto Rocinante, fuese a refocilar con unas jacas galle-
gas de unos arrieros yangüeses, jacas que le recibieron a coces y mordiscos, y dos arrieros remataron la suerte moliéndole a palos. Visto lo cual por Don Quijote y que no eran
caballeros, sino «gente soez y de baja ralea» —el encontrarse apeado le curó de la ceguera de su locura—, demandó
ayuda de Sancho, quien le hizo ver que no podían vengarse de más de veinte tan sólo dos y aun quizá uno y medio.

«Yo valgo por ciento —replicó Don Quijote—, y sin hacer más discursos, echó mano a su espada y arremetió a los
yangüeses, y lo mismo hizo Sancho, incitado y movido del
ejemplo de su amo». En lo que no se sabe qué admirar
más, si el heroismo quijotesco bajo la fe de «yo valgo por
ciento» o el heroísmo sanchopancesco bajo la fe de que su
amo valía por cien. La fe de Sancho en Don Quijote es aún
más grande, si cabe, que la de su amo en sí mismo. «Yo
valgo por ciento, y sin hacer más discursos, echó mano a su
espada y arremetió.» Si crees que vales por ciento, ¿para qué

discursos? La fe verdadera no razona ni aun consigo misma.

Los yangüeses, al verse tantos contra dos, dieron con ellos en tierra a estacazos, y así se acabó la aventura.

> Vinieron los sarracenos
> y nos molieron a palos,
> que Dios ayuda a los malos
> cuando son más que los buenos.

Y entonces pidió Sancho a su amo el bálsamo de Fierabrás y entonces pronunció Don Quijote aquellas tan profundas palabras de que él se tenía la culpa del percance y molimiento, por haber puesto mano a la espada contra hombres no armados caballeros como él, y excitó a Sancho a que se tomase en casos tales la justicia por su mano. Con hombres no armados caballeros, con los que no lleven como tú encendida la lumbre del seso, sino que reciben la luz de reflejo, con esos no discutas jamás, lector. Di tu palabra y sigue tu camino, dejando que la roan hasta el hueso.

Y más profundo aún que su amo y señor estuvo Sancho al decir que era él hombre pacífico, manso y sosegado y sabía disimular cualquier injuria, «porque tengo mujer e hijos que sustentar y criar» —dijo—. ¡Oh sesudo y discretísimo Sancho! Y si supieras cuántos quedan aún que, teniendo mujer e hijos que sustentar y criar, se nos vienen con requilorios de honor y dignidad, que deben ser un lujo permitido a los ricos tan sólo, a aquellos que tienen quienes sustenten y críen a su mujer e hijos y que acaso les hacen una merced con dejarlos huérfanos y viuda, pues que las gentes no menguan por ello. Tal fue, Sancho amigo, según dicen, que yo en esto me callo, el error de tu pueblo y es que no quiso comprender que el honor dura tanto cuanto dura el bolso lleno. En ese sublime y noble error estaba y sigue estando tu amo, que quiso entonces y allí, molido en tierra, sacarte de él y mostrarte que necesitabas valor para ofender y defenderte, puesto que el día menos pensado te verías señor de una ínsula.

La de Marruecos te ofrecen ahora, y te dan las razones

que te daba tu amo. Entre las cuales las había de oro, como
aquellas de las mudanzas de la fortuna. No hagas caso,
pues, Sancho amigo, de eso de pueblos fuertes y pueblos
moribundos, que el mundo da muchas vueltas y lo que te
hace impropio para la manera de triunfar en privanza hoy,
eso mismo te hará acaso mañana propísimo para el modo
venidero de triunfar. Tú eres paciente y de la paciencia es
al cabo la victoria. Vale más tu paciencia que todo aquello
que te decía tu amo de que salisteis de la pendencia con
los yangüeses molidos, pero no afrentados, «porque las armas que aquellos hombres traían y con que os machacaron
no eran otras que sus estacas».

Dicen que dijo Felipe II, al saber el vencimiento de su
Armada invencible, que no la había mandado a luchar con
los elementos, y la última vez que nos han molido a caño-
nazos una Armada te dijeron también, Sancho amigo, que
nos venció, no el valor, sino la ciencia y la riqueza. Pero tú
te ríes de cuentos, oyes, callas y aguardas. Sigue aguardan-
do, que en aguardar siempre está tu fortaleza. A ti no te
dio pena el pensar si fue o no afrenta lo de los estacazos,
sino el dolor de los golpes, y en eso ibas muy bien enca-
minado, porque el dolor de los golpes se pasa, pero el de
la afrenta no, y quien hace pasajeros los dolores los ha vencido ya con hacerlos tales. Si bien, como te dijo tu amo,
«no hay memoria a quien el tiempo no acabe, ni dolor que
la muerte no consuma», y ésta es fuente de fortaleza, por
serlo de paciencia y de consuelo.

Tras estas y otras pláticas acomodó Sancho a Don Quijote sobre el asno y reanudaron camino, hasta llegar a una
venta.

CAPITULO XVI

*De lo que sucedió al ingenioso hidalgo en la venta que él
imaginaba ser castillo*

Volvió a encontrar Don Quijote mujeres que hicieron con
él oficio de mujer, mujeres compasivas y piadosas, pues en-

tre la ventera, su hija y Maritornes le hicieron una muy
mala cama en que se acostó luego que le hubieron emplas-
tado de arriba a abajo. Agradeciólo Don Quijote haciendo
a la ventera «fermosa señora» y a la venta castillo, con lo
que las mujeres se maravillaron pareciéndoles otro hombre
que los que se usan, y no les faltaba razón en parecerles así.

Entonces es cuando dio Don Quijote en esperar a la hija
del señor del castillo, repentinamente enamorada de él, y
fue cuando al acudir Maritornes a saciar la carne al carnal
arriero se encontró con el espiritual Caballero, que le endilgó un ingenioso discurso de disculpa, mostrándole ante
todo que estaba tan molido y quebrantado que aunque de
su voluntad quisiera satisfacer a la de ella, le sería imposible, y luego la fe prometida a la sin par Dulcinea del Toboso, que si esas dos cosas no hubiera de por medio, el no
poder contentarla y lo otro, no fuera tan sandio caballero
que dejara pasar tan venturosa ocasión en blanco.

Esto es fina virtud y continencia de mérito, y lo demás
tonterías. Y tuvo esa virtud, como es natural, su recompensa, cual fue los puñetazos y pisotones que arreó a Don Quijote el bruto del arriero, que de puro rijoso ardía en chis-
pas. Y acudió el ventero al ruido y se armó aquella tremo-
lina de puñetazos que Cervantes cuenta.

CAPITULO XVII

*Donde se prosiguen los innumerables trabajos que el bravo
Don Quijote y su buen escudero Sancho Panza pasaron en
la venta, que por su mal pensó que era castillo*

Cosas de encantamiento de las que no hay para qué tomar cólera ni enojo, «que como son invisibles y fantásticas,
no hallaremos de quién vengarnos aunque más lo procure-
mos». ¡Y cómo llegaste, oh maravilloso Caballero, al hondón de la sabiduría, que consiste en tomar por invisibles y
fantásticas las cosas de este mundo, y así, en virtud de tal
tomadura, no enojarse por ellas!

Porque, ¿qué sino «mano pegada a algún brazo de algún descomunal gigante» pudo ser aquello que a deshora y cuando más en tu coloquio estabas vino a asentarte una puñada en las quijadas? Cosas son de otro mundo, y recuerda, si no, cómo estando durmiendo una noche Iñigo de Loyola «le quiso el demonio ahogar el año 1541 —como en el capítulo IX del libro V de su *Vida* se nos cuenta—, y fue así que sintió como una mano de hombre que le apretaba la garganta y que no le dejaba resollar ni invocar el Nombre Santísimo de Jesús», y aquello otro que contó el hermano Juan Paulo al P. Rivadeneira, según éste en el mismo capítulo nos lo cuenta, de cuando «durmiendo una noche como solía junto al aposento de Loyola, y habiéndose despertado a deshora, oyó un ruido como de azotes y golpes que le daban al Padre, y al mismo Padre como quien gemía y suspiraba. Levantóse luego y fuese a él, hallóle sentado en la cama, abrazado con la manta, y díjole: ¿Qué es esto, Padre, que veo y oigo? Al cual respondió: ¿Y qué es lo que habéis oído? Y como se lo dijese, díjole al Padre: Andad, idos a dormir».

Cosas son de otro mundo, y para curar sus efectos basta el bálsamo de Fierabrás. Sólo que no obra maravillosamente sino en los caballeros, y bien se vio en lo que ocurrió con él a Sancho.

A poco de esto aconteció lo de convencerse Don Quijote de que estaba en venta y no en castillo, a una sola palabra del ventero, en que vuelve a verse una vez más cuán cuerdo era en su locura. Mas aun así, negóse muy caballerosamente a pagar, lo cual le valió a Sancho un manteamiento. Acabado el cual le dio de beber vino la piadosa Maritornes. Dios se lo pague, pues era la generosidad y el desprendimiento mismos. Ella amó mucho, si bien a su manera, como todos, y por eso le serán perdonados sus refocilamientos con arrieros, ya que lo hacía de puro blanda de corazón.

Creed que la dadivosa moza asturiana más buscaba dar placer que no recibirlo, y si se entregaba era, como no, a pocas Maritornes les sucede, por no ver penar y consumirse a los hombres. Quería purificar a los arrieros de los torpes

deseos que les emporcaban la imaginación y dejarlos limpios para el trabajo. «Presumía muy hidalga» —dice Cervantes—, y por hidalguía concertó ir a refocilarse con el
arriero «y satisfacerle el gusto en cuanto mandase», no tomarlo. Ella

> dar quería
> o que deu para darse a naturaleza

Creed que hay pocos pasajes más castos. Maritornes no
es una moza del partido que por no trabajar o por ajenas
culpas comercia con su cuerpo, ni es una pervertidora que
embruja a los hombres encendiéndoles los deseos para apar-
tarles de su ruta y distraerles de su labor; es pura y sencillamente la criada de un mesón, que trabaja y sirve, y ali-
via las gravezas y remedia los aprietos de los viandantes qui-
tándoles un peso de encima pàra que puedan reanudar, más
desembarazados, su camino. No enciende deseos, sino que
apaga lo que otras, menos desprendidas, o el sobrante de
la vida carnal habían encendido. Y creed que, siendo pe-
caminoso esto, lo es mucho más encender deseos adrede,
con ánimo de encenderlos, como hace la coqueta, para no
apagarlos, que apagar los que encendió otra. No peca Maritornes ni por ociosidad y codicia, ni por lujuria; es decir,
apenas peca. Ni trata de vivir sin trabajar ni trata de seducir a los hombres. Hay un fondo de pureza en su grosera
impureza.

Fue buena con Sancho que salió de la venta muy contento por no haber pagado.

CAPITULO XVIII [XIX y XX]

*Donde se cuentan las razones que pasó Sancho Panza con su
señor Don Quijote, con otras aventuras dignas de ser contadas*

Y volvió Don Quijote al manadero de toda fortaleza,
cual es el de tomar a los hombres que mantean y aporrean

por «fantasmas y gente del otro mundo». No te enojes por
lo que pueda acaecerte en este mundo aparencial; espera al
sustancial o acójete a él, en el hondón de tu locura. Esa es
la fe honda y verdadera. La cual flaqueó en Sancho, que
por haber oído nombrar con nombres a los manteadores,
los tomó por hombres de carne y hueso, y esto le bastó para
pedir a su amo volverse al lugar entonces que era tiempo
de la siega.

Acudió su amo a confortarle en la fe, a lo que él oponía
lo que por sus ojos había visto y en sus costillas sentido,
pero le habló Don Quijote de Amadís y el escudero se
aquietó. E hiciste bien, Sancho, pues te has de convencer
de que cuando nos injurian o escarnecen o mantean, con
sólo pensar que no son sino fantasmas los manteadores, se
nos derrite el rencor y estamos al cabo de cura. Acuérdate
de que tus enemigos se han de morir.

Y entonces dieron con la aventura de las dos manadas
de ovejas, que tomó Don Quijote por dos ejércitos, y los
describió tan puntualmente como quien lleva dentro de si
un mundo verdadero. Y el bueno de Sancho, sumergido
en el otro mundo, en el aparencial, en el de los manteadores de carne y hueso, nada vio, «quizá» por encantamiento.
¡Oh Sancho admirable, y qué caudal de fe encierra ese tu
«quizá»! Por una quizá empieza la fe que salva; quien duda
de lo que,ve, una miajica tan sólo que sea, acaba por creer
lo que no ve ni vio jamás. Tú, Sancho, no oías sino balidos
de ovejas y carneros, pero bien te dijo tu amo: «El miedo
que tienes te hace, Sancho, que ni veas ni oyas a derechas.»

El miedo, sí, y sólo el miedo a la muerte y a la vida nos
hace no ver ni oír a derechas; esto es, no ver ni oír hacia
dentro en el mundo sustancial de la fe. El miedo nos tapa
la verdad, y el miedo mismo, cuando se adensa en congoja,
nos revela.

Mandó Don Quijote a Sancho que se retirase, pues el
que sólo ve con los ojos de la carne antes estorba que sirve
en aventuras, y sin hacer caso de las voces del sentido terre-
nal, acometió al ejército de Alifanfarón de Trapobana. Y
allí alanceó a su sabor corderos, como Pizarro y los suyos

lancearon en el corral de Cajamarca a los servidores del inca Atahualpa, que ni siquiera se defendían. Más no así los pastores de los trapobanenses, que molieron a Don Quijote a pedradas derribándole del caballo.

Con ello volvió a tocar tierra con su cuerpo todo el Caballero, para recobrar, como Anteo, fuerzas a su toque. Y estando en tierra llegó la voz del sentido común, por la boca de Sancho, a reprenderle, pues eran ovejas, mas él supo oponer su fe a los encantamientos del maligno que le perseguía. Y consoló a Sancho, cuya fe flaquea de nuevo, con palabras evangélicas.

Y luego les avino la aventura del cuerpo muerto, cuyo mérito consistió en que, habiendo la fantástica visión empezado por erizarle los cabellos de la cabeza a Don Quijote, supo éste vencer su miedo a lo fantástico, él que no lo tenía a lo real, y en premio de tal victoria puso en fuga a los descamisados, que tomaron a Don Quijote por diablo del infierno. A los fantásticos con lo fantástico se les vence; con el miedo a los amedrentadores. Y el miedo mismo llega a un punto en que si no mata a su presa, se realza, y se convierte, pasando por congoja, en valor.

Fue entonces, en medio de la fantástica aventura, cuando puso Sancho a Don Quijote el título de «El Caballero de la Triste Figura».

Y después se entraron por un valle donde les ocurrió la aventura de los batanes, intentada por Don Quijote para morir haciéndose digno de poder llamarse de su señora Dulcinea de la Gloria. Y a Sancho, su quebradiza fe le puso en la boca palabras commovedoras para apartar de su empeño a su amo, y como no bastasen las palabras acudió a la industria a tratar las patas a Rocinante. Y pasó todo lo demás que Cervantes nos cuenta hasta que amaneció y vieron la causa de los temerosos ruidos, y Sancho se burló de su amo, que le asestó por ello dos palos, acompañándolos de las profundas palabras de «porque os burláis no me burlo yo».

«Venid acá, señor alegre; ¿paréceos a vos que si como éstos fueron mazos de batán fueran otra peligrosa aventura, no habría yo mostrado el ánimo que convenía para emprendella y acaballa? ¿Estoy yo obligado a dicha, siendo como soy caballero, a conocer y distinguir los sones, y saber cuáles son de batanes o no?»

La cosa está bien clara. Para enderezar entuertos y resucitar la caballería y asentar el bien en la tierra, no es menester distinguir de sones y saber cuáles son los batanes o no. Tal distinción no es cosa que toque al heroísmo, ni los demás de los conocimientos que por ahí se enseñan añaden un ardite a la suma de bien que haya en el mundo. El caballero harto tiene con atender y oír a su corazón y distinguir los sones de éste.

Esta doctrina quijotesca hay que predicarla ahora en que el sanchopancismo no hace sino repetirnos que lo esencial es aprender a distinguir los sones y saber cuáles son de batanes o no, sin advertir que mientras es de noche y le dura el miedo, tampoco Sancho los distingue, y eso que los oye y no hace falta verlos. Sancho necesita, para tener serenidad y atreverse a burlas, ver la causa que produce los sones, verla; Sancho, que de noche no se atreve a apartarse de su amo por miedo a los temerosos sones y por miedo no los distingue, búrlase de él cuando ve el artefacto que los produce. Así es con el sanchopancismo que llaman ya positivismo, ya naturalismo, ya empirismo, y es que ha sido que, pasado el miedo, se burla del idealismo quijotesco.

¿Por qué había de conocer Don Quijote, siendo como era caballero, los sones? «Y más que podría ser, como es verdad —añadió—, que no los he visto en mi vida, como vos los habréis visto, como villano ruin que sois, criado y nacido entre ellos; si no, haced vos que estos seis mazos se vuelven en seis jayanes, y echádmelos a las barbas uno a uno, o todos juntos, y cuando yo diere con todos patas arriba, haced de mí la burla que quisiéredes.» ¡Admirables razones! En lo esforzado del propósito y no en lo puntual del conocimiento está el héroe.

Mas la verdad es que conviene acompañe Sancho a Don Quijote y no se aparte de él. Sancho, como villano ruin que es, criado y nacido entre batanes, en cuanto llega la noche

y no los ve, y oye sus temerosos sones, tiembla de miedo
como un azogado y se arrima a Don Quijote, y para que
no se vaya traba las patas a Rocinante, con lo que el Caballero no se puede mover y se libra acaso de una muerte
cierta entre los batanes, pero luego que se hace de día, ¿por
qué ha de burlarse del que le amparó en su congoja, y le
dejó llegar a la luz del día, pues acaso sin él habríase muerto de miedo, o el miedo le habría arrojado en los batanes,
más que su valor a su amo? Si inspiraciones del corazón y
fe en lo eterno nos sacaron de las congojas de la noche de
la superstición y del miedo a lo desconocido, ¿por qué cuando la luz de la experiencia luce hemos de burlarnos de aquellas inspiraciones y de aquella fe? Y tanto más que cuanto
que volveremos a necesitarlas, pues si la noche se sucede al
día, vuelve nueva noche tras este nuevo día, y así entre luz
y tinieblas vamos viviendo y marchando a un término que
no es ni tinieblas ni luz, sino algo en que ambas se aúnan
y confunden, algo en que se funden corazón y cabeza y en
que se hacen uno Don Quijote y Sancho.

Hoy Sancho distingue de sones y sabe cuáles son de batanes y cuáles no, siempre que sea de día y vea los mazos
que los producen; pero de noche tiembla de miedo y nunca se atreve con seis jayanes, ni uno a uno ni con todos juntos, y hoy Don Quijote se atreve con los jayanes y no tiembla ni de noche ni de día, pero no distingue de sones y cuáles son de batanes y cuáles no. Día llegará en que fundidos
en uno, o mejor, quijotizado Sancho antes que sanchizado
Don Quijote, no tenga aquél miedo y distinga de sones lo
mismo de noche que de día y se atreva con batanes y con
jayanes. Pero es mal camino para llegar a ello burlarse del
Caballero y creer que todo estriba en distinguir de sones.
No, no es la ciencia sola, por alta y honda, la redentora de
la vida.

CAPITULO XXI

*Que trata de la alta aventura y rica ganancia del yelmo
de Mambrino, con otras cosas sucedidas a nuestro invencible
caballero*

Tras esto cobró Don Quijote el yelmo de Mambrino, y
Sancho, como despojo de la victoria, trocó los aparejos de
su asno por los del asno del barbero, mejor repuesto que el
suyo, «y almorzaron de las sobras del real que del acémila
despojaron». Y luego «se pusieron a caminar por donde la
voluntad de Rocinante quiso, que se llevaba tras sí la de
su amo y aun la del asno», y de camino se quejó Sancho
de cuán poco se ganaba con aquellas aventuras. Y departiendo mostró haber calado la raíz del heroísmo de su amo
cuando le pidió salieran de aquellas aventuras, «donde ya
que se venzan y acaben las más peligrosas, no hay quien las
vea ni las sepa, y así se han de quedar en perpetuo silencio
y en perjuicio de la intención de vuestra merced» —dijo—,
y se pusieran a servicio de algún emperador donde no fal-
taría quien pusiera «en escrito las hazañas» de Don Quijote, «para perpetua memoria». Y añadió, tocado ya de la locura de su amo: «De las mías no digo nada, pues no han
de salir de los límites escuderiles; aunque sé decir que si se
usa en la caballería escribir hazañas de escuderos, que no
pienso que se han de quedar las mías entre renglones.»

¿Qué es eso, Sancho? ¿Estás pensando también tú en dejar eterno nombre y fama? ¿Andas también enamorado,
aunque sin saberlo, de Dulcinea? Tú no has tenido Aldonza Lorenzo que te encierra el amor a la inmortalidad; tú no
has tenido amores de los que se confiesan o no pueden confesarse; tú, al llegar a edad, y considerando que no está bien
que el hombre esté solo, tomaste de mano del cura a Juana
Gutiérrez por compañera de tus faenas y para madre de tus
hijos; pero andas con Don Quijote, dejaste por él mujer e
hijos y te estás enquijotando ya.

En esta plática, y al explicar Don Quijote cómo podría
llegar a casarse con hija de rey, dijo: «sólo falta ahora mirar

qué rey de los cristianos o de los paganos tenga guerra y tenga hija hermosa; pero tiempo habrá para pensar esto, pues como te tengo dicho, primero se ha de cobrar fama por todas partes, que se acuda a la corte», en que parece que la fama no la quiere para fin, sino como medio, a pesar de lo cual puede y debe asegurarse que no habría dejado Don Quijote a Dulcinea por ninguna hija de rey, por hermosa que ella fuese y poderoso y rico su padre. Y continuando el hidalgo mostró dudas de que el rey le quisiese tomar por yerno, visto que no era de linaje de reyes o «por lo menos primo segundo de emperador», temiendo perder por semejante falta lo que su brazo tendría bien merecido. «Bien es verdad —añadió— que soy hijodalgo de solar conocido, de posesión y propiedad, y de devengar quinientos sueldos; y podría ser que el sabio que escribiese mi historia deslindase de tal manera mi parentela y descendencia que me hallase quinto o sexto nieto de rey», y a seguida de esto explicó a Sancho lo de las dos maneras de linajes que hay en el mundo: los que fueron y ya no son y los que son y ya no fueron.

Y aquí encaja lo que dijo aquel capitán de que habla el doctor Huarte en el capítulo XVI de su *Examen de ingenios,* y decía: «Señor, bien sé que vuestra señoría es muy buen caballero y que vuestros padres fueron también; pero yo y mi brazo derecho, a quien ahora reconozco por padre, somos mejores que vos y todo vuestro linaje.» Razón que hace alguna vez suya Don Quijote, declarándose hijo de sus obras.

Y así es que mi humanidad empieza en mí y debe cada uno de nosotros más que pensar en que es descendiente de sus abuelos y estanque a que han venido acaso a juntarse tantas y tan diversas aguas, en que es ascendiente de sus nietos y fuente de los arroyos y ríos que de él han de brotar al porvenir. Miremos más que somos padres de nuestro porvenir que no hijos de nuestro pasado, y en todo caso nodos en que se recojen las fuerzas todas de lo que fue para irradiar a lo que será, y en cuanto al linaje, todos nietos de reyes destronados.

CAPITULO XXII

*De la libertad que dio Don Quijote a muchos desdichados
que, mal de su grado, los llevaban donde no querían ir*

Iban en estas y otras pláticas, cuando se le presentó a
Don Quijote una de sus más grandes aventuras, si es que
no la mayor de todas ellas, cual fue la de libertar a los galeotes. Que iban presos «de por fuerza y no de su voluntad», y esto le bastó a Don Quijote.

Inquirió sus delitos, y de todo cuanto le dijeron sacó en
limpio que, aunque les habían castigado por sus culpas, las
penas que iban a padecer no les daban mucho gusto, y que
iban a ellas muy de mala gana, muy contra su voluntad y
acaso injustamente. Por lo cual decidió favorecerles, como
a menesterosos y opresos de los mayores, pues «parece duro
caso hacer esclavos a los que Dios y la naturaleza hizo libres; cuanto más, señores guardas —añadió Don Quijote—, que estos pobres no han cometido nada contra vosot-
tros; allá se lo haya cada uno con su pecado; Dios hay en
el cielo, que no se descuida de castigar al malo ni de premiar al bueno, y no es bien que los hombres honrados sean
verdugos de los otros hombres no yéndoles nada en ello»,
y así pidió con mansedumbre que los soltaran. No lo quisieron haber a buenas y arremetió contra ellos Don Quijote, quien ayudado por Sancho y los galeotes mismos, logró
librarlos.

Hay que pararse a considerar el ánimo esforzado y jus-
ticiero que en esta aventura mostró el hidalgo. Mi infortunado amigo Angel Ganivet, gran quijotista —lo cual es decir una cosa muy diferente y hasta opuesta a eso que suele
llamarse cervantista—, el infortunado Ganivet, en su *Idea-
rium español,* atañadero a esto, dice:

«El entendimiento que más hondo ha penetrado en el
alma de nuestra nación, Cervantes..., en su libro inmortal,
separó en absoluto la justicia española de la justicia vulgar
de los Códigos y Tribunales; la primera la encarnó en Don
Quijote y la segunda en Sancho Panza. Los únicos fallos ju-

diciales moderados, prudentes y equilibrados que en el
Quijote se contienen son los que Sancho dictó durante el
gobierno de su ínsula; en cambio, los de Don Quijote son
aparentemente absurdos, por lo mismo que son de justicia
trascendental; unas veces peca por carta de más y otras por
carta de menos; todas sus aventuras se enderezan a mantener la justicia ideal en el mundo, y en cuanto topa con la
cuerda de galeotes y ve que allí hay criminales efectivos, se
apresura a ponerlos en libertad. Las razones que Don Quijote da para libertar a los condenados a galeras son un com-
pendio de las que alimentan la rebelión del espíritu español contra la justicia positiva. Hay, sí, que luchar porque
la justicia impere en el mundo; pero no hay derecho estricto a castigar a un culpable mientras otros se escapan por las
rendijas de la ley; que al fin la impunidad general se confor-
ma con aspiraciones nobles y generosas, aunque contrarias
a la vida regular de las sociedades, en tanto que el castigo
de los unos y la impunidad de los otros son un escarnio
a los principios de justicia y de los sentimientos de humanidad a la vez.» Hasta aquí Ganivet.

De deplorar es el que espíritu tan inventivo como el de
nuestro granadino creyera, conforme al común sentir, que
Cervantes encarnó cosa alguna en Don Quijote, y no llegara
a la fe, fe salvadora, de que la historia del ingenioso hidalgo
fue, como en realidad lo fue, una historia real y verdadera,
y además eterna, pues se está realizando de continuo en
cada uno de sus creyentes. No es que Cervantes quisiera
encarnar en Don Quijote la justicia española, sino que lo
encontró así en la vida del Caballero y no tuvo otro remedio sino narrárnoslo cual y como sucedió, aun sin alcanzársele
todo su alcance. Ni aún vio siquiera el íntimo contraste
que surge del hecho de que fuese Don Quijote el castigador
de los mercaderes toledanos, del vizcaíno y de tantos otros
más, el mismo que negaba a otros derecho a castigar.

Quédase Ganivet en los umbrales del quijotismo al suponer que la justicia hecha por Don Quijote en los galeotes
se fundara en que «no hay derecho estricto a castigar a un
culpable mientras otros se escapan por las rendijas de la

ley», y que es preferible la impunidad de todos a la ley del embudo. Podría, en efecto, sostenerse que por tal razón se movió Don Quijote a libertar a los galeotes sobre el fundamento de haber dicho el mismo Caballero, en la arenga enderazada a los cabreros, y al hablar del siglo de oro que «la ley del encaje aún no se había sentado en el entendimiento del juez porque entonces no había qué juzgar ni quién fuese juzgado». Mas aunque el mismo Don Quijote se engañara creyendo que fue ésta la razón de haber él dado libertad a aquellos desgraciados, es lo cierto que en lo más hondo de su corazón arraigaba tal hazaña. Y no os debe sorprender esto, lectores, no debéis caer en la simpleza de tomarlo a paradoja, porque no es quien lleva a cabo una hazaña al que mejor conoce los motivos por que la cumplió, ni suelen ser las razones que en abono y justificación de nuestra conducta damos sino razones *a posteriori,* o, para hablar en romance, de trasmano, manera que buscamos para explicarnos a nosotros mismos y explicar a los demás el porqué de nuestros actos, quedándose de ordinario desconocido el verdadero porqué. No niego que Don Quijote creyera, con Ganivet y acaso con Cervantes, que libertó a los galeotes por horror a la ley del encaje y por parecerle injusto castigar a unos mientras se escapan otros por las rendijas de la ley, pero niego que les libertara movido en realidad, y allá en sus adentros, por semejante consideración. Y si así no fuera, ¿con qué razón y derecho castigaba él, Don Quijote, como castigaba, sabiendo que escaparían lo más del rigor de su brazo? ¿Por qué castigaba Don Quijote, si no hay castigo humano que sea absolutamente justo?

Don Quijote castigaba, es cierto, pero castigaba como castigan Dios y la naturaleza, inmediatamente, cual es naturalísima consecuencia del pecado. Así castigó a los arrieros que fueron a tocar sus armas cuando las velaba, alzando la lanza a dos manos, dándoles con ella en la cabeza y derribándolos para tornar a pasearse con el mismo reposo que primero, sin cuidarse más de ello; así amenazó a Juan Haldudo el rico, pero soltándole bajo su palabra de pagar a Andrés; así arremetió a los mercaderes toledanos, no bien los oyó blasfemar contra Dulcinea; así venció a Don Sancho de Azpeitia, soltándole bajo promesa de las damas de que iría a presentarse a Dulcinea; así arremetió a los yangüeses, al ver como maltrataban a Rocinante. Su justicia era rápida y ejecutiva; sentencia y castigo eran para él una misma cosa; conseguido enderezar el entuerto, no se ensañaba en el culpable. Y a nadie intentó esclavizar nunca.

Bien habría estado que el prender a cada uno de aquellos galeotes se les hubiera dado una tanda de palos, pero... ¿llevarlos a galeras? «Parece duro caso —como dijo el Caballero— hacer esclavos a los que Dios y la naturaleza hizo libres.» Y añadió más adelante: «allá se lo haya cada uno con su pecado; Dios hay en el cielo, que no se descuida de castigar al malo y de premiar al bueno, y no es bien que los hombres honrados sean verdugos de los otros hombres no yéndoles nada en ello».

Los guardias que llevaban a los galeotes los llevaban fríamente, por oficio, en virtud de mandamiento de quien acaso no conociera a los culpables, y los llevaban a cautiverio. Y el castigo, cuando de natural respuesta a la culpa, de rápido reflejo a la ofensa recibida se convierte en aplicación de justicia abstracta, se hace algo odioso a todo corazón bien nacido. Nos hablan las Escrituras de la cólera de Dios y de los castigos inmediatos y terribles que fulminaba sobre los quebrantadores de su pacto, pero un cautiverio eterno, un penar sin fin basado en fríos argumentos teológicos sobre la infinitud de la ofensa y la necesidad de satisfacción inacabable, es un principio que repugna al cristianismo quijotesco. Bien está hacer seguir a la culpa su natural consecuencia, el golpe de la cólera de Dios o de la cólera de la naturaleza, pero la última y definitiva justicia es el perdón. Dios, la naturaleza y Don Quijote castigan para perdonar. Castigo que no va seguido de perdón, ni se endereza a otorgarlo al cabo, no es castigo, sino odioso ensañamiento.

Mas se dirá: pues si se ha de perdonar, ¿para qué el castigo? ¿Para qué, preguntas? Para que el perdón no sea gratuito y pierda así todo mérito; para que gane valor costando adquirirlo, teniendo que comprarlo con sufrir castigo; para que el delincuente se ponga en estado de recibir el fruto, el beneficio del perdón, borrado por el castigo el remordimiento que se lo impediría. El castigo satisface al ofensor, no al ofendido, y hasta le repugna a aquél el perdón gratuito, apareciéndosele como la más quintaesenciada forma de la venganza, como flor de desdén. El perdón gratuito es un perdón que se echa como de limosna. Los débiles se vengan, perdonando, sin haber castigado. Agradecemos más el abrazo, si es cordial, después de la bofetada con que a nuestra provocación se responde.

Cuando un hombre se siente ofendido, vese empujado a venganza; pero luego que se vengó, si es bien nacido y noble, perdona. De ese sentimiento de venganza brotó la llamada justicia, intelectualizándolo, y muy lejos de ennoblecerse con ello, se envileció. El bofetón que suelta uno al que le insulta es más humano, y por ser más humano, más noble y más puro que la aplicación de cualquier artículo del Código penal.

El fin de la justicia es el perdón, y en nuestro tránsito a la vida venidera en las ansias de la agonía, a solas con nuestro Dios, se cumple el misterio del perdón para los hombres todos. Con la pena de vivir y las penas a ella consiguientes se pagan las fechorías todas que en la vida se hubiesen cometido; con la angustia de tener que morirse se acaba de satisfacer por ellas. Y Dios, que hizo al hombre libre, no puede condenarle a perpetuo cautiverio.

«Allá se lo haya cada uno con su pecado; Dios hay en el cielo, que no se descuida de castigar al malo ni de premiar al bueno.» Aquí Don Quijote remite el castigo a Dios, sin decirnos cómo creía él que Dios castiga, pero no pudo creer, por mucha que su ortodoxia fuere, en castigos inacabables, y no creyó en ellos. Hay que remitir, sí, a Dios el castigo, pero no haciéndole ministro de nuestras justicias, como tanto se acostumbra, cuando somos nosotros los que deberíamos ser ministros de la suya. ¿Quién es el mortal que osa pronunciar en nombre de Dios sentencias, dejando a Dios el ejecutarlas? ¿Quién es el que así hace de Dios ministro suyo? El que cree estar diciendo: «en nombre de Dios te

condeno», lo que en realidad está queriendo decir es esto
otro: «Dios, en mi nombre, te condena». Mirad bien que
los que se arrogan ministerio especial de Dios es en el fondo que pretenden que Dios les ministre a ellos. Don Quijote, que se creía ministro de Dios en la tierra y brazo por
quien se ejecuta en ella su justicia, pero como lo somos todos, Don Quijote le dejaba a Dios el juzgar de quién fuera
bueno y quién malo y merced a qué castigo habría que perdonar a éste.

Mi fe en Don Quijote me enseña que tal fue su íntimo sentimiento, y si no nos lo revela Cervantes es porque
no estaba capacitado para penetrar en él. No por haber
sido su evangelista hemos de suponer fuera quien más aden-
tró en su espíritu. Baste que nos haya conservado el relato
de su vida y hazañas.

«No es bien que los hombres honrados sean verdugos de
los otros hombres, no yéndoles en ello nada.» Don Quijote,
como el pueblo de que es la flor, mira con malos ojos al
verdugo y a todo ministro y ejecutor de justicia. Santo y
bueno que se tome uno la justicia por su mano, pues le abona un natural instinto, pero ser verdugo de otros hombres
para ganarse así el pan sirviendo a la odiosa justicia abstracta, no es bien. Pues la justicia es impersonal y abstracta, castigue impersonal y abstractamente.

Ya os veo aquí, lectores timoratos, llevaros las manos a
la cabeza y os oigo exclamar: ¡qué atrocidad! Y luego habláis de orden social y de seguridad y de otras monsergas
por el estilo. Y yo os digo que si se soltase a los galeotes
todos no por eso andaría más revuelto el mundo, y si los
hombres todos cobraran robusta fe en su última salvación,
en que al cabo todos hemos de ser perdonados y admitidos
al goce del Señor, que para ello nos crió libres, seríamos todos mejores.

Bien sé que en contra de esto me argüiréis con el ejemplo mismo de los galeotes y de cómo le pagaron a Don Quijote la libertad que les había devuelto. Pues no bien los vio
sueltos los llamó, y diciéndoles que «de gente bien nacida
es agradecer los beneficios que reciben, y uno de los peca-

dos que más a Dios ofenden es la ingratitud», les mandó
fuesen cargados de la cadena a presentarse ante la señora
Dulcinea del Toboso. Los desdichados, llenos de miedo no
fuese les prendiera de nuevo la Santa Hermandad, respon-
dieron por boca de Ginés de Pasamento que no podían
cumplir lo que Don Quijote les pedía, y se lo mudase en
alguna cantidad de avemarías y credos. Irritó al Caballero,
que era pronto a la cólera, el desenfado de Pasamonte, y le
respondió. Y entonces hizo éste del ojo a sus compañeros,
y «apartándose aparte comenzaron a llover tantas y tantas
piedras sobre Don Quijote... que dieron con él en el suelo».
Y una vez en tierra, le golpeó uno y le quitaron la ropilla
y a Sancho el gabán.

Lo cual debe enseñarnos a libertar galeotes precisamente
porque no nos lo han de agradecer, que de contar de antemano con su agradecimiento, nuestra hazaña carecería de
valor. Si no hiciéramos beneficios sino por las gratitudes
que de ellos habríamos de recoger, ¿para qué nos servirán
en la eternidad? Debe hacerse el bien no sólo a pesar de
que no nos han de corresponder en el mundo, sino precisamente porque no han de correspondérnoslo. El valor infinito de las buenas obras estriba en que no tienen pago ade-
cuado en la vida, y así rebosan de ella. La vida es un bien
muy pobre para los bienes que en ella cabe ejercer.

Pero viene aquí un pasaje tan triste como hermoso, pues
mostrándonos una carnal flaqueza del Caballero, nos muestra que era de carne y hueso como nosotros, y como nosotros sujeto a las miserias humanas.

CAPITULO XXIII

*De lo que aconteció al famoso Don Quijote en Sierra
Morena, que fue una de las más raras aventuras que en
esta verdadera historia se cuentan*

Y fue cuando, viéndose malparado, dijo a su escudero:
«Siempre, Sancho, lo he oído decir, que el hacer bien a vi-

llanos es echar agua en el mar; si yo hubiera creído lo que
me dijiste, yo hubiera excusado esta pesadumbre; pero ya
está hecho, paciencia y a escarmentar para desde aquí adelante.» El pobre Caballero, tendido en tierra, siente flaquear
su fe. Mas ved que acude en su ayuda Sancho, el heroico
Sancho, y lleno de su fe quijotesca, responde a su amo: «Así
escarmentará su merced como yo soy turco.» Y ¡qué bien
calaste, Sancho heroico, Sancho quijotesco, que tu amo no
podía escarmentar de hacer el bien y cumplir la justicia
verdadera!

Y porque apedrearon a Don Quijote y le robaron la ropilla, ¿hemos de creer que no le iban agradecidos los galeotes y que la libertad no les mejoró el ánimo? Cuando le robaron la ropilla es que la necesitaban, y esto no excluía agradecimiento, pues una cosa es la gratitud y otra el oficio, y
el de los más de ellos era el de ladrones. Y, además, ¿quién
sabe si no es que querían llevarse una prenda suya como
de recuerdo? ¿Y que le apedrearon? Sí, por agradecimiento
también. Peor habría sido que le hubiesen vuelto la espalda.

Encimada la aventura de los galeotes y obedeciendo Don
Quijote a los ruegos de Sancho, que le pedía se apartaran
de la furia de la Santa Hermandad, más no por miedo a
ella, se entraron en Sierra Morena, haciendo noche «entre
dos peñas y entre muchos alcornoques». Y aquella noche
fue cuando robó su jumento a Sancho Ginés de Pasamonte, el desgraciado galeote. Y poco hallaron la maleta de Cardenio y el montoncillo de escudos de oro que hizo exclamar a Sancho: «Bendito sea todo el cielo, que nos ha de-
parado una aventura que sea de provecho».

¡Ah Sancho veleta, vuelve a vencerte la carne y llamas
aventura a eso de topar con un montoncillo de escudos de
oro! Eres del país de la lotería. Se lo regaló su amo, que no
iba a la busca de tales aventuras de dinero hallado. Intere-
sóse más en los lamentos amorosos que en la maleta se contenían, y al ver pasar saltando de risco en risco a un solitario, decidido a buscarle, mandó a Sancho lo atajase. Y entonces respondió éste aquellas nobilísimas palabras de: «No
podré hacer eso porque en apartándome de vuestra mer-

ced, luego es conmigo el miedo, que me asalta con mil géneros de sobresaltos y visiones.»

¿Y cómo no, Sancho amigo, cómo no? Tu amo será, si quieres, loco de remate, pero ni supiste, ni sabes, ni sabrás ya vivir sin él; renegarás de su locura y de los manteamientos en que con ella te mete, pero si te deja, te acometerá el miedo al verte solo. Tú sin tu amo estás tan solo que estás sin ti. Gustaste el amparo de Don Quijote, cobraste fe en él; si el mantenimiento de tu fe te falta, ¿quién te librará del miedo? ¿Es acaso el miedo otra cosa que la pérdida de fe?; y ¿no se recobra ésta en fuerza de miedo? Y la fe, amigo Sancho, es adhesión, no a una teoría, no a una idea, sino a algo vivo, a un hombre real o ideal, es facultad de admirar y de confiar. Y tú, Sancho fiel, crees en un loco y en su locura. Y si te quedas a solas con tu cordura de antes, ¿quién te librará del miedo que te ha de acometer al verte solo con ella, ahora que gustaste de la locura quijotesca? Por eso pides a tu amo y señor que no se aparte de ti.

Y tu Don Quijote, magnánimo y fuerte, te responde: «Así será, y yo estoy muy contento de que te quieras valer de mi ánimo, el cual no te faltará aunque te falte ánima del cuerpo.» Ten fe, pues, Sancho; ten fe, aunque te falte el ánimo de Don Quijote. La fe cumplió en ti su milagro; el ánimo de Don Quijote es ya tu ánimo, y ya no vives tú en ti mismo, sino que es él, tu amo, quien en ti vive. Estás quijotizado.

Entonces encontró Don Quijote a Cardenio, y apenas vio al otro loco, loco de amor, «le tuvo un buen espacio estrechamente entre sus brazos, como si de luengos tiempos le hubiera conocido». Y así era en verdad. Saludáronse y manifestó Don Quijote su propósito de servirle, y si no hallaba remedio a su dolor, ayudarle a llorar su desventura y «a plañirla como mejor pudiere». Y al llorar y plañir la desventura de Cardenio, ¿no llorarías y plañirías la tuya, buen Caballero? Al llorar los desdenes de Luscinda, ¿no llorarías aquella contención que te impidió abrir el corazón a Aldonza?

Hay, sin embargo, maliciosos en creer que todo ello era

sólo para mover a Cardenio a que contase su historia, pues era Don Quijote curioso en extremo y amigo de enterarse de vidas ajenas.

CAPITULOS XXIV Y XXV

Donde se prosigue la aventura de Sierra Morena
y
Que trata de las extrañas cosas que en Sierra Morena
sucedieron al valiente Caballero de la Mancha y de la
imitación que hizo a la penitencia de Beltenebros

Aquí Cervantes, no fiando demasiado en la virtualidad de la historia de su héroe, intercala la de Cardenio. Más aun así nos contó la interrupción de Don Quijote a Cardenio y cómo salió a la defensa de la reina Madásima, ofendida por éste. Con lo cual quiso enseñarnos a que no toleremos se le ofenda a él por los que se obstinan en tratarle como a mero ente de razón, sin consistencia real. Y no es razón que los tales no estén en su cabal juicio, pues «contra cuerdos y contra locos», como dijo en aquella ocasión Don Quijote, debe volver uno por la verdad radical. Como por ella volvió el hidalgo. El cual si pecaba era de jactancioso, pues aun entonces afirmó que él se sabía las reglas de caballería «mejor que cuantos caballeros las profesaron en el mundo».

Yendo después por aquellas soledades de Sierra Morena, volvió a dar Don Quijote en su verdadero tema, y fue al decir a Sancho que le llevaba por aquellas partes el deseo «de hacer en ellas una hazaña con que he de ganar —dijo— perpetuo nombre y fama en todo lo descubierto de la tierra». Y para lograrlo se propone imitar a su modelo, Amadís de Gaula. Sabía bien que a la perfección se llega imitando a hombres y no tratando de poner en práctica teorías. Y para imitarle en la penitencia que hizo en la Peña Pobre, mudando su nombre en el de Beltenebros, decidió

Don Quijote hacer en Sierra Morena «del desesperado, del sandio y del furioso», aventura más fácil que la de «hender gigantes, descabezar serpientes, matar endriagos, desbaratar ejércitos, fracasar armadas y deshacer encantamientos».

Y como el heroico loco era muy cuerdo, no quiso imitar a don Roldán en lo de arrancar árboles, enturbiar las aguas de las claras fuentes, matar pastores, destruir ganados, abrasar chozas, derribar casas, arrastrar yeguas y «otras sino sólo en lo esencial», y aun venir a contentarse con la sola imitación de Amadís, «que sin hacer locuras de daño, sino de lloros y sentimientos, alcanzó tanta fama como el que más». El punto estaba en alcanzar fama y renombre, y si las locuras de daño no eran para ello necesarias, eran ya locuras de locura.

Y requerido por Sancho de que por qué razón habría de volverse loco sin que Dulcinea le hubiese faltado, contestó con aquella preñadísima sentencia que dice: «Ahí está el punto y ésa es la fuerza de mi negocio, que volverse loco un caballero andante con causa, ni grado de gracias; el toque está en desatinar sin ocasión, en generosa rebelión, contra la lógica, durísima tirana del espíritu. Los más de los que en esta tu patria son tenidos por locos, desatinan con ocasión y con motivo y en mojado, y no son locos, sino majaderos forrados de lo mismo, cuando no bellacos de lo fino. La locura, la verdadera locura, nos está haciendo mucha falta, a ver si nos cura de esta peste el sentido común que nos tiene a cada uno ahogado el propio.

Ahogado se lo tenía a Sancho, pues dudó de ti, heroico Caballero, cuando le hablaste de nuevo del yelmo de Mambrino y estuvo a punto de creer patraña tus promesas todas porque sus ojos carnales le hacían ver el yelmo como si fuese bacía de barbero. Pero bien le respondiste: «Eso que a ti te parece bacía de barbero me parece a mí el yelmo de Mambrino y a otro le parecerá otra cosa.» Esta es la verdad pura: el mundo es lo que a cada cual le parece, y la sabiduría estriba en hacérnoslo a nuestra voluntad, desatinados sin ocasión y henchidos de fe en lo absurdo. El carnal Sancho creyó, al ver empezar a Don Quijote la penitencia, que iba de burlas y no de veras, más desengañóle su amo. No,

Sancho amigo, no; la verdadera locura va de veras siempre;
son los cuerdos los que van de burlas.

Y ¡qué locura! Encontes fue cuando Don Quijote declaró
a Sancho lo de ser Dulcinea Aldonza Lorenzo, la hija de Lorenzo Corchuelo y de Aldonza Nogales, y Sancho nos declaró las prendas terrenales de ella, «moza de chapa, hecha
y derecha y de pelo en pecho», que tiraba la barra como
«el más forzudo zagal de todo el pueblo». Se puso un día
«encima del campanario de la aldea a llamar a unos zagales
suyos que andaban en un barbecho de su padre, y aunque
estaban de allí a media legua, así la oyeron como si estuvieran al pie de la torre». Y se le oye ahora, que, convertí-
da en Dulcinea, pregona su nombre, Sancho socarrón. «Tiene mucho de cortesana —añadió—; con todos se burla y
de todo hace mueca y donaire...» Sí, de todos sus favoritos
se burla la Gloria.

Dejó de hablar Sancho, juzgando a Dulcinea, o mejor a
Aldonza, según sus groseros ojazos, y su amo le contó el
cuento de la viuda hermosa, libre y rica que se enamoró
del mozo rollizo e idiota. Para lo que le quería... Sí, para
el que quiere estrujar idealidad del mundo, nada hay en él
de bajo ni de grosero, y muy bien puede Aldonza Lorenzo
encarnar a Dulcinea.

Pero hay aquí algo más íntimo. Alonso Quijano el Bueno, que había recatado en los más recónditos recovecos de
su corazón durante doce años aquel amor que fue acaso lo
que, llevándole a engolfarse en libros de caballerías, le llevó
a hacerse Don Quijote, Alonso Quijano, roto ahora, merced a la locura caballeresca, su vergonzante recato, confiesa
a Sancho su amor. ¡A Sancho! Y al confesarlo, lo profana.
El muy bellaco del escudero no se percata de lo que se le
abre al conocimiento y a la confianza y habla de Aldonza
como de una garriga moza cualquiera de lugar. Y entonces
Don Quijote, apesadumbrado al ver cuán a lo burdo entendió Sancho sus amores, sin conocer que para todo buen
enamorado es su amor único y como no lo ha habido en
la tierra antes, le cuenta la sustanciosa historia de la viuda
y el idiota, para concluir en lo de «por lo que yo quiero a

Dulcinea del Toboso, tanto vale como la más alta princesa de la tierra». ¡Pobre Caballero, y cómo tuviste que callar y sepultar en lo más escondido de tu seno que a no haberte atado la vergüenza del demasiado amor que se te prendió en el otoño de tus años, para otra cosa que para invocarla por los caminos bajo el nombre de Dulcinea habrías querido a la hermosa hija de Lorenzo Corchuelo y de Aldonza Nogales! Di, ¿no hubieras dado por ella la gloria, esa gloria que por ella ibas a buscar?

Acabado el coloquio, escribió Don Quijote la carta a Dulcinea, aun no sabiendo leer Aldonza Nogales, y la cédula de los tres pollinos que se entregarían a Sancho. ¡Ah Sancho, Sancho, llevas el más grande de los cometidos, una misiva de amor a Dulcinea, y necesitas llevar con ella una cédula de tres pollinos!

Siguióse nuevo coloquio, y en él dijo Don Quijote aquello de: «A fe, Sancho, que a lo que parece no estás tú más cuerdo que yo.» Cierto es ello, pues le contagiaste, noble Caballero.

Al ir a partir Sancho, desnudóse su amo con toda priesa los calzones, «quedó en carnes y en pañales, y luego, sin más ni más, dio dos zapatetas en el aire y dos tumbos de cabeza abajo y los pies en alto, descubriendo cosas que por no verlas otra vez volvió Sancho la rienda a Rocinante y se dio por satisfecho de que podía jurar que su amo quedaba loco».

CAPITULO XXVI

*Donde se prosiguen las finezas que de enamorado hizo
Don Quijote en Sierra Morena.*

Y quedóse Don Quijote rezando en un rosario de agallas grandes de alcornoque, paseándose por un pradecillo, escribiendo y grabando en las cortezas de los árboles y por la menuda arena muchos versos, suspirando y llamando a los faunos, silvanos y ninfas de aquellos contornos.

¡Admirable aventura! ¡Aventura del género contemplativo más bien que del activo! Hay gentes, Don Quijote mío, ciegas al valor de estas aventuras de suspirar y dar sin más zapatetas al aire. Sólo el que las dio o es capaz de darlas puede dar cima a grandes empresas. Desgraciado del que a solas consigo mismo es cuerdo y cuida que los demás le miran.

Esta penitencia de Don Quijote en Sierra Morena nos trae a la memoria aquella otra de Íñigo de Loyola en la cueva de Manresa, y sobre todo cuando en el mismo Manresa y en el monasterio de Santo Domingo «vínole al pensamiento —como nos dice el P. Rivadeneira, libro I, capítulo IV— un ejemplo de un santo que para alcanzar de Dios una cosa que le pedía, determinó de no desayunarse hasta alcanzarla. A cuya imitación —añade— propuso él también de no comer ni beber hasta hallar la paz tan deseada de su alma, si ya no se viese por ello a peligro de morir».

Al terminar un piadoso autor la vida de San Simeón Estilita, añade: «Esta vida es más para admirada que para imitada», y Teresa de Jesús, en el párrafo tercero del capítulo XIII de su *Vida*, nos dice que el demonio «nos dice o hace entender que las cosas de los Santos son para admirarlas, mas no para hacerlas los que somos pecadores», y eso dice ella también, mas que «hemos de mirar cuál es de espantar y cuál es de imitar». Y así podría creerse que la penitencia de Don Quijote en Sierra Morena es más para admirada que para imitada. Pero yo os digo que de la misma fuente de que brotaron sus más hazañosas proezas, de esa misma fuente brotó también lo de las zapatetas en el aire, siendo inseparable lo uno de lo otro. Aquellas locuras encendieron su amor a Dulcinea, y ese amor fue su brújula y su resorte de acción.

Lo bello es lo superfluo, lo que tiene su fin en sí: la flor de la vida. Y esas zapatetas en el aire son bellísimas, porque no tienen otro fin que el de darlas. Aunque sí, otro fin tuvieron, fin de propia educación. Oídme una parábola:

Llegaron a segar un campo dos segadores. El uno, ansio-

so de segar mucho, empezó a cortar sin cuidarse a afilar la
guadaña, y al poco rato, mellada y embotado el filo, derribaba la yerba, más sin cortarla. El otro, deseoso de segar
bien, se pasó casi toda la mañana en afilar su instrumento,
y al caer de la tarde ni éste ni aquél habían ganado su jornal. Así hay quien sólo se cuida de obrar sin afilar ni pulir
su voluntad y su arrojo, y quien se pasa la vida en afile y
pulimento, y en prepararse a vivir, le llega la muerte. Hay,
pues, que segar y pulir la guadaña, obrar y prepararse para
la obra. Sin vida interior no la hay exterior.

Y esas zapatetas sin más ni más en el aire, y esos rezos,
esos grabados en las cortezas de los árboles, suspiros e in-
vocaciones, son ejercicio espiritual para arremeter molinos,
alacear corderos, vencer vizcaínos, libertar galeotes y ser por
ellos apedreados. Allí, en aquel retiro, y con aquellas zapatetas, se curaba de las burlas del mundo, burlándose de
él y desahogada su amor; allí cultiva su locura heroica con
desatinos en seco.

En tanto tomó Sancho el camino del Toboso, y al llegar
a la venta en que lo mantearon topó con el cura y el barbero de su lugar. Los cuales, no bien le vieron, preguntá-
ronle por Don Quijote y dónde quedaba, y Sancho, guiado
por un certero instinto, intentó ocultarlo. Y ¡qué bien com-
prendías, fiel escudero, que los mayores enemigos del héroe son sus propios deudos y parientes, los que le quieren
con el cariño de la carne! No le quieren por él ni por su
obra, sino quieren para ellos. No le quieren por su obra,
que es su alma y su razón de ser; no le quieren en la eternidad, sino en el tiempo. Cuenta Marcos el evangelista, en
el capítulo III de su Evangelio, que cuando Jesús había ele-
gido sus apóstoles estaba rodeado de mucha gente, que ni
aun podían comer pan (vers. 20), y «al oírlos los suyos, oí»
παρ' αὐτοῦ, los de su familia, su madre y hermanos, fueron
a prenderle, diciendo: «Está fuera de sí»; esto es, está loco
(vers. 21), y al decirle al Maestro: «He ahí tu madre y tus
hermanos, que te buscan», respondió diciendo: «¿Quién, mi
madre y mis hermanos? He aquí mi madre y hermanos
—y miró a los que le rodeaban—: quien hiciera la volun-

tad de Dios, ése es mi hermano y mi hermana y mi madre» (vers. 31 a 35). Para nadie es más loco el héroe, el santo, el redentor, que para su propia familia, para sus padres y hermanos.

El cura y el barbero obraban, al querer reducir a Don Quijote a su casa, conforme al corazón del ama y la sobrina del hidalgo, que le creían fuera de sí. Pero los sobrinos de Don Quijote son quienes se encienden en su hidalga caballerosidad, son sus parientes en espíritu. El héroe acaba por no poder tener amigos; por ser a la fuerza un solitario.

Bien hizo, pues Sancho, en querer ocultar al cura y al barbero dónde paraba su amo, pero no le valió la treta, porque como estaba solo, sin el amparo de su señor, le atacaron por el miedo y le hicieron cantar de plano. Y lo cantó todo, asombrando a los vecinos, que «se admiraron de nuevo considerando cuán vehemente había sido la locura de Don Quijote, pues había llevado tras de sí el juicio de aquel pobre hombre». ¿Vehemente? Más que vehemente; contagiosa con el contagio del heroísmo. Y no puede ni debe llamarse pobre hombre a quien tan rico de espíritu se iba haciendo con sólo haber entrado a servir a tal Caballero.

«No quisieron cansarse ni sacarle del error en que estaba —agrega el historiador—, pareciéndoles que, pues que no le dañaba nada la conciencia, mejor era dejarle en él y a ellos les sería de más gusto oír sus necedades.» Ved cómo toman estos dos mundanos cura y barbero las cosas de Sancho; le dejan en lo que creen su error y era su fe en el heroísmo, para sacar gusto de oír las que reputan sus necesidades. Haced luego nada heroico o decid nada sutil o nuevo para dar gusto a los que os lo tomarán como meras ingeniosidades.

Presumo que leerán estos mis comentarios no pocos curas y barberos manchegos, o que merecían serlo, y hasta llego a sospechar que los más de los que me los lean andarán más cerca que de otra cosa de aquellos cura y barbero y creerán bueno dejarme en los que juzguen mis errores para sacar gusto de mis necedades. Dirán, como si lo oyera, que sólo busco y rebusco ingeniosas paradojas para hacerme pasar por original, pero yo sólo les digo que, si no ven ni sienten todo lo que de pasión y encendimiento de ánimo y hondas inquietudes y ardorosos anhelos pongo en estos comentarios a la vida de mi señor Don Quijote y de su escudero Sancho y he puesto en otras de mis obras, si no ven ni sienten eso, digo, los compadezco con toda la fuerza del sentido común y unos espíritus aparenciales que se pasean entre sombras recitando de coro las viejas coplas de Calaínos. Y me encomiendo a nuestra señora Dulcinea, que dará al cabo cuenta de ellos y de mí.

En acabado de leer esto, se sonreirán también, murmurando: ¡Paradojas! ¡Nuevas paradojas! ¡Siempre paradojas! Pero venid acá, espíritus alcornoqueños, hombres de dura cerviz, venid y decidme, ¿qué entendéis por paradoja y queréis decir con eso? Sospecho que os queda otra dentro, desgraciados rutineros del sentido común. Lo que no queréis es remejer el pozo de vuestro espíritu ni que os lo remejan; lo que rehusáis es zahondar en los hondones del alma. Buscáis la estéril tranquilidad de quien descansa en instintos externos, depositarios de dogmas; os divertís con las necedades de Sancho. Y llamáis paradoja a lo que os cosquillea el ánimo. Estáis perdidos, irremisiblemente perdidos; la haraganería espiritual es vuestra perdición.

CAPITULO XXVII

De cómo salieron con su intención el cura y el barbero, con otras cosas dignas de que se cuenten en esta grande historia

Y volviendo a nuestra historia, os recordaré, pues cuantos me leéis la conocéis ya, lo ideado por el cura y el barbero para sacar a Don Quijote de aquella penitencia, que juzgando curibarberilmente estiman inútil, vistiéndose el cura en hábito de doncella andante, ya que los curas acostumbran vestirse, como las doncellas y las que lo fueron, por la cabeza, y de escudero, el rapabarbas, e irse así «adonde Don Quijote estaba, fingiendo ser ella una doncella afligida y menesterosa» y todo lo demás que se nos cuenta al respecto, para sacar a Don Quijote de Sierra Morena y llevarle a su casa. Y así, disfrazado de doncella el cura, montado en una mula a mujeriegas y con el barbero con su cola de buey por barba, fueron a seducir al Caballero. Y al poco cayó el cura en la cuenta de lo indecente que para su carácter era tal mojiganga y cambiaron los papeles. Le caía mejor la barba de cola de buey que no vestido de doncella. Y engañaron a Sancho, al sencillo y fiel Sancho, para que vendiese a su amo dándole barbero por doncella andante.

CAPITULO XXIX

Que trata de la nueva y agradable aventura que al cura y al barbero sucedió en la misma sierra

Mas ni aun esto fue menester, porque la suerte les deparó a la hermosa Dorotea —casi todas las damas que figuran en esta historia son hermosas—, que se prestó a hacer el papel de doncella menesterosa, princesa Micomicona, y tan a lo vivo se atavió para ello que cayó en el lazo el incauto Sancho.

Estaba a todo esto Don Quijote en camisa, flaco, amarillo, muerto de hambre y suspirando por su señora Dulcinea. Ya vestido le encontró la princesa Micomicona; hincóse de hinojos ante él; pidióle Don Quijote que se levantara, rehusó ella hacerlo hasta que se le otorgara el don que pediría, siéndole de antemano otorgado por el Caballero, como no hubiera de cumplirse en daño o mengua de su rey, de su patria y de aquella que de su corazón y libertad tenía la llave. Esto es prometer con cautela y sin comprometerse. Pidióle entonces la princesa se fuera con ella sin entrometerse en otra aventura hasta vengarla de un traidor que le tenía usurpado el reino, y Don Quijote le aseguró podía desechar toda melancolía, pues con la ayuda de Dios y la de su brazo veríase ella presto restituída a su reino. Si

Dios movía el brazo del Caballero, sobraba la segunda ayuda. Quiso la princesa besarle las manos, no lo consintió él, que «en todo era comedido y cortés caballero», y se aprestó a seguirla.

Aquí hay que admirar cómo unía y juntaba en uno Don Quijote su fe en Dios y su fe en sí mismo al decir a la princesa lo que le dijo de cómo se vería presto restituída a su reino y sentada en la silla de su antiguo y grande estado, a pesar y a despecho de los follones que contradecirlo quisieren. Y es que no hay fe en sí mismo como la del servidor de Dios, pues éste ve a Dios en sí; como la fe del que, cual Don Quijote, si bien llevado del cebo de la fama, busca ante todo reino de Dios y su justicia. Dásele todo lo demás por añadidura, y a la cabeza de todo lo demás fe en sí mismo, necesaria para obrar.

Encontrándose los Padres Laínez y Salmerón con grandes dificultades de parte de la Señoría de Venecia para fundar el Colegio de Padua y teniendo por desahuciado el negocio, escribió Laínez a Iñigo de Loyola «en qué terminos estaba, pidiéndole que para que Nuestro Señor le diese buen suceso dijese una misa por aquel negocio, porque él no hallaba otro remedio». Dijo el Padre la misa, como se le pedía, el mismo día de la Natividad de Nuestra Señora, y acabada, escribió a Laínez: «Ya hice lo que me pedisteis; tened buen ánimo y no os dé pena este negocio, que bien lo podéis tener por acabado como deseáis. Y así fue» (Rivadeneira, libro III, capítulo VI).

Y viene lo triste de la aventura de Don Quijote, y es que entretanto «estábase el barbero aún de rodillas teniendo gran cuenta de disimular la risa y de que no se le cayese la barba, con cuya caída quizá quedaran todos sin conseguir su buena —según Cervantes— intención». Hasta aquí todas han sido aventuras de las que la suerte le procuraba al hidalgo al azar de los caminos y veredas, aventuras naturales y ordenadas por Dios para su gloria; más ahora empiezan las que le armaron los hombres y con ellas lo más recio de su carrera. Ya tenemos al héroe siendo, en cuanto héroe, juguete de los hombres y motivo de risa; ya está la compañía de los hombres en campaña contra él. El barbero disimula la risa para no ser conocido. Sabe que la risa, arrancándonos la máscara de la seriedad, barba tan quitadiza como postiza es, nos pone al descubierto.

Empieza ahora, digo, lo triste de la carrera quijotesca. Sus más hermosas y más espontáneas aventuras quedan ya cumplidas; en adelante, las más de ellas lo serán ya de tramoya y armadas por hombres maliciosos. Hasta aquí desconocía el mundo al héroe, y éste, a su vez, trataba de hacérselo a su antojo; ahora el mundo le conoce y le acepta, más para burlarse de él, y siguiéndole el humor, fraguarle a su antojo. Ya estás, mi pobre Don Quijote, hecho regocijo y perindola de barberos, curas, bachilleres, duques y desocupados de toda laya. Empieza tu pasión, y la más amarga: la pasión por la burla.

Mas por esto mismo ganan tus aventuras en profundidad lo que en arrojo pierden, porque concurre a ellas, sea como fuere, y de un modo o de otro, el mundo. Quisiste hacer del mundo tu mundo, enderezando entuertos y asentando la justicia en él; ahora el mundo recibe a tu mundo como a parte suya, y vas a entrar en la vida común. Te desquijotizas algo, pero es quijotizando a cuantos de ti se burlan. Con la risa los llevas tras de ti, te admiran y te quieren. Tú harás que el bachiller Sansón Carrasco acabe por tomar en veras sus burlas y pase de pelear por juego a pelear por honra. Déjale, pues, al barbero que se sotorría bajo sus barbas postizas. «He aquí el hombre», dijeron en burla a Cristo Nuestro Señor; «He aquí el loco», dirán de ti, mi señor Don Quijote, y serás el loco, el único, el Loco.

Y Sancho, el pobre Sancho, sabedor en gran parte de la farsa, pues vio tras bastidores y entre bambalinas preparar la comedia, creía, sin embargo, con fe heroica, en el reino de Micomicón, y aún soñaba con traer él negros y venderlos para enriquecerse. ¡Oh fe robusta! Y no se nos diga que se la atizaba la codicia, no; sino que era, por el contrario, su fe la que la despertaba la codicia.

Hízose entonces el cura el encontradizo, saludó a su vecino Alonso Quijano como a su buen compatriota Don Quijote de la Mancha, «la flor y nata de la gentileza..., la quintaesencia de los caballeros andantes», consagrándole así juguete de sus convencinos, y el ingenioso hidalgo, así que le hubo conocido, intentó apearse, ya que el cura estaba en pie. Rendía parias al burlador, pues era éste, al fin y al cabo, el cura de almas de su pueblo.

Un contratiempo hizo que se le cayeran las postizas barbas al barbero, y el cura acudió a pegárselas con un salmo «de que se admiró Don Quijote sobremanera y rogó al cura que cuando tuviese lugar le enseñase aquel ensalmo». ¡Ay mi pobre Caballero, y como empieza a obrar en ti la tramoya en que los burladores te envuelven! Ya no inventas tú las maravillas, te las inventan.

Mas no contento el cura con su papel de burlador, quiso tomar el de represor también y enderezó una agria reprimenda al hombre valiente que liberó a los galeotes, fingiendo no conocerlo. Y el Caballero, «al cual se le mudaba el color a cada palabra», callaba, sin darse por aludido, pues era al fin su cura, su confesor, el que hablaba.

CAPITULO XXX

Que trata de la discreción de la hermosa Dorotea, con otras cosas de mucho gusto y pasatiempo

Y hubiera callado del todo si Sancho no lo delata y dice que fue su amo quien dio la libertad a aquellos grandísimos bellacos. Había hablado su hombre, el que para él era su mundo. «Majadero —dijo a esta sazón Don Quijote—, a los caballeros andantes no les toca ni atañe averiguar si los afligidos encadenados y opresos que se encuentran por los caminos van de aquella manera o están en aquella angustia por sus culpas o por sus gracias; sólo les toca ayudarles como a menesterosos, poniendo los ojos en sus penas y no en sus bellaquerías», con todo lo demás que añadió retando a quien le pareciese mal lo que había hecho, salva la santa dignidad del señor licenciado. Admirable respuesta, y digna corona a las razones que expuso al liberar a los galeotes. Natural era que el cura, como los demás curas con que en el curso de su obra topó el hidalgo, discurriera por lo mundano y terrestre, que al fin los mundanos y terrestres le pagaban para que hiciese de cura, mas a Don Quijote cumplíale sentir por lo divino y celestial. ¡Oh mi señor Don Quijote, y cuándo llegaremos a ver en cada galeote, ante todo y sobre todo, un menesteroso, poniendo los ojos en la pena de su maldad y no en otra alguna cosa! Hasta que a la vista del más horrendo crimen nos sea la exclamación que nos brote: ¡pobre hermano! por el criminal, es que el cristiano no nos ha calado más adentro que el pellejo del alma.

Prosiguiendo en sus burlas, a seguida de esto endilgó la princesa Micomicona a Don Quijote la sarta de disparates que había urdido para justificarse. Y diose el triste caso de creérselas Don Quijote y Sancho, pues siempre el heroísmo es crédulo. Y allí fue el reír de los burladores. Don Quijote renovó sus promesas, mas no aceptó lo de casarse con la princesa, cosa que disgustó a Sancho, y tales cosas dijo éste poniendo a la Micomicona sobre Dulcinea. que su amo «no lo pudo sufrir, y alzando el lanzón, sin hablarle palabra a Sancho, y sin decirle esta boca es mía, le dio tales dos palos que dio con él en tierra».

Este silencioso castigo, lo único serio entre tan torpes burlas, nos levanta el ánimo, y serias y muy serias fueron las razones con que Don Quijote justificó su castigo, haciendo ver que si no fuese por el valor que infundía Dulcinea en su pecho no le tendría que matar una pulga, pues no era el valor suyo, sino el de Dulcinea, el que tomando a su brazo por instrumento de sus hazañas llevaba éstas a feliz término. Y así es en verdad que cuando vencemos es la Gloria la que por nosotros vence. «Ella pelea en mí y vence en mí, y yo vivo y respiro en ella y tengo vida y ser.» ¡Heroicas palabras, que debemos llevar grabadas en el corazón! Palabras que son al quijotismo lo que al cristianismo es aquella sentencia de Pablo de Tarso: «Con Cristo estoy junta-

mente crucificado, y vivo; no ya yo, mas vive Cristo en mí»
(Gal., II, 20).

Y así siempre en toda obra grande entre los hombres, y
es que la tal obra, si ha de ser de veras grande, ha de hacerse en obsequio de hombre; de hombre o mujer, mejor
de mujer que de hombre. El fin del hombre es la humanidad, y la humanidad personalizada, hecha individuo, y
cuando toma por fin a la naturaleza es humanizándola antes. Dios es el ideal de la humanidad, el hombre proyectado al infinito y eternizado en él. Y así tiene que ser. ¿Por
qué habláis del error antropocéntrico? ¿No decís que una es-
fera infinita tiene el centro en todas partes, en cualquiera
de ellas? Para cada uno de nosotros el centro está en sí mismo. Pero no puede obrar si no lo polariza; no puede vivir
si no se descentra. Y ¿adónde ha de descentrarse sino teniendo a otro como él? El amor de hombre a hombre, de
hombre a mujer, quiero decir, ha producido las maravillas
todas.

«Yo vivo y respiro en ella y tengo vida y ser.» Al decir
esto de tu Dulcinea, mi Don Quijote, ¿no se acordaba tu
Alonso el Bueno de aquella Aldonza Lorenzo por la que suspiró doce años sin atreverse a confesarle su inmenso amor?
«¡Vivo y respiro en ella!» En ella vivió y respiró y tuvo vida
y ser tu Alonso el Bueno, el que llevas dentro, metido en
tu locura, en ella vivió y respiró doce largos años de cruel
atormentadora cordura. Con ella amasó sus recatados ensueños; de su dulce imagen, entrevista tan sólo cuatro veces, bebió sus esperanzas, pues que jamás habría de sazo-
narse en recuerdos. En ella tuvo vida y ser, una vida oculta
y silenciosa, una vida que corría bajo su espíritu como las
aguas del Guadiana corren un buen trecho bajo tierra, pero
regando allí, en aquellos soterraños, las raíces de las futuras
hazañas de su carrera. ¡Oh mi Alonso el Bueno, vivir y res-
pirar en Aldonza, sin que ella lo sepa ni sé de cata de ello,
tener la vida y el ser en la dulce imagen que alimenta el
alma!

Mas no se dio por vencido el carnal Sancho, sino que insistió en lo que su amo se casase con la princesa, que-

dándole libre el amancebarse luego con Dulcinea. ¿Qué has dicho, Sancho, qué has dicho? ¡No sabes cómo, atravesando el alma de Don Quijote, has llegado a herir la hebra más sensible del corazón de Alonso Quijano! Además, Dulcinea no admite partijas ni aparcerías, y quien la quiera toda entera ha de entregarse todo y entero a ella. Muchos hay que pretenden casarse con la Fortuna y amancebarse con la Gloria, pero así les va, pues aquélla les araña los celos y ésta se burla de ellos, hurtándoseles.

Y siguiendo en su plática amo y escudero, acabó aquél por pedirle perdón de los palos que le diera, sabido que Sancho no vio a Dulcinea tan despacio que hubiera podido notar su «hermosura y sus buenas partes punto por punto. Pero así a bulto —añadió— me parece bien». Es la concesión que los Sanchos, cuando se les ha pegado, hacen, mintiendo en pro de Dulcinea, a la que no han visto ni conocen. Y luego fue Sancho, instado por la princesa, a besar la mano a Don Quijote, pidiéndole perdón, y el generoso hidalgo se lo otorgó, bendiciéndole. ¡Benditos dos palos del lanzón, Sancho amigo, que te han valido ser bendecido por tu amo! De seguro que al recibir el perdón tan redundate diste por bueno el castigo que hizo lo merecieras.

Apartáronse después amo y escudero a departir de sus cosas, y entonces recobró Sancho su asno, encontrándose lo traía Ginés de Pasamonte, disfrazado de gitano, el cual al ver a Don Quijote y su escudero puso pies en polvorosa.

CAPITULO XXXI

De los sabrosos razonamientos que pasaron entre Don Quijote y Sancho Panza, su escudero, con otros sucesos

Y a seguida pasaron aquellos sabrosos razonamientos entre Don Quijote y Sancho acerca del encuentro de éste con Dulcinea. Cuando Sancho dijo haberla encontrado «ahechando dos hanegas de trigo en un corral de su casa», respondió Don Quijote: «Pues haz cuenta que los granos de

aquel trigo eran granos de perlas tocados de sus manos», y
al decir Sancho que el trigo era rubión, «pues yo te aseguro
—dijo Don Quijote— que ahechado por sus manos hizo
pan candeal, sin duda alguna». Agregó el escudero que al
recibir la carta mandó la ahechadora la pusiese sobre un cos-
tal, que no la podía leer hasta que acabara de acribar lo que
allí tenía, a lo cual dijo Don Quijote: «Discreta señora; eso
debió de ser por leella despacio y recrearse en ella.» Añadió
Sancho que olía Dulcinea a hombruno, «y no sería eso
—respondió Don Quijote—, sino que tú debías de estar
romadizado, o te debiste de oler a ti mismo, porque yo sé
bien a lo que huele aquella rosa entre espinas, aquel lirio
de campo, aquel ámbar desleído». Dijo luego Sancho que
Dulcinea, no sabiendo leer ni escribir, rasgó y desmenuzó
la carta en piezas, porque «no se supiese en el lugar sus secretos», bastándole lo oído al escudero sobre las penitencias
de su amo, y diciéndole quería ver a éste y se pusiese camino del Toboso. Cuando Sancho respondió a su amo no
haberle dado Dulcinea, al despedirse, joya alguna, sino un
pedazo de pan y queso por las bardas del corral, «es liberal
en extremo —dijo Don Quijote—, y si no te dio joya de
oro, sin duda debió de ser porque no la tendría allí a la
mano para dártela; pero buenas son mangas después de Pas-
cua; yo la veré y se satisfará todo».

Ruego al lector relea todo este admirable diálogo, por cifrarse en él la íntima esencia del quijotismo en cuanto doctrina de conocimiento. A las mentiras de Sancho fingiendo
sucesos según la conformidad de la vida vulgar y aparencial, respondían las altas verdades de la fe de Don Quijote,
basadas en vida fundamental y honda.

No es la inteligencia, sino la voluntad, la que nos hace
el mundo, y al viejo aforismmo escolástico de *nihil volitum
quin praecognitum*, nada se quiere sin haberlo antes conocido, hay que corregirlo con un *nihil cognitum, quin prae-
volitum*, nada se conoce sin haberlo antes querido.

Que en este mundo traidor
nada es verdad ni es mentira:

> todo es según el color
> del cristal con que se mira.

Como dijo nuestro Campoamor. Lo cual ha de corregir-
se también diciendo que en este mundo todo es verdad y
es mentira todo. Todo es verdad, en cuanto alimenta generosos anhelos y pare obras fecundas; todo es mentira
mientras ahogue los impulsos nobles y aborte monstruos es-
tériles. Por sus frutos conoceréis a los hombres y a las cosas.
Toda creencia que lleve a obras de vida es creencia de verdad, y lo es de mentira la que lleve a obras de muerte. La
vida es el criterio de la verdad, y no la concordia lógica,
que lo es sólo de la razón. Si mi fe me lleva a crear o au-
mentar vida, ¿para qué queréis más prueba de mi fe? Cuando las matemáticas matan, son mentira las matemáticas. Si
caminando moribundo de sed ves una visión de eso que llamamos agua, y te abalanzas a ella y bebes, y aplacándote la
sed te resucita, aquella visión lo era verdadera y el agua de
verdad. Verdad es lo que moviéndonos a obrar de un modo
o de otro haría que cubriese nuestro resultado a nuestro
propósito.

Uno de esos que se dedican a la llamada filosofía dirá
que Don Quijote estableció en esa plática con Sancho la
doctrina, ya famosa, de la relatividad del conocimiento.
Claro está que todo es relativo; pero ¿no es relativa también la relatividad misma? Y jugando con los conceptos, o
no sé si con los vocablos, podría decirse que todo es absoluto, absoluto en sí, relativo en relación a lo demás. En esto,
en juego de palabras, cae toda lógica que no se basa en la
fe y no busca en la voluntad su último sustento. La lógica
de Sancho era una lógica como la escolástica, puramente
verbal; partía del supuesto de que todos queremos decir lo
mismo cuando expresamos las mismas palabras, y Don
Quijote sabía que con las mismas palabras solemos decir
cosas opuestas, y con opuestas palabras la misma cosa. Gracias a lo cual podemos conversar y entendernos. Si mi
prójimo entendiese por lo que dice lo mismo que entiendo
yo, ni sus palabras me enriquecerían el espíritu ni las mías en-

riquecerían el suyo. Si mi prójimo es otro yo mismo, ¿para qué le quiero? Para yo, me basto y aun me sobro yo.

Los granos de trigo son de rubión o de candeal según las manos que los tocan, y aquellas manos, mi Don Quijote, no han de posarse en las tuyas. Y en lo que el Caballero estuvo profundísimo fue en afirmar que si Dulcinea huele a hombruno a los Sanchos es porque están romadizados y se huelen a sí mismos. Aquellos a quienes el mundo sólo les huele en materia es que se huelen a sí mismos; los que sólo ven pasajeros fenómenos es que se miran a sí mismos y no se ven en lo hondo. No es contemplando el rodar de los astros por el firmamento como te hemos de descubrir, Dios y Señor nuestro, que regalaste con la locura a Don Quijote; es contemplando el rodar de los anhelos amorosos por el cimiento de nuestros corazones.

El pan y el queso que por las bardas del corral te dio Dulcinea, se te ha convertido, Sancho amigo, en joya de eternidad. Por ese pan y ese queso vives y vivirás mientras quede en hombres memoria de hombres y aún mucho más allá; por ese pan y ese queso con que tú creías mentir, gozas de verdad duradera. Queriendo mentir, decías la verdad.

Siguieron departiendo amo y escudero y en el curso de la plática volvió Sancho a sus trece de que se casase Don Quijote con la princesa, y por rehusarlo le dijo: «Y ¡cómo está vuestra merced lastimado de esos cascos!» Para Sancho la locura de su amo cifrábase tan sólo en dejar la fortuna por la gloria, y así son los Sanchos todos; tienen por cuerdo al loco que con su locura prosperó en bienestar y suerte, y estiman loco a quien su cordura le impidió cobrar fortuna. Sancho quería amar y servir a Dios «por lo que pudiese»; el puro amor no cupo en él.

CAPITULO XXXII

Que trata de lo que sucedió en la venta a toda la cuadrilla
de Don Quijote

Después de estas pláticas, y del encuentro con Andrés,
el criado de Juan Haldudo el rico, de quien dijimos, llegaron a la venta, y mientras dormía Don Quijote enzarzóse
el cura con el ventero y su familia a hablar de libros de caballerías, y soltó lo de que los libros en donde se narran las
aventuras de Don Cirongilio y de Félix Marte son menti-
rosos y están llenos de disparates y devaneos, y el del Gran
Capitán lo es de historia verdadera, así como el de Diego
García de Paredes.

Pero véngase acá el señor Licenciado, y dígame: ahora,
al presente, y en el momento en que vuestra merced habla
así, ¿dónde estaban y están en la tierra el Gran Capitán y
Diego García de Paredes? Luego que un hombre se murió
y pasó acaso a memoria de otros hombres, ¿en qué es más
que una de esas ficciones poéticas de que abomináis? Vuestra merced debe saber por sus estudios lo de *operari sequi-*
tur esse, el obrar se sigue al ser, y yo le añado que sólo existe lo que obra y existir es obrar, y si Don Quijote obra, en
cuantos le conocen, obras de vida, es Don Quijote mucho
más histórico y real que tantos hombres, puros nombres
que andan por esas crónicas que vos, señor Licenciado, tenéis por verdaderas. Sólo existe lo que obra. Ese investigar
si un sujeto existió o no existió proviene de que nos em-
peñamos en cerrar los ojos al misterio del tiempo. Lo que
fue y ya no es, no es más que lo que no es, pero será algún
día; el pasado no existe más que el porvenir ni obra más
que él sobre el presente. ¿Qué diríamos de un caminante
empeñado en negar el camino que le resta por recorrer, y
no teniendo por verdadero y cierto sino el recorrido ya?
Y ¿quién os dice que esos sujetos cuya existencia real ne-
gáis no han de existir un día, y, por lo tanto, existen ya en
la eternidad, y hasta que no hay nada concebido, lo cual en
la eternidad no sea real y efectivo?

Tenía razón el ventero, quijotizado ya —pues no en vano recibió bajo el techo de su casa al héroe—, tenía razón al deciros, señor Licenciado: «Callad, señor, que si oyese esto (las hazañas de Don Cirongilio de Tracia), se volvería loco de placer: dos higas para el Gran Capitán y para ese Diego García que dice.» En lo eterno son más verdaderas las leyendas y ficciones que no la historia. Y en la disputa entre vos, señor cura racionalista, y el ventero lleno de fe, llevaba éste la mejor parte. Lograsteis, sí, señor Licenciado, tentar la fe de Sancho, que oía la disputa, pero fe no conquistada entre tentaciones de duda no es fe fecunda en obras duraderas.

Antes de proseguir conviene digamos aquí algo, aunque sea de refilón, pues otra cosa no merecen, de esos sujetos vanos y petulantes que se atreven a sostener que Don Quijote y Sancho mismos no han existido nunca, ni pasan de ser meros entes de ficción.

Sus razones, aparatosas e hinchadas, no merecen siquiera refutación: tan ridículas y absurdas son. Da bascas y grima el oírlas. Pero como hay personas sencillas que, seducidas por la aparente autoridad de los que vierten tan apestosa doctrina, les prestan oído atento, conviene llamarles la atención sobre ello y que no se atengan a lo que viene ya recibido desde tanto tiempo, con asenso de los más doctos y más graves. Para consuelo y corroboración de las gentes sencillas y de buena fe, espero, con la ayuda de Dios, escribir un libro en que se pruebe con buenas razones y con mejores y muy numerosas autoridades —que es lo que en esto vale— cómo Don Quijote y Sancho existieron real y verdaderamente, y pasó todo cuanto se nos cuenta de ellos tal y como se nos cuenta. Y allí probaré que, aparte de que el regocijo, consuelo y provecho que de esta historia se saca es razón más que bastante en abono de su verdad, allende esto, si se le niega, hay que negar otras muchas cosas también, y así vendríamos a zapar y socavar el orden en que se asienta hoy nuestra sociedad, orden que, como es sabido, es hoy el criterio supremo de la verdad de toda doctrina.

CAPITULOS XXXIII y XXXIV

Estos dos capítulos se ocupan con la novela de *El curioso impertinente,* novela por entero impertinente a la acción de la historia.

CAPITULO XXXV

Que trata de la brava y descomunal batalla que Don Quijote tuvo con unos cueros de vino tinto, y se da fin a la novela de El curioso impertinente

Tras la disputa entre el cura y el ventero, y estando leyendo la impertinente novela de *El curioso impertinente,* ocurrió la triste aventura del acuchillamiento de los pellejos de vino por Don Quijote, en sueños y mientras dormía. Debió Cervantes habernos callado esta aventura, aunque Don Quijote se ensayase en sueños para sus hazañas de despierto. Y menos mal que no fue sino vino lo que se perdió, y así se perdiese todo él, por la falta que hace.

Para poder juzgar con justicia de esta aventura sería menester conocer lo que no conocemos, y es qué soñaba entonces Don Quijote. Juzgarla de otro modo sería un juicio como el que habría hecho uno de nuestros petulantes sabios si hubiese oído a Iñigo de Loyola cuando en el hospital de Luis de Antezana, en Alcalá de Henares, hospital «infamado en aquella sazón de andar en él de noche muchos duendes y trasgos», al encontrarse una vez «a boca de noche» con que se estremeció todo el aposento, «se le espeluznaron los cabellos, como que viese alguna espantable y temerosa figura»; mas luego tornó en sí, y viendo que no había que temer, hincóse de rodillas y con grande ánimo comenzó a voces a llamar, y como a desafiar a los demonios, diciendo —según el P. Rivadeneira, en el capítulo XI del libro V de la *Vida* nos cuenta—: «Si Dios os ha dado algún poder sobre mí, infernales espíritus, heme aquí; ejecutadle en mí, que yo ni quiero resistir ni rehúso cualquie-

ra cosa que por este camino venga; mas si no os ha dado
poder ninguno, ¿qué sirven, desventurados y condenados
espíritus, estos miedos que me ponéis? ¿Para qué andáis es-
pantando con vuestros cocos y vanos temores los ánimos de
los niños y hombres medrosos tan vanamente? Bien os entiendo; porque no podéis dañarnos con las obras, nos queréis atemorizar con esas falsas presentaciones.» Y añade el
buen Padre historiador que «con este acto tan valeroso, no
sólo venció el miedo presente, mas quedó para adelante
muy osado contra las opresiones diabólicas y espantos de
Satanás».

Al narrar esta aventura de los pellejos el puntualísimo
historiador nos descubre un pormenor secreto, y es que tenía Don Quijote las piernas «no nada limpias». Pudo ha-
bérselo callado. Pero en ello nos mostró que al fin el Caballero era de su casta, casta que nunca hizo entrar el aseo entre los deberes caballerescos. Y tanto es así, que aunque se
nos diga de un caballero español que era limpio, luego se
ve que no extrema la virtud de la limpieza. Y así aunque
en el capítulo XVIII del libro IV de la *Vida del bienaventurado Padre Ignacio de Loyola* nos diga de él Rivadeneira
que «aunque amaba la pobreza, nunca le agradó la poca
limpieza», en el capítulo VII del libro V de la misma nos
cuenta que «a un novicio dio penitencia rigurosa porque se
lavaba las manos algunas veces con jabón, pareciéndole mucha curiosidad para novicio». Bien es verdad que entre las
propiedades en que se distingue el que tiene habilidad per-
teneciente al arte militar, que era el profesado por Don Quijote y por Loyola, señala el doctor Huarte, en el capítulo XVI de su ya citado *Examen,* como la tercera de ella el
ser descuidados del ornamento de su persona; «son casi todos desaliñados, sucios, las calzas caídas, llenas de arrugas,
la capa mal puesta, amigos del sayo viejo y de nunca mudar el vestido» y da la razón de ello diciendo que «el grande entendimiento y la mucha imaginativa hacen burla de
todas las cosas del mundo, porque en ninguna de ellas hallan valor ni sustancia», añadiendo que «solas las contemplaciones divinas les dan gusto y contento, y en éstas po-

nen la diligencia y cuidado, y desechan las demás».

Verdad es que en tiempo de Don Quijote, Iñigo de Loyola y el doctor Huarte no se había aún inventado esto de los microbios y la asepsia y antisepsia, ni andaban las gentes tan embrujadas en pensar que en acabando con esos bichillos acabaríamos o poco menos con la muerte, y que la felicidad depende de la higiene, género de superstición no menos dañoso ni menos ridículo que el de creer y pensar que abrazándose uno a la porquería gana el cielo. Un hombre sucio será siempre algo más que un cerdo limpio, aunque es mejor aún que se limpie el hombre.

Y volviendo a la aventura, hay que notar cómo Sancho, el buen Sancho, creía en el descabezamiento del gigante, y que el vino era sangre, y «todos reían». Todos reían, la ventera se quejaba por la pérdida de sus cueros, ayudándola Maritornes, y la «hija callaba y de cuando en cuando se sonreía». ¡Poético rasgo! La hija, enamorada de los libros de caballerías, se sonreía. ¡Dulce rocío sobre la pasión de risas que padecía Don Quijote! En aquel momento de risotadas, la sonrisa de la hija del ventero era un hálito de piedad.

CAPITULO XXXVI

Que trata de otros raros sucesos que en la venta sucedieron

Tras de esto se enredaron los sucesos de la venta con la llegada de nuevos comparsas y el desencanto de Sancho al encontrarse con que la princesa Micomicona era Dorotea, la de Fernando, lo cual bastó para persuadirle de que la cabeza del gigante había sido un odre de vino.

¡Oh pobre Sancho, y cuán bravamente peleas por tu fe y cómo vas conquistándola entre tumbos y desalientos, perdiendo hoy terreno en ella para recobrarlo mañana! ¡Tu carrera fue una carrera de lucha interior, entre tu tosco sentido común, azuzado por la codicia, y tu noble aspiración al ideal, atraída por Dulcinea y por tu amor! Pocos ven cuán de combate fue tu carrera escuderil; pocos ven el purgatorio en que viviste; pocos ven cómo fuiste subiendo hasta aquel grado de sublime y sencilla fe que llegarás a mostrar cuando tu amo muera. De encantamientos en encantamientos llegaste a la cumbre de la fe salvadora.

CAPITULO XXXVIII

Que trata del curioso discurso que hizo Don Quijote de las armas y de las letras

Con el buen suceso de los encuentros de la venta aumentaron los burladores de Don Quijote, a los que enderezó éste su discurso de las letras y las armas. Y como no lo dirigió a cabreros, lo pasaremos por alto.

CAPITULOS XXXIX, XL, XLI y XLII

Están llenos con la historia del cautiverio y el relato de cómo encontró el oidor a su hermano.

CAPITULO XLIII

Donde se cuenta la agradable historia del mozo de mulas, con otros extraños acontecimientos en la venta sucedidos

Dejemos lo del mozo de mulas, que no nos importa.
Reunida toda aquella gente, quedóse Don Quijote a hacer la guardia del castillo. Y el demonio, que no descansa, insinuó a la hija de la ventera, la de la sonrisa, y a Maritornes que hiciesen una burla a Don Quijote, en pago de su guardia.
A solas, y mientras hacía su guardia, recordaba en voz alta Don Quijote a su señora Dulcinea, cuando la hija de la ventera «le comenzó a cecear y a decirle: señor mío, lléguese acá la vuestra merced si es servido». Y el frágil Ca-

ballero ablandóse y cedió, y en vez de hacer oídos sordos a los reclamos de la retozona semidoncella, se metió a exponerle la imposibilidad en que estaba de satisfacerla, sin advertir el cuitado que discutir con la tentación, reconociéndola así beligerancia, es ya camino para ser vencido por ella. Y así fue que le pidieron una de sus manos, llamándolas hermosas. Y el cuitado hidalgo, rendido al requiebro, le dio la mano que no había tocado otra mujer alguna, y no para que la besara, sino para que por ella admirasen la fuerza del brazo que tal mano tenía.

¿Admirar? ¿No ves, sencillo Caballero, el peligroso juego en que te metes al dar tu mando a la admiración de unas damas? ¿No sabes acaso que la admiración de una mujer hacia un hombre no es sino forma de algo más íntimo que la admiración misma? No se admira sino lo que se ama, y en la mujer no hay más que un modo de admirar al hombre. Y admirar no tus propósitos, no una obra o hazaña tuya, no tus pensamientos, sino admirar tu mano. ¡Oh, si hubieras logrado que la admirase Aldonza Lorenzo; que te la hubiese cojido entre las suyas para que por «la contextura de sus nervios, la trabazón de sus músculos, la anchura y espaciosidad de sus venas» sacase qué tal debía ser la fuerza del brazo que tal mano tenía, y sobre todo, la fuerza del corazón que regaba de sangre aquellas venas!

Cometiste, buen Caballero, una imperdonable ligereza al dar a admirar tu mano a damas que te la pedían para burlarse de ti, y lo pagaste caro. Lo pagó caro, porque se quedó preso de la mano por un cabestro. «Maritornes y la hija del ventero se fueron muertas de risa y le dejaron asido de manera que fue imposible soltarse.» Fíate luego de mujeres retozonas y regocijadas.

Creyólo encantamiento Don Quijote y no era sino castigo a su blandura y petulancia. El héroe no debe dar a admirar sus manos, así sin más ni más y al primero o a la primera que las pida, sino guardárselas más bien de miradas curiosas y ligeras. ¿Qué importa a los demás las manos con que se hacen las cosas? Fea costumbre es esa de meterse en casa del combatiente generoso y revisar sus armas, inquirir cómo trabaja y vive y examinarle las manos. Si escribes, que nadie sepa cómo escribes, ni a qué horas, ni de qué modo.

En tanto Don Quijote «maldecía ante sí su poca discreción y discurso» al no estar alerta frente a los encantamientos y «allí fue el maldecir de su fortuna y el exagerar la falta que haría en el mundo su presencia y el acordarse de nuevo de Dulcinea y el llamar a Sancho Panza» y a los sabios Lirgandeo y Alquife, y a su buena amiga Urganda, y «allí le tomó la mañana tan desesperado y confuso que bramaba como un toro». Y aun así, preso de la mano, increpó a cuatro hombres de a caballo, que llamaron a la venta al amanecer, mostrando en ello su indomable fortaleza.

CAPITULO XLIV

Donde se prosiguen los inauditos sucesos de la venta

Y luego que Maritornes le soltó, temerosa de lo que sucediese, Don Quijote «subió sobre Rocinante, embrazó adarga, enristró su lanza» y retó a quien dijese que había sido con justo título encantado. ¡Bravo, mi buen hidalgo!

> Procure siempre acertalla
> el honrado y principal;
> pero si la acierta mal,
> defendella, y no enmendalla,

como dice el conde Lozano a Peranzules en *Las mocedades del Cid*.

Los de a caballo fueron a su asunto, y Don Quijote, «que vio que ninguno de los cuatro caminantes hacía caso de él», ni le respondían a su demanda, «moría y rabiaba de despecho y saña...» Sí, mi pobre Don Quijote, sí; gustamos más de que se rían de nosotros que no de que no nos hagan caso. Comprendo tu despecho y saña. Entre aquel coro de burladores, lo peor para ti es que no hiciesen, ni aun de burlas, caso de tus retos ni bravatas.

Poco después de esto trabóse el ventero a puñetazos con dos huéspedes que buscaban escurrírsele sin pagar, y acudieron la ventera y su hija a Don Quijote, como más desocupado, para que socorriese al marido y padre, a lo cual respondió «muy despacio y con mucha flema: fermosa doncella, no ha lugar por ahora vuestra petición, porque estoy impedido de entretenerme en otra aventura en tanto no diere cima a una en que mi palabra me ha puesto», añadiendo que corriese a decir a su padre entretuviera la batalla mientras él obtenía licencia de la princesa Micomicona. Obtúvola, mas ni aun así puso mano a su espada Don Quijote, al ver que eran gente escuderil. E hizo bien.

Pues qué, ¿no hay sino acudir al Caballero cuando se nos antoja, y ahora burlarnos de él y colgarle de la mano y querer luego que nos sirva y acorra en nuestros aprietos con aquella misma mano injuriada antes? Está muy bien burlarse del loco, mas luego, cuando lo necesitamos, acudimos a él. ¡Desgraciado del héroe que pone su heroísmo al servicio de los que le vienen delante, y así lo rebajan! Si tu prójimo anda a puñetazos con bellacos como él, déjale y allá se las haya, sobre todo si es porque quieren escurrírsele sin pagar; tu entretenimiento será dañoso. No cuando él crea debe ser socorrido, sino cuando crea yo deber socorrerle. No des a nadie lo que te pide, sino lo que entiendas que necesita, y soporta luego su ingratitud.

«A poco de esto entró en la venta el barbero del yelmo de Mambrino y la tramó con Sancho, llamándole ladrón al ver los aparejos del suyo en el asno de éste, y Sancho se defendió bravamente contentando a su amo, que propuso en su corazón armarle caballero.» Mentó el barbero la bacía y entonces se interpuso Don Quijote y mandó traerla y juró que era el yelmo y lo puso a la consideración de los allí presentes. ¡Sublime fe que afirmó en voz alta, bacía en la mano, y a la vista de todos, que era yelmo!

CAPITULO XLV

Donde se acaba de averiguar la duda del yelmo de Mambrino y de la albarda, y otras aventuras sucedidas con toda verdad

«¿Qué les parece a vuestras mercedes, señores —dijo el barbero—, de lo que afirman estos gentileshombres, pues aún afirman que ésta no es bacía, sino yelmo? Y quien lo contrario dijere —dijo Don Quijote— le haré yo conocer que miente, si fuere caballero, y si escudero, que remiente mil veces.»

Así, así, mi señor Don Quijote; así es el valor descarado de afirmar en voz alta y a la vista de todos y de defender con la propia vida la afirmación, lo que crea las verdades todas. Las cosas son tanto más verdaderas cuanto más creídas, y no es la inteligencia, sino la voluntad, la que las impone.

Bien hubo de verlo el pobre barbero de quien la bacía fue cuando no era aún yelmo. Primero fue Sancho, cuando Don Quijote dijo «juro por la orden de caballería que profeso que este yelmo fue el mismo que yo le quité, sin haber añadido en él ni quitado cosa alguna», quien agregó en tímido apoyo de su amo: «En eso no hay duda, porque desde que mi señor le ganó hasta ahora no ha hecho con él más de una batalla, cuando libró a los sin ventura encadenados; y si no fuera por este baciyelmo, no lo pasara entonces muy bien, porque hubo asaz de pedradas en aquel trance.»

¿Baciyelmo? ¿Baciyelmo, Sancho? ¡No hemos de ofenderte creyendo que esto de llamarle baciyelmo fue una de tus socarronerías, no!; es la marcha de tu fe. No podías pasar de lo que tus ojos te enseñaban, mostrándote como bacía la prenda de la disputa, a lo que la fe en tu amo te enseñaba, mostrándotela como yelmo, sin agarrarte a eso del baciyelmo. En esto sois muchos los Sanchos, y habéis inventado lo de que en el medio está la virtud. No, amigo Sancho, no; no hay baciyelmo que valga. Es yelmo o es bacía, según quien de él se sirva, o mejor dicho, es bacía y es yelmo a la vez porque hace a los dos trances. Sin quitarle ni añadirle nada, puede y debe ser yelmo y bacía, todo él yelmo y toda ella bacía; pero lo que no puede ni debe ser, por mucho que se le quite o se le añada, es baciyelmo.

Más resueltos encontró el barbero de la bacía al otro barbero, maese Nicolás, y a don Fernando, el de Dorotea, y al cura y a Cardenio y al oidor, que con grande asombro de otros de los presentes lo disputaron por yelmo. Como burla pesada quiso tomarlo uno de los cuatro cuadrilleros allí presentes, incomodóse, trató de borrachos a los que afirmaban lo contrario, lanzó un mentís Don Quijote y fuese sobre él y armóse la de San Quintín, dándose de golpes los unos a los otros... Y fue Don Quijote quien, con sus voces, y recordando la discordia del campo de Agramante, apaciguó el cotarro.

¿Qué? ¿Os extraña la general pendencia por si era bacía o si era yelmo? Otras más entreveradas y más furiosas se han armado en el mundo por otras bacías, y no de Mambrino. Por si el pan es pan y el vino es vino, y por cosas parecidas. En torno a caballeros de la fe se arredilan carneros humanos, y por llevarles el humor o por cualquier otra cosa sostienen que la bacía es yelmo, como aquéllos dicen, y se vienen a las manos por sostenerlo, y es lo fuerte del caso que los más de cuantos pelean sosteniendo que es yelmo, tienen para sí que es bacía. El heroísmo de Don Quijote se comunicó a sus burladores, quedaron quijotizados a su pesar, y don Fernando medía con sus pies a un cuadrillero por haber éste osado sostener que la bacía no era yelmo, sino bacía. ¡Heroico don Fernando!

Ved, pues, a los burladores de Don Quijote burlados por él, quijotizados a su despecho mismo, y metidos en pendencia y luchando a brazo partido por defender la fe del Caballero, aun sin compartirla. Seguro estoy, aunque Cervantes no nos lo cuenta, seguro estoy de que después de la tunda dada y recibida empezaron los partidarios del Caballero, los quijotanos o yelmistas, a dudar de que la bacía lo fuera y a empezar a creer que fuese el yelmo de Mambrino, pues con sus costillas habían sostenido tal credo. Cumple afirmar aquí una vez más que son los mártires los que hacen la fe más bien que la fe a los mártires.

En pocas aventuras se nos aparece Don Quijote más grande que en ésta en que se impone su fe a los que se burlan de ella y los lleva a defenderla a puñetazos y a coces y a sufrir por ella.

¿Y a qué se debió ello? No a otra cosa sino a su valor de afirmar delante de todos que aquella bacía, que como tal la veía él lo mismo que los demás, con los ojos de la cara, era el yelmo de Mambrino, pues le hacía oficio de semejante yelmo.

No le faltó *esse descarado heroismo d'affirmar que, batendo na terra com pé forte, ou pallidamente elevando os olhos ao Ceo, cria a traves da universal illusão sciencias e religiões*, como dice Eça de Queiroz al final de su *A Reliquia*. Es el valor de más quilates el que afronta, no daño del cuerpo ni mengua de la fortuna ni menoscabo de la honra, sino el que le tomen a uno por loco o por sandio.

Este valor es el que necesitamos en España, y cuya falta nos tiene perlesiada el alma. Por falta de él no somos fuertes, ni ricos, ni cultos; por falta de él no hay canales de riego, ni pantanos, ni buenas cosechas; por falta de él no llueve más sobre nuestros secos campos, resquebrajados de sed, o cae a chaparrones el agua, arrastrando el mantillo y arrastrando a las veces las viviendas.

¿Qué, también os parece paradoja? Id por esos campos y proponed a un labrador una mejora de cultivo o la introducción de una nueva planta o una novedad agrícola y os dirá: «Eso no pinta aquí.» «¿Lo habéis probado?», preguntaréis, y se limitará a repetir: «Eso no pinta aquí.» Y no sabe si pinta o no pinta, porque no lo ha probado, ni lo ensayará nunca. Lo probaría estando de antemano seguro del buen éxito, pero ante la perspectiva de un fracaso y tras él la burla y chacota de sus convecinos, tal vez el que le tengan por loco o por iluso o por mentecato, ante esto se arredra y no ensaya. Y luego se sorprende del triunfo de los valientes, de los que arrostran motajos, de los que no se atienen al «en donde fueres haz lo que vieres» y el «¿adónde vas, Vicente?, ¡a donde va la gente!», de los que se sacuden del instinto rebañego.

Hubo en esta provincia de Salamanca un hombre singular que, surgido de la mayor indigencia, amasó unos cuantos millones. Estos charros del rebaño no se explicaban tal fortuna sino suponiendo que había robado en sus mocedades, porque estos desgraciados, tupidos de sentido común y enteramente faltos de valor moral, no creen sino en el robo y en la lotería. Mas un día me contaron una proeza quijotesca de ese ganadero, el Mosco. Y fue que trajo de las costas del Cantábrico hueva del besugo para echarla en una charca de una de sus fincas. Y al oírlo me lo expliqué todo. El que tiene valor de arrostrar la rechifla que ha de atraerle forzosamente el traer hueva del besugo para echarla en una charca de Castilla, el que hace esto, merece la fortuna.

¿Qué es ello absurdo, decís? ¿Y quién sabe qué es lo absurdo? ¡Y aunque lo fuera! Sólo el que ensaya lo absurdo es capaz de conquistar lo imposible. No hay más que un modo de dar una vez en el clavo, y es dar ciento en la herradura. Y, sobre todo, no hay más que un modo de triunfar de veras: arrostrar el ridículo. Y por no tener valor para arrostrarlo tiene esta gente su agricultura en la postración en que yace.

Sí, todo nuestro mal es la cobardía moral, la falta de arranque para afirmar cada uno su verdad, su fe, y defenderla. La mentira envuelve y agarrota las almas de esta casta de borregos, estúpidos por opilación de sensatez.

Se proclama que hay principios indiscutibles, y cuando se trata de ponerlos en tela de juicio no falta quien ponga el grito en el cielo. No ha mucho pedí que se pidiera la derogación de ciertos artículos de nuestra ley de Instrucción Pública, y una mazorca de mandrias se pusieron a berrear que era inoportuno e impertinente, y otras palabrotas más fuertes y más groseras. ¡Inoportuno! Estoy harto de oír llamar inoportunas a las cosas más oportunas, a todo lo que corta la digestión de los hartos y enfurece a los tontos. ¿Qué

se teme? ¿Qué se trabe y se encienda la guerra civil de nuevo? ¡Mejor que mejor! Es lo que necesitamos.

Sí, es lo que necesitamos: una guerra civil. Es menester
afirmar que deben ser y son yelmos las bacías y que se arme
sobre ello pendencia como la que se armó en la venta. Una
nueva guerra civil, con unas o con otras armas. ¿No oís a
esos desgraciados de corazón engurruñido y seco que dicen
y repiten que estas o las otras disputas a nada práctico con-
ducen? ¿Qué entienden por práctico esas pobres gentes? ¿No
oís a los que repiten que hay discusiones que deben evitarse?

No faltan menguados que nos estén cantando de
continuo el estribillo de que deben dejarse a un lado las
cuestiones religiosas; que lo primero es hacerse fuertes y
ricos. Y los muy mandrias no ven que por no resolver nuestro
íntimo negocio no somos ni seremos fuertes ni ricos. Lo
repito: nuestra patria no tendrá agricultura, ni industria, ni
comercio, ni habrá aquí caminos que lleven a parte adonde
merezca irse mientras no descubramos nuestro cristianismo,
el quijotesco. No tendremos vida exterior poderosa y espléndida y gloriosa y fuerte mientras no encendamos en el
corazón de nuestro pueblo el fuego de las eternas inquietudes. No se puede ser rico viviendo de mentira, y la mentira es el pan nuestro de cada día para nuestro espíritu.

¿No oís a ese burro grave que abre la boca y dice: «¡Eso
no puede decirse aquí!» ¿No oís hablar de paz, de una paz
más mortal que la muerte misma, a todos los miserables
que viven presos de la mentira? ¿No os dice nada ese terrible artículo, padrón de ignominia para nuestro pueblo, que
figura en los reglamentos de casi todas las sociedades de re-
creo de España, y que dice «Se prohíben discusiones polí-
ticas y religiosas»?

¡Paz!, ¡paz!, ¡paz! Croan a coro todas las ranas y los rena-
cuajos todos de nuestro charco.

¡Paz!, ¡paz!, ¡paz! Sí, sea, paz, pero sobre el triunfo de la
sinceridad, sobre la derrota de la mentira. Paz, pero no una
paz de compromiso, no un miserable convenio como el que
negocian los políticos, sino paz de comprensión. Paz, sí,
pero después que los cuadrilleros reconozcan a Don Quijo-

te su derecho a afirmar que la bacía es yelmo; más aún: después que los cuadrilleros confiesen y afirmen que en manos de Don Quijote es yelmo la bacía. Y esos desdichados que gritan «¡paz!, ¡paz!» se atreven a tomar en labios el nombre de Cristo. Y olvidan que el Cristo dijo que El no venía a traer paz, sino guerra, y que por El estarían divididos los de cada casa, los padres contra los hijos, los hermanos contra los hermanos. Y por El, por el Cristo, para establecer su reinado, el reinado social de Jesús —que es todo lo contrario de lo que llaman los jesuitas el reinado social de Jesucristo—, el reinado de la sinceridad y de la verdad y del amor y de la paz verdaderos; para establecer el reinado de Jesús tiene que haber guerra.

¡Razas de víboras la de esos que piden paz! Piden paz para poder morder y roer y emponzoñar más a sus anchas. De ellos dijo el Maestro que «ensanchan sus filacterias y extienden los flecos de sus mantos» (Mat., XXIII, 5). ¿Sabéis qué es esto? Eran las filacterias unas cajitas que contenían pasajes de la Escritura y que llevaban los judíos en la cabeza y el brazo izquierdo en ciertas ocasiones. Eran como esos amuletos que se cuelgan al cuello de los niños para preservarlos de no sé qué mal y consisten en unas bolsitas, bordadas muy cucamente, con lentejuelas, por alguna monja que, bordándolas, mató el aburrimiento, y dentro de las cuales bolsas se meten unos papelitos en que van impresos pasajes del Evangelio que jamás habrá de leer el niño que lleva al cuello el amuleto, y en latín dichos pasajes para mayor claridad. Eso eran las filacterias, y llevaban además los fariseos en los flecos o randas de los mantos pasajes también de las Escrituras. Era como eso que hoy llevan muchos sobre la solapa de la levita o de la chaqueta: un corazón pintado en un disco seco y duro barro. Y estos del amuleto, de la filacteria moderna, éstos y sus congéneres son los que osan hablar de paz y de oportunidad y de penitencia.

No, ellos mismos nos han enseñado la fórmula: no caben nefandos contubernios entre los hijos de la luz y los de las tinieblas. Y ellos, los cobardes servidores de la mentira, son los hijos de las tinieblas, y nosotros, los fieles de Don Quijote, somos los hijos de la luz.

Y volviendo a la historia vemos que se sosegaron todos, pero uno de los cuadrilleros empezó a examinar a Don Quijote, contra quien llevaba mandamiento de prisión por haber libertado a los galeotes, y asióle del cuello y pidió ayuda a la Santa Hermandad, pero revolvióse el Caballero contra él y por poco lo ahoga. Separáronlos, pero los cuadrilleros pedían su presa, «aquel robador y salteador de sendas y de carreras».

«Reíase de oír decir estas razones Don Quijote», reíase y hacía bien en reírse, él, de quien los otros se reían; reíase con risa heroica y caballeresca, no burlona, y con mucho sosiego les reprendió por llamar saltear caminos a «acorrer a los miserables, alzar los caídos, remediar los menesterosos». Y allí, arrogante y noble, invocó su fuero de caballero andante, cuya «ley es su espada, sus fueros sus bríos, sus premáticas su voluntad».

¡Bravo, mi señor Don Quijote, bravo! La ley no se hizo para ti, ni para nosotros tus creyentes; nuestras premáticas son nuestra voluntad. Dijiste bien; tenías bríos para dar tú solo cuatrocientos palos a cuatrocientos cuadrilleros que se te pusieran delante, o por lo menos para intentarlo, que en el intento está el valor.

CAPITULO XLVI

De la notable aventura de los cuadrilleros y la gran ferocidad de nuestro buen Caballero Don Quijote

Y así los cuadrilleros hubieron de resignarse a pretexto de estar Don Quijote loco, y el barbero hubo de avenirse a que la bacía era yelmo y merced a ocho reales que por ella le dio el cura a socapa, que si por aquí hubiesen empezado habríase evitado la pendencia, pues no hay barbero antiquijotano o baciísta que por ocho reales no declare que son yelmos la bacías todas habidas y por haber, y más si antes

le han carmenado las costillas por sostener lo contrario. Y
¡qué bien conocía el cura la manera de hacer confesar la fe
a los barberos, que andan muy cerca de los carboneros! No
sé cómo no se ha hecho la fe del barbero tan proverbial
como la del carbonero. Lo merece.

Y no bien había llevado Don Quijote a sus burladores
a pelear por fe que no compartían y lo sosegó luego todo,
cuando trataron de enjaularle y lo pusieron por obra, dis-
frazándose para ello. Sólo disfrazados pueden los burladores enjaular al Caballero. Encerráronle en una jaula, clava-
ron los maderos y le sacaron en hombros con unas ridículas
palabras que declaró maese Nicolás para hacer creer a Don
Quijote que iba encantado, como lo creyó. Y luego acomo-
daron la jaula en un carro de bueyes.

CAPITULO XLVII

Del extraño modo con que fue encantado Don Quijote
de la Mancha, con otros famosos sucesos

¡Encerrado en una jaula de madera tirada en carro de
bueyes! Muchas y muy graves historias de caballeros andantes había leído Don Quijote, pero jamás vio ni oyó que
les llevasen de tal manera a los caballeros andantes, sino
siempre por los aires «con extraña lijereza, encerrados en alguna parda y escura nube o en algún carro de fuego». Pero
es que la caballería y los encantos de su tiempo seguían otro
camino distinto del seguido por los antiguos, y así cumplía
para que se consumase la burlesca pasión de nuestro
Caballero.

El mundo obliga a los caballeros a ir encerrados en jaula
y a paso de buey. Y aun finge que llora al verlos ir así,
como lo fingieron la ventera, su hija y Maritornes. Y emprendió su camino la carreta, entre los cuadrilleros, llevando Sancho de la rienda a Rocinante. «Don Quijote iba sentado en la jaula, las manos atadas, tendidos los pies y arrimado a las verjas con tanto silencio y tanta paciencia como

si no fuera hombre de carne...» Y claro que no lo era, sino hombre de espíritu. Admiremos una vez más a Don Quijote en esta aventura, en su silencio y en su paciencia.

Y no paró su pasión, sino que yendo así hubo de topar con un canónigo, hombre de sobrado sentido común. Y a las primeras de cambio, enterándole Don Quijote de quién era, le mostró ingenuamente el fondo de su heroísmo al decirle que era caballero andante, pero no de los olvidados de la fama, sino de aquellos que ha de poner ésta «su nombre en el templo de la inmortalidad, para que sirva de ejemplo y dechado de los venideros siglos».

¡Oh mi heroico Caballero, que encerrado en jaula y a paso de bueyes llevado, aún crees, y crees bien, que tu nombre será puesto para los venideros siglos en el templo de la inmortalidad! Se admiró el canónigo al oír a Don Quijote, y aún más de oír al cura confirmar lo dicho por él, cuando vele aquí que Sancho metió su malicioso juicio, dudando fuese encantado su amo, pues comía, bebía, hablaba y hacía sus necesidades, y encarándose con el cura le echó en rostro la su envidia.

Acertaste, fiel escudero, acertaste; la envidia y sólo la envidia enjauló a tu amo; la envidia disfrazada de caridad, la envidia de los hombres cuerdos que no pueden sufrir locura heroica, la envidia, que ha erigido al sentido común en tirano nivelador. Esclavos de él eran el canónigo y el cura, ¡es natural!, y se pusieron a departir aparte, ensartando el primero un sinfín de ramplonadas y oquedades a cuenta de literatura.

¡Y cuán profundamente castellana fue aquella plática entre canónigo y cura! En el contacto y trato de estos espíritus alcornoqueños, lejos de gastárseles el corcho de que están recubiertos, se les acrecienta, como con el roce crece, en vez de menguar, el callo. ¡Qué alegría hubieron de sentir al encontrarse tan razonables el uno para el otro! Está visto que esta casta sólo llega a lo eterno humano, a lo divino más bien, o cuando rompe, gracias a la locura, la corteza que le aprisiona el alma, o cuando con la simplicidad lugareña le rezuma el alma de ella. No le falta inteligencia, sino le falta espíritu. Es brutalmente sensata, y el supuesto espiritualismo cristiano que dice profesar no es, en el fondo, sino el más crudo materialismo que puede concebirse. No le basta sentir a Dios, quiere que le demuestren matemáticamente su existencia, y aún más, necesita tragárselo.

CAPITULO XLVIII

Donde prosigue el canónigo la materia de los libros de caballerías, con otras cosas dignas de su ingenio

Mientras cura y canónigo se satisfacían con vulgaridades, llegóse Sancho a su amo y le reveló lo de ir allí el cura y el barbero del lugar, replicándole Don Quijote que bien podrían parecerle ellos mismos, pero no por eso debía creer que lo fueran realmente, sino cosa de encantamiento para dar ocasión al pobre escudero a ponerse en un laberinto de imaginaciones. Y así es en verdad, que ni los curas ni los barberos son lo que parecen, sino figuras de encantamiento para meternos en un laberinto de imaginaciones. Y agregó el Caballero: «Yo me veo enjaulado y sé de mí que fuerzas humanas, como no fueran sobrenaturales, no fueran bastantes a enjaularme; ¿qué quieres que diga o piense, sino que la manera de mi encantamiento excede a cuantas yo he leído?»

¡Oh fe robusta y maravillosa! No hay, en efecto, fuerza humana que pueda esclavizar y enjaular de veras a otro hombre, pues cargado de grilletes y esposas y cadenas será siempre libre el libre, y si alguien se ve sin movimiento, es que se halla encantado. Habláis de libertad y buscáis la de fuera; pedís libertad de pensamiento, en vez de ejercitaros en pensar. Deseas con asia volar, aunque llevado en el encierro de una jaula y a paso de buey, y tu deseo hará que te broten alas, y la jaula se te ensanchará convirtiéndose en Universo y volarás por su firmamento. Todo contratiempo que te ocurra ten por seguro que proviene de encantamientos, pues no hay hombre capaz de enjaular a hombre.

Pero Sancho no cejaba en su propósito; para probarle su amo que no iba encantado, como creía, le preguntó si le había venido gana de hacer lo que no excusa, a lo que respondió Don Quijote: «Ya, ya te endiendo, Sancho; y muchas veces, y aun ahora tengo; sácame deste peligro, que no anda todo limpio.»

CAPITULO XLIX

Donde se trata del discreto coloquio que Sancho Panza tuvo con su señor Don Quijote

Y entonces Sancho, triunfante, exclamó: «¡Cojido le tengo!», queriendo por ello probarle que no iba, en verdad, como en verdad iba, encantado. A lo que respondió el Caballero: «Verdad dices, Sancho, pero ya te he dicho que hay muchas maneras de encantamientos.»

Claro está, tantas como personas. Y de que sea uno esclavo de su cuerpo, jaula estrecha y pobre y más a paso de buey llevada que aquella en donde iba encantado nuestro hidalgo, de que sea uno esclavo de su cuerpo, no se ha de sacar que no es toda la vida de este bajo mundo sino puro encantamiento. Así discurren los Sanchos materialistas, que deducen no hay sino lo aparencial y lo que se ve y se toca y se huele; de que tengamos todos, héroes y no héroes, que hacer aguas menores y mayores. La necesidad de tener que hacer lo que no se excusa es el argumento de Aquiles del sanchopancismo filosófico, disfrácese como se disfrazare. Pero bien dijo Don Quijote: «Yo sé y tengo para mí que voy encantado, y esto me basta para la seguridad de mi conciencia.» ¡Admirable respuesta que pone la seguridad de la conciencia por encima de engaños de los sentidos! ¡Admirable respuesta que opone a la necesidad de asegurarse la conciencia! Rara vez se ha dado una más robusta fórmula de la fe. Lo que basta para la seguridad de la conciencia, eso es la verdad y sólo eso. La verdad no es relación lógica del mundo aparencial a la razón, aparencial también, sino

que es penetración íntima del mundo sustancial en la conciencia, sustancial también.

Sacáronle a Don Quijote de la jaula para que hiciese lo
que no se excusa, y limpio ya su cuerpo, pasó por otra
más dura prueba, y fue tener que oír las hueras sensateces
del canónigo, empeñado en demostrarle que no iba encantado ni había caballeros andantes en el mundo. Y a ello respondió muy bien Don Quijote que si no era cierto lo de
Amadís y Fierabrás, no lo sería más lo de Héctor y los Doce
Pares y Roldán y el Cid. Y así es, como yo he dicho, pues
hoy ¿hay más realidad en el Cid que en Amadís o en Don
Quijote mismo? Mas el canónigo, hombre de dura cerviz y
tupido de bastísimo sentido común, se salió, como todos
los ergotistas más o menos canónigos, con simplezas como
las de no haber duda de que hubo Cid, ni menos Bernardo
del Carpio, pero sí de que hicieran las hazañas que de ellos
se cuentan. Era, al parecer, el tal canónigo uno de esos pobres hombres que manejan la crítica o cedazo y se ponen a
puntualizar, papelotes en mano, si tal cosa fue o no como
se cuenta, sin advertir que lo pasado no es ya y que sólo
existe de verdad lo que obra, y que una de esas llamadas
leyendas, cuando mueve a obrar a los hombres, encendiéndoles los corazones, o les consuela de la vida, es mil veces
más real que el relato de cualquier acta que se pudra en un
archivo.

CAPITULO L

De las discretas altercaciones que Don Quijote
y el canónigo tuvieron, con otros sucesos

¿Qué no son ciertos los libros de caballerías? «Léalos, y
verá el gusto que recibe de su leyenda», retrucó triunfado-
ramente Don Quijote. ¡Válgame Dios, y que no comprendiese el canónigo la fuerza incontrastable de este argumento, cuando había otras tantas cosas tenidas por él como las
más verdaderas de todas, más verdaderas aún que las per-

cibidas por el sentido, y cosas cuya verdad se saca del consuelo y provecho que se recibe de ellas y de que bastan para
la seguridad de la conciencia! Que todo un canónigo de la
Santa Iglesia Católica Apostólica Romana no comprendiese
cómo el consuelo, por ser consuelo, ha de ser verdad, y no
hayamos de buscar en la verdad lógica consuelo. ¡Oh, y si
aplicándolo a los libros de caballería celestial o de ultratum-
ba le hubiesen retrucado al canónigo el argumento! ¿Qué
habría dicho entonces? ¿Si los argumentos que él endereza-
ba contra la locura caballeresca se los hubiesen rebotado en-
derezados contra la locura de la cruz? Don Quijote esgri-
mió el tan socorrido argumento de consentimiento de las
gestes; ¿por qué no había de tener valor en su boca? Y, sobre todo, «de mí sé decir —añadió— que después que soy
caballero andante soy valiente, comedido, liberal, bien criado, generoso, cortés, atrevido, blando sufridor de trabajos...» ¡Suprema razón! Suprema razón que no podía recha-
zar el canónigo, pues sabía bien que de haber hecho a los
hombres humildes, mansos, caritativos y prontos a sufrir
hasta la muerte se deduce la verdad de las leyendas que
los hacen tales. Y si no los hacen así, entonces son mentiras
y no verdad las leyendas.

Pero ¡con qué canónigos se topa uno, Dios mío, por esos
andurriales de la vida! A este con que topó Don Quijote,
y que era la sesudez en pasta, ¿no podría habérsele desen-
trañado un añico siquiera de locura? Es muy de dudarlo;
el seso le había carcomido las entrañas. Estos hombres tan
razonables no suelen tener sino razón; piensan con la cabeza tan sólo, cuando se debe pensar con todo el cuerpo y con
toda el alma.

No consiguió el canónigo convencer a Don Quijote, ni
era posible le convenciese. ¿Y por qué? Por la razón misma
que decía Teresa de Jesús (*Vida,* XVI, 5) que no logran
los predicadores que dejen los pecadores sus vicios públicos: «porque tienen mucho seso los que predican» y «no están sin él con el gran fuego del amor de Dios como lo estaban los apóstoles, y ansí calienta poco esta llama». Y así
Don Quijote había movido a sus burladores a que sostu-

vieran y defendieran, a costa de sus costillas, que la bacía no era bacía, sino yelmo, y el sesudo canónigo no logró convencerle a él de que no hubiese habido caballeros andantes en el mundo, porque Don Quijote, con el gran fuego del amor de Dulcinea, encendido y atizado secretamente por aquellas cuatro furtivas visitas a Aldonza en doce años de pesar, estaba sin seso y calentaba su llama de cuantos de buena fe se le acercaban. No hay sino ver a Sancho, que gracias a ello sintió que hasta conocer a su amo había vivido, aun sin saberlo, en arrecidísima vida.

CAPITULOS LI Y LII

Que trata de lo que contó el cabrero a todos los que llevaban a Don Quijote

y

De la pendencia que Don Quijote tuvo con el cabrero, con la rara aventura de los disciplinantes, a quien dio felice fin a costa de su sudor

Ocurrió luego el lance del cabrero y la aventura de los disciplinantes, y a los pocos días entraron al enjaulado Caballero en su aldea, al mediodía de un domingo, para mayor burla y chacota. Y volvió Sancho lleno de fe en las caballerías, como se lo mostró a su mujer, pues «es linda cosa esperar los sucesos atravesando montes, escudriñando selvas, pisando peñas, visitando castillos, alojado en ventas a toda discrección sin pagar, ofrecido sea al diablo el maravedí».

Y así acabó la segunda salida del ingenioso hidalgo y la primera parte de su historia.

Segunda parte

CAPITULO I

*De lo que el cura y el barbero pasaron con Don Quijote
acerca de su enfermedad*

Cuando llevaba muy sosegado Don Quijote un mes ya
en su casa, nutriéndose de cosas confortativas para el corazón y el cerebro, creyéronle los suyos curado de su heroísmo caballeresco, fueron a tentarle y probarle, y entonces
ocurrió entre él y el cura y el barbero la plática aquella que
nos ha conservado Cervantes y lo de «¡caballero andante ha
de morir!», que dijo Don Quijote a su sobrina. Y a seguida
el cuento del loco de Sevilla por el barbero, y la melancólica respuesta del hidalgo: «¡Ah señor rapista, señor rapista,
y cuán ciego es aquel que no ve por tela de cedazo!», y todo
lo que a esto se sigue.

En cierto tiempo en que yo corría una revuelta galerna
del espíritu, recibí una carta de un amigo en que, a vuelta
de mil elogios para dorar la píldora, me daba a entender
que me tenía por loco, pues me desasosegaban cuidados.

que a él nunca le quitaron el sueño. Y al leerlo me dije: ¡Válgame Dios y cómo confunden las gentes la locura con la mentecatería, pues este mi pobre amigo, por creerme loco, me juzga tan ciego que no he de ver por tela de cedazo; ¡me tiene por tan tonto que no he de entenderle! Pero me consolé pronto de la amistad de mi amigo. ¿No ves que ese tan solícito amigo te toma por loco al colmarte de atenciones?

CAPÍTULO II

Que trata de la notable pendencia que Sancho Panza tuvo con la sobrina y ama de Don Quijote, con otros sucesos graciosos

Mientras estaban en esas pláticas Don Quijote, el cura y el barbero, se armó en el patio una más que regular pelotera entre Sancho de un lado y del otro el ama y la sobrina, pues no querían éstas dejarle entrar, reprochándole de haber sido él quien distraía y sonsacaba a su señor y le llevaba por aquellos andurriales, y replicándoles Sancho que él era el sonsacado y el distraído con engañifas.

Mas cabe aquí hacer notar que acaso el ama y la sobrina no andaban muy lejos de la verdad, pues ambos a la par, Don Quijote y Sancho, se sonsacaban y distraían y se llevaban mutuamente por los andurriales del mundo. El que cree dirigir suele a veces ser en mucha parte el dirigido, y la fe del héroe se alimenta de la que alcanza a infundir en sus seguidores. Sancho era la humanidad para Don Quijote, y Sancho, desfallecido y enardeciéndose a veces en su fe, alimentaba la de su señor y amo. Solemos necesitar de que nos crean para creernos, y si no fuera monstruosa herejía y hasta impiedad manifiesta, sostendría que Dios se alimenta de la fe que en Él tenemos los hombres. Pensamiento que, disfrazándolo con los dioses paganos, expresó profundísima y egregiamente Góngora en aquellos dos diamantinos —por la dureza y por el esplendor— versos que dicen:

Idolos a los troncos la escultura,
a los ídolos dioses hizo el ruego.

En una misma turquesa forjaron a Caballero y escudero,
como suponía el cura. Lo más grande y más consolador de
la vida que en común hicieron, es el no poderse concebir
al uno sin el otro, y que muy lejos de ser dos cabos opues-
tos, como hay quien mal supone, fueron y son, no ya las
dos mitades de una naranja, sino un mismo ser visto por
dos lados. Sancho mantenía vivo el sanchopancismo de
Don Quijote y éste quijotizaba a Sancho, sacándole a flor
de alma su entraña quijotesca. Que aunque él dijera «Sancho nací y Sancho pienso morir», lo cierto es que hay dentro de Sancho mucho Don Quijote.

Y así, cuando se quedaron solos, dijo el hidalgo a su escudero lo de «juntos salimos, juntos fuimos y juntos pere-
grinamos; una misma fortuna y una misma suerte ha corrido por los dos», y lo otro de «soy tu cabeza y tú mi parte..., y por esta razón el mal que a mí me toca o tocare a
ti te ha de doler y a mí el tuyo», preñadísimas palabras en
que mostró el Caballero cuán a lo hondo sentía lo uno y
mismo que con su escudero era.

CAPITULOS III Y IV

*Del ridículo razonamiento que pasó entre Don Quijote,
Sancho y el bachiller Sansón Carrasco
y
Donde Sancho Panza satisface al bachiller Sansón Carrasco
de las dudas y preguntas, con otros sucesos dignos de saberse
y de contarse*

Siguieron hablando de lo que de ellos se decía por el
mundo, radical cuidado de Don Quijote, y luego hizo Sancho venir al bachiller Sansón Carrasco, bachiller por esta Salamanca de mis pecados, típico personaje que entra aquí en
el tablado. Es este bachiller por Salamanca el hombre más

representativo, después de nuestros dos héroes, que en la historia de éstos juega papel; es el cogollo y cifra del sentido común, amigo de burlas y regocijos, el cabecilla de los que traían y llevaban, dejándola uno para tomarla otro, la Vida del Ingenioso Hidalgo. Quedóse a comer con Don Quijote, y de refilón a burlarse de él para hacer honor a su mesa.

Y el cándido Don Quijote —siempre lo fueron los héroes—, al oír hablar de la historia que de sus hazañas andaba compuesta, se encendió en sed de renombre, pues «unas de las cosas que más debe de dar contento a un hombre virtuoso y eminente es verse —dijo— viviendo andar con buen nombre por las lenguas de las gentes, impreso y en estampa», y así por ello decidió volver a salir y declaró al bachiller su intento y cayó en la simplicidad de pedirle consejo de «por qué parte comenzaría su jornada».

CAPITULO V

De la discreta y graciosa plática que pasó entre Sancho Panza y su mujer, Teresa Panza, y otros sucesos dignos de felice recordación

De esta plática se saca muy en claro cómo había Don Quijote infundido en su escudero soplo de ambición, y el del «Sancho nací, Sancho he de morir», quería morir Don Sancho y señoría y abuelo de condes y marqueses.

CAPITULO VI

De lo que pasó a Don Quijote con su sobrina y con su ama; y es uno de los más importantes capítulos de toda la historia

¡Y tan importante como es! Pues mientras Sancho altercaba con su mujer, disputaban Don Quijote, su ama y su sobrina, caseros estorbos de su heroísmo.

Y hubo de oír el buen Caballero que una rapaza como su sobrina, que apenas si sabía menear doce palillos de randas, se atreviera a negar que haya habido caballeros andantes en el mundo. Triste cosa es venir a oír en la propia casa y de labios de una rapazuela, que la repite de coro, las simplezas del vulgo.

¡Y pensar que esta rapaza de Antonia Quijana es la que domeña y lleva hoy a los hombres de España! Sí, es esta atrevida rapaza, esta gallinita del corral, alicorta y picoteadora, es ésta la que apaga todo heroísmo naciente. Es la que decía a su señor tío aquello de «y que con todo esto dé en una ceguera tan grande y en una sandez tan conocida, que se dé a entender que es valiente siendo viejo, que tiene fuerzas estando enfermo, y que endereza tuertos estando por la edad agobiado, y sobre todo que es caballero no lo siendo, porque aunque lo puedan ser los hidalgos, no lo son los pobres». Y hasta el esforzado Caballero de la Fe, vencido por la modesta entereza de aquella humilde rapazuela, se ablandó a contestarla: «Tienes mucha razón, sobrina, en lo que dices.»

Y si tú mismo, denodado Don Quijote, te dejaste convencer, aunque sólo fue de palabra y pasajeramente, por aquella gatita casera, ¿qué mucho el que se rinda a su sabidura de cocina los que la buscan para perpetuar en ella su linaje? Ella, la muy simplona, no comprende que pueda un viejo ser valiente y tener fuerzas un enfermo y enderezar tuertos el agobiado por la edad, y sobre todo no comprende que pueda un pobre ser caballero. Y aunque simplona y casera y de tan corto alcance de corazón como de cabeza, si se atreve contigo, su tío, ¿no se ha de atrever con los que la solicitan para novia o la poseen como maridos? Le han enseñado que el matrimonio se instituyó «para casar, dar gracia a los casados y criar hijos para el cielo», y de tal modo lo entiende y lo practica, que aparta a su marido de que nos conquiste ese cielo mismo para el que ha de criar sus hijos.

Hay un sentido común, y junto a él un sentimiento común también; junto a la ramplonería de la cabeza nos

embarga y embota la ramplonería del corazón. Y de esta
ramplonería eres tú, Antonia Quijana, lectora mía, la guar-
diana y celadora. La alimentas en tu corazoncito mientras es-
pumas la olla de tu tío o mientras meneas los palillos de
randas. ¿Correr tu marido tras la gloria? ¿La gloria? Y eso,
¿con qué se come? El laurel es bueno para asaborar las pa-
tatas cocidas; es un excelente condimento de la cocina casera. Y tienes de él bastante con el que coges en la iglesia
el Domingo de Ramos. Además, sientes unos furiosos celos
de Dulcinea.

No sé si caerán bajo los lindos ojos de alguna Antonia
Quijana estos mis comentarios a la vida de su señor tío; hasta lo dudo, porque nuestras sobrinas de Don Quijote no
gustan de leer cosa para la que tengan que fruncir la atención y rumiar algo lo leído; les bastan noveluchas de diálogo muy cortado o de argumento que suspenda el ánimo
por lo terrible, o ya libricos devotos tupidos de superlativos
acaramelados y de desaboridas jaculatorias. Además, presumo que los directores de vuestros espirituelos os preven-
drían contra mis peligrosos extravíos de pluma si vuestra
propia insustancialidad no os sirviera de fortísimo escudo.
Estoy, pues, casi seguro de que no hojearéis con vuestras
ociosas manos, hechas a menear palillos de randas, estas em-
pecatadas páginas; pero si por un azar os cayesen bajo la mirada, os digo que no espero surja de entre vosotras ni una
nueva Dulcinea que lance a un nuevo Don Quijote a la conquista de la fama, ni otra Teresa de Jesús, dama andante
del amor que de tan hondamente humano se sale de lo humano todo. No encenderéis un amor como el que Aldonza
Lorenzo, sin de ello percatarse, encendió en el corazón de
Alonso el Bueno, ni lo encenderéis en el vuestro como aquel
amor de Teresa de Jesús que hizo le atravesase el corazón
un serafín con un dardo.

También ella, Teresa, como Alonso Quijano anduvo doce
años enamorado de Aldonza, así tuvo ella trato con quien
por vía de casamiento le pareció podía acabar en bien, y
aquel con quien confesaba le dijo que no iba contra Dios
(*Vida,* capítulo II), pero comprendió el premio que da el

Señor a los que todo lo dejan por Él y que el hombre no aplaca la sed de amor infinito, y aquellos libros de caballerías a que fue aficionada le llevaron a través de lo terreno del amor al amor sustancial, y anheló gloria eterna y engolfarse en Jesús, ideal del hombre. Y dio en heroica locura y llegó a decir a su confesor: «suplico a vuestra merced seamos todos locos, por amor de quien por nosotros se lo llamaron» (*Vida*, capítulo XVI). Pero ¿tú, mi Antonia Quijana, tú? Tú no enloqueces ni en lo humano ni en lo divino: tendrás poco seso tal vez, pero por poco que sea, te llena y tupe la cabecita toda, que es más pequeña aún que él, y no te queda sitio para el cogüelmo del corazón.

Tienes muy buen sentido, discreta Antonia, sabes contar los garbanzos y remendar los calzones a tu marido, sabes cuidar la olla de tu tío y menear los palillos de randas, y para pasto de lo supremo de tu espíritu tienes tus funciones de celadora de este o del otro coro y la obligación de recitar a tal hora del día éstas o las otras untuosas palabras que te dan por escrito. No dijo para ti Teresa lo de «no haga caso del entendimiento, que es un moledor» (*Vida*, capítulo XV), porque te da poca molienda tu entendimientillo enroderado por tu director de espíritu y menoscabado y engurruñido desde que te lo descubrieron. Ese tu espíritu, tu almita, que acaso fue soñadora otraño, te la alicortaron y encanijaron en un terrible potro, te la han brezado desde que lanzó su primer medroso vagido, te la han brezado con el viejo estribillo de

> Duerme, niño chiquito,
> que viene el Coco
> a llevarse a los niños
> que duermen poco;

te la han brezado con la gangosa canción con que tú misma, mi pobre Antonia, brezas a tus hijos, cuando eres madre, para que se duerman. Y mira, Antonia, no hagas por un momento caso alguno de los que te quieren gallinita de corral, no les hagas caso y medita en ese plañidero estribillo

con que aduermes a tus hijos. Medita en eso de que venga
el Coco y se lleve a los niños que duermen poco; medita,
mi querida Antonia, en eso de que sea el mucho dormir lo
que haya de librarnos de las garras del Coco. Mira, mi Antonia, que el Coco viene y se lleva y se traga a los dormi-
dos, no a los despiertos.

Y ahora, si por un momento logré distraerte de tus faenas y quehaceres, de las que llaman labores de tu sexo, perdónamelo o no me lo perdones. Yo soy quien no me per-
donaría nunca el no haberte dicho que sólo te queremos de
veras, te queremos mujer fuerte, los que te hablamos recio
y duro, no los que te amarran, como ídolo, a un altar y te
tienen allí presa atufándote con el incienso de fáciles requiebros, ni los que te aduermen el espíritu brezándotelo con
ñoñas canciones de una piedad de alfeñique.

Y tú, mi Don Quijote, triste cosa es que cuando te re-
traes a tu casa, al amor de tu hogar, como a castillo roque-
ro que te mantenga lejos de las flechas envenenadas del
mundo, y no te deje oír las voces de los que hablan por no
callarse, triste cosa es que te muelan entonces todavía los oídos con ecos de esas mismas voces importunas. Triste cosa
es que en vez de ser tu hogar expansión de tu espíritu y
ámbito que de él te hizo, sea trasunto de lo de fuera. No
te habría dicho eso Aldonza, de seguro, no te lo habría
dicho.

CAPITULO VII

De lo que pasó Don Quijote con su escudero, con otros sucesos famosísimos

Y a la pena de tener que oír tales cosas en su propia casa
uniósele la de ver cómo vacilaba la fe de Sancho, el cual pedía salario fijo, cosa no conocida entre los caballeros andantes, a quienes siempre sirvieron a merced sus escuderos. La
fe de Sancho, en continua conquista de sí misma, no le habían aún dado esperanza, y quería salario. No estaba para

entender la profundísima sentencia entonces pronunciada por su amo, y fue la de «vale más buena esperanza que ruin posesión». ¿Y es que la entendemos en todo su alcance yo y tú, lector mío? ¿No nos atenemos más bien, como buenos Sanchos, a lo de «más vale pájaro en mano que ciento volando»? ¿No olvidamos hoy y siempre que la esperanza crea lo que la posesión mata? Lo que hemos de acaudalar para nuestra última hora es riqueza de esperanzas, que con ellas, mejor que con recuerdos, se entra en la eternidad. Que nuestra vida sea un perduradero Sábado Santo.

Con justa razón, enojado Don Quijote al ver que Sancho, movido de su carnalidad, le pedía salario, como si lo hubiera mayor que el de seguirle y servirle en su carrera de gloria, le rechazó de escudero entonces. Y ante el rechazo encendióse la fe del pobre Sancho, «se le anubló el cielo y se le cayeron las alas del corazón, porque tenía creído que su señor no se iría sin él por todos los haberes del mundo».

Rompió esta plática el bachiller Carrasco, que acudió a felicitar a Don Quijote y a ofrecérsele por escudero... ¡Impía oferta! Y al oírlo Sancho enternecióse, se le llenaron de lágrimas los ojos y entregóse a su amo.

Pero ¿creías acaso, pobre Sancho, que te iba a ser vividera la vida sin tu amo? No, ya no eres tuyo: eres de él. También tú andas, aunque no lo sepas ni lo creas, enamorado de Dulcinea del Toboso.

No faltará quien reproche a Don Quijote el haber arrancado de nuevo a Sancho del sosiego de su vida y de la tranquilidad de su trabajo, haciéndole dejar mujer e hijos por correr tras engañosas aventuras; no faltan corazones tan apocados como para sentir así. Pero nosotros consideramos que, una vez que Sancho hubo encentado la sabrosidad de su nueva vida, no quiso volver a otra, y a despecho de los arredros y trompicones de su fe, se le nublaba el cielo y se le caían las alas del corazón al ocurrirle el recelo de que su amo y señor fuera a dejarle.

Hay espíritus menguados que sostienen ser mejor cerdo satisfecho que no hombre desgraciado, y los hay también para endechar a la que llaman santa ignorancia. Pero quien

haya gustado la humanidad, la prefiere, aun en lo hondo
de la desgracia, a la hartura del cerdo. Hay, pues, que de-
sasosegar a los prójimos los espíritus, hurgándoselos en el
meollo, y cumplir la obra de misericordia de despertar al
dormido cuando se acerca un peligro o cuando se presenta
a la contemplación alguna hermosura. Hay que inquietar
los espíritus y enfusar en ellos fuertes anhelos, aun a sa-
biendas de que no han de alcanzar nunca lo anhelado. Hay
que sacarle a Sancho de su casa, desarrimándole de mujer
e hijos, y hacer que corra en busca de aventuras; hay que
hacerle hombre. Hay un sosiego hondo, entrañado, íntimo, y este sosiego sólo se alcanza sacudiéndose del aparencial sósiego de la vida casera y aldeana; las inquietudes
del ángel son mil veces más sabrosas que no el reposo de
la bestia.

Y no ya sólo las inquietudes, sino hasta las penas, aquel «recio martirio sabroso» de que nos habla en su *Vida* (XX, 8)
Teresa de Jesús.

¿Qué es eso de la santa ignorancia? La ignorancia, ni es
ni puede ser santa. ¿Qué es eso de envidiar el sosiego de
quien nunca vislumbró el supremo misterio ni miró más
allá de la vida y de la muerte? Sí, sé la canción, sé lo de
«¡qué buena almohada es el Catecismo! Hijo mío, duerme
y cree; por acá se gana el cielo en la cama». ¡Raza cobarde,
y cobarde con la más desastrosa cobardía, con la cobardía
moral que tiembla y se arredra de encarar las supremas
tinieblas!

Mira, Sancho: si todos esos que envidian, de pico al menos, la tranquilidad de que gozabas antes de haberte sacado de tus casillas tu amo, supieran lo que es la lucha por
la fe, créeme no te ponderarían tanto la del carbonero. Mi
cuerpo vive gracias a luchar momento a momento contra
la muerte, y vive mi alma porque lucha también contra la
muerte momento a momento. Y así vamos a la toma de
una nueva afirmación sobre los escombros de la que nos
desmoronó la lógica, y se van amontonando los escombros
de todas ellas, y un día, vencedores, sobre la pingorota de
este inmenso montón de afirmaciones desmoronadas, pro-

clamarán los nietos de nuestros nietos la afirmación última y crearán así la inmortalidad del hombre.

Por bien empleados hubo de dar Sancho todos sus trabajos y miserias y escaseces, incluso lo del manteamiento, a trueque de haberse renovado y quijotizado junto a Don Quijote; con tal de haberse transformado del zafio y oscuro Sancho Panza que era en el inmortal escudero del inmortal Don Quijote de la Mancha, que es para siempre jamás. Henchidos, pues, de lágrimas los ojos, entregóse a su amo.

Y en consecuencia, a los pocos días, y al anochecer, «sin que nadie les viese sino el bachiller, que quiso acompañarles media legua del lugar, se pusieron camino de Toboso».

CAPITULO VIII

Donde se cuenta lo que le sucedió a Don Quijote yendo a ver a su señora Dulcinea del Toboso

Y de camino disertó Don Quijote sobre Eróstrato y el deseo de alcanzar fama, raigambre de su heroísmo. Y no dejó de abismarse entonces Don Quijote en los abismos de la cordura de Alonso el Bueno, observándose la vanidad de la fama que «en este presente y acabable siglo se alcanza, la cual fama, por mucho que dure, se ha de acabar con el mismo mundo, que tiene su fin señalado».

> Eu sou a gloria, genio jocundo
> de radioso paiz solar;
> seras o poeta maior so mundo...
> ....
> Dizen que o mundo debe acavar,

dice «Sagromor», en el poema de Eugenio de Castro.

En esta tercera y última salida de Don Quijote hemos de ver cómo se hunde en las simas de su cordura, hasta llegar a la inmersión en ellas con su muerte ejemplar.

Movido por las palabras de su amo, y viendo Sancho cuán más grande es la fama de los santos que no la de los héroes, dijo a Don Quijote aquello de que se dieran a ser santos y alcanzarían más brevemente la buena fama que pretendían, poniéndole más brevemente el ejemplo de San Diego de Alcalá y San Pedro de Alcántara, canonizados por aquellos días.

«Veréis que un día seré adorado por el mundo entero», solía decir el pobrecito de Asís, según nos cuentan los Tres Compañeros (4) y Tomás de Celano (2 Cel., 1, 1), y los mismos móviles que empujaron a unos al heroísmo empujaron a otros a la santidad. Así como Don Quijote, enardecido por la lectura de los libros de caballerías, se lanzó al mundo, así Teresa de Cepeda, siendo aún niña y encendida por la lectura de las vidas de santos, que le parecía «compraban muy barato el ir a gozar de Dios», concertó con su hermano irse a tierra de moros, pidiendo por amor de Dios, para que allá los descabezasen, y visto lo imposible de ello, ordenaron hacerse ermitaños, y en una huerta que había en casa procuraban, como podían, hacer ermitas (*Vida*, 1, 2). De Iñigo de Loyola hemos dicho ya lo que nos cuenta al respecto su secretario que fue, el P. Pedro de Rivadeneira.

¿Qué es todo esto sino caballería andante a lo divino o religioso? Y en cabo de cuenta, ¿qué buscaban unos y otros, héroes y santos, sino sobrevivir? Los unos en la memoria de los hombres, en el seno de Dios los otros. ¿Y cuál ha sido el más entrañado resorte de la vida de nuestro pueblo español sino el ansia de sobrevivir, que no a otra cosa viene a reducirse lo que dicen ser nuestro culto a la muerte? No, culto a la muerte, no; sino culto a la inmortalidad.

El mismo Sancho, que tan apegado aparece a la vida que pasa y no queda, declaraba que «más vale ser humilde frailecito de cualquier orden que sea, que valiente y andante caballero», a lo que le contestó muy sesudamente Don Quijote que «no todos podemos ser frailes y muchos son los caminos por donde lleva Dios a los suyos al cielo». Y si no todos podemos ser frailes, no puede ser que sea el estado de frailería o monacato más perfecto en sí que otro cualquiera, pues no cabe que el estado de mayor perfección cristiana no sea igualmente asequible en cualquier estado, sino se reserve, por fuerza de ley natural, a un número de personas, ya que de aspirar a él todos, el linaje se acabaría. Y dijo muy bien Don Quijote, respondiendo a Sancho, que si hay en el cielo más frailes que caballeros andantes es por ser mayor el número de religiosos que el de caballeros merecedores de tal nombre. ¿Y cuando el religioso sea a la vez caballero?, se preguntará. Ya nos hablará de ello Don Quijote.

CAPITULO IX

Donde se cuenta lo que en él se verá

Y ¿cuándo disertó así Don Quijote acerca de la gloria y de su vanidad última y de cómo acaba al acabarse el mundo? Cuando iba al Toboso a ver a Dulcinea, e iba dentro de él Alonso el Bueno, a ver a Aldonza Lorenzo, por la que suspiró doce años. Gracias a la locura ha vencido el vergonzoso hidalgo su vergonzosidad sublime, y vestido de Don Quijote y arrebujado en él va a ver el blanco de sus ansias, a curarse de su locura al verla y al abrazarla. Nos acercamos al momento crítico de la vida del Caballero.

Y así, en tales pláticas, llegaron amo y escudero al Toboso, patria de la sin par Dulcinea.

Llegaron a ella y dijo Don Quijote a su escudero: «Sancho hijo, guía al palacio de Dulcinea; quizá podrá ser que la hallemos despierta.»

Observemos que al pedirle tan elevado ministerio y favor tan señalado se adulcigua el Caballero y le llama a Sancho hijo, y observemos además cómo son los Sanchos, la baja humanidad, los que guían a los héroes al palacio de la Gloria.

Allí fueron los aprietos de Sancho el embustero buscando escapatoria a su sandez, hasta que declaró no haber visto jamás a Dulcinea, al modo que su amo decía no haberla visto, sino estar enamorado de ella de oídas. De oídas estamos enamorados de la Gloria los que lo estamos, sin que jamás la hayamos visto ni oído. Pero por dentro anda Aldonza, vista y bien vista, aunque sólo sea cuatro veces en doce años. Y al cabo el malicioso Sancho consiguió que el cándido de su amo se saliese del Toboso a esperar emboscado en alguna floresta a que diese el socarrón con Dulcinea.

CAPITULO X

Donde se cuenta la industria que Sancho tuvo para encantar a la señora Dulcinea, y de otros sucesos tan ridículos como verdaderos

Y aquí fue el soliloquio de Sancho al pie de un árbol y el declararse que su amo era un loco de atar y él no le quedaba en zaga, siendo más mentecato que aquél, pues le seguía y servía, y aquí fue el decidir engañarle haciéndole creer «que una labradora, la primera que me topare por aquí —pensó—, es la señora Dulcinea; y cuando él no lo crea, lo juraré yo.» Y ya tenemos con esto al fiel Sancho decidido a jugársela a su amo y a venir a ser así uno más entre sus burladores. ¡Caso de triste meditación! Y hemos de considerar también en él cómo teniendo Sancho a su amo por loco de atar y capaz de ser por él engañado, y que tomaba unas cosas por otras y juzgaba lo blanco por negro y lo negro por blanco, con todo y con esto, se dejaba engañar o más bien arrastrar de la fe en Don Quijote y sin creerlo creía en él, y viendo que eran molinos de viento los gigantes y manadas de carneros los ejércitos de enemigos, creía en la ínsula tantas veces prometida.

¡Oh poder maravilloso de la fe, retuso a todo empuje de desengaños! ¡Oh misterios de la fe sanchopancesca, que sin creer cree y viendo y entendiendo y declarando que es negro, hace al que le acaudala sentir y obrar y esperar como si fuese blanco! De todo ello hemos de concluir que Sancho vivía, sentía, obraba y esperaba bajo el encanto de un poder extraño que le dirigía y llevaba contra lo que veía y entendía, y que su vida toda fue una lenta entrega de sí mismo a ese poder de la fe quijotesca y quijotizante. Y así, cuando él creyó engañar a su amo resultó el engañado él y fue el instrumento para encantar real y verdaderamente a Dulcinea.

La fe de Sancho en Don Quijote no fue una fe muerta, es decir, engañosa, de esas que descansan en ignorancia, no fue una fe de carbonero, ni menos fe de barbero, descansadora en ocho reales. Era, por el contrario, fe verdadera y viva, fe que se alimenta de dudas. Porque sólo los que dudan creen de verdad, y los que no dudan, ni sienten tentaciones contra su fe, no creen en verdad. La verdadera fe se mantiene de la duda; de dudas, que son su pábulo, se nutre y se conquista instante a instante, lo mismo que la verdadera vida se mantiene de la muerte y se renueva segundo a segundo, siendo una creación continua. Una vida sin muerte alguna en ella, sin deshacimiento en su hacinamiento incesante, no sería más que perpetua muerte, reposo de piedra. Los que no mueren, no viven; no viven los que no mueren a cada instante para resucitar al punto, y los que no dudan, no creen. La fe se mantiene resolviendo dudas y volviendo a resolver las que de la resolución de las anteriores hubieren surgido.

Sancho veía las locuras de su amo y que los molinos eran molinos y no gigantes, y sabía bien que la zafia labradora a la que iba a encontrar a la salida del Toboso no era, no ya Dulcinea del Toboso, mas ni aun Aldonza Lorenzo, y con todo ello creía a su amo y tenía fe en él, y creía en Dulcinea del Toboso, y hasta en su encantamiento acabó por creer, como veremos. Esta la tuya es fe, Sancho, y no la de esos que dicen creer un dogma sin entender, ni aun a la letra, siquiera su sentido inmediato, y tal vez sin conocerlo; ésta es fe y no la del carbonero, que afirma ser verdad lo que dice un libro que no ha leído porque no sabe leer ni tampoco sabe lo que el libro dice. Tú, Sancho, entendías muy bien a tu amo, pues todo lo que te decía eran dichos muy claros y muy entendederos, y veías, sin embargo, que

tus ojos te mostraban otra cosa y sospechabas que tu amo
desvariaba por loco y dudabas de lo que veías, y a pesar de
ello le creías, pues ibas tras de sus pasos. Y mientras tu cabeza te decía que no, decíate tu corazón que sí, y tu voluntad te llevaba en contra de tu entendimiento y a favor de tu
fe.

En mantener esa lucha entre el corazón y la cabeza, entre
el sentimiento y la inteligencia, y en que aquél diga ¡sí!
mientras ésta dice ¡no!, y ¡no! cuando la otra ¡sí!, en esto y
no en ponerlos de acuerdo consiste la fe fecunda y salvadora; para los Sanchos, por lo menos. Y aun para los Quijotes, porque veremos dudar a Don Quijote mismo. Y no nos
quepa duda de que con los ojos de la carne Don Quijote
vio los molinos como tales molinos y las ventas como tales
ventas, y de que allá en su fuero interno, reconocía la realidad del mundo aparencial —aunque una realidad aparencial también— en que ponía el mundo sustancial de su
fe. Y buena prueba de ello es aquel maravilloso diálogo que
sostuvo con Sancho cuando éste volvió a Sierra Morena a
darle cuenta de su visita a Dulcinea. El loco suele ser un
comediante profundo que toma en serio la comedia, pero
que no se engaña, y mientras hace en serio el papel de Dios
o de rey o de bestia, sabe bien que ni es Dios, ni rey, ni
bestia. ¿Y no es loco todo el que toma en serio el mundo?
¿Y no deberíamos ser locos todos?

Y ahora llegamos al momento tristísimo de la carrera de
Don Quijote: a la derrota de Alonso Quijano el Bueno dentro de él.

Aconteció, pues, que al volverse Sancho a su amo salían
del Toboso tres labradoras sobre tres pollinos o pollinas, y
se las presentó a Don Quijote como Dulcinea y dos doncellas, diciendo que venía a verle. «¡Santo Dios! ¿Qué es lo
que dices, Sancho amigo? —dijo Don Quijote...—, mira
no me engañes ni quieras con falsas alegrías alegrar mis verdaderas tristezas.» «Y ¿qué sacaría yo de engañar a vuestra
merced», respondió Sancho. Salieron al camino, no colum-
bró en él Don Quijote sino a las tres labradoras, porfió Sancho que eran Dulcinea y sus doncellas, atúvose a sus sen-

tidos, contra su costumbre, el amo, y trocáronse los papeles, siquiera en apariencia.

El paso este del encantamiento de Dulcinea es grande-
mente melancólico. Sancho hizo su comedia, teniendo del
cabestro al jumento de una de las tres labradoras, hincán-
dose de rodillas y enderezándole aquel saludo que nos ha
conservado la historia. Don Quijote miraba con ojos desencajados y vista turbada a la que Sancho llamaba reina y señora, y en que él, Don Quijote, esperó ver a Dulcinea, y debajo de él, Alonso Quijano, esperaba a Aldonza Lorenzo,
suspirada en silencio doce años por sólo cuatro goces de su
vista. Don Quijote se puso de hinojos y «miraba con ojos
desencajados y vista turbada a la que Sancho llamaba reina
y señora», sin descubrir en ella «sino una moza aldeana y
de no buen rostro, porque era carirredonda y chata». Ve
aquí, Caballero, que tu Sancho, la humanidad que te acompaña y guía, te presenta a la Gloria, por la que tanto suspiraste, y no ves en ella sino una moza aldeana y no de
muy buen rostro.

Pero es aún más triste el paso, pues si Don Quijote no
veía a Dulcinea, tampoco el pobre Alonso Quijano el Bueno veía a su Aldonza. Doce años de solitario sufrir, doce
años de no haber podido vencer su encogimiento soberano,
doce años de esperar lo imposible, y por imposible con más
ahínco esperado, a que ella, Aldonza, su Aldonza, por un
inaudito milagro, se percatara del amor de su Alonso y se
fuera a él; doce años de soñar en el imposible procurando
acallar con la lectura de los libros de caballerías el todopoderoso amor, y ahora en que, gracias a Dios, ya loco, rota
la vergüenza, se cumple lo imposible y va a recibir el premio de su locura, ahora... ¡ahora esto! ¡Qué santa, qué dulce, qué redentora suele ser la locura! Loco Alonso Quijano,
por merced del Señor, que se compadece de los buenos,
rompió aquella tremenda costra de la timidez del hidalgo
lugareño, y se atrevió a escribir a su Aldonza, aunque fuese
bajo la advocación de Dulcinea, y ahora, en premio, Aldonza misma viene desde el Toboso a verle. Se cumplió lo
imposible, merced a su locura. ¡Al cabo de doce años!

¡Oh momento supremo tanto tiempo suspirado! «¡Santo Dios! ¿Qué es lo que dices, Sancho amigo?» ¡Ahora, ahora va a redimirse su locura, ahora va a lavársela en el torrente de las lágrimas de la dicha; ahora va a cobrar el premio de su esperanza en lo imposible! ¡Oh, y cuántas tinieblas de locura se disiparían bajo una mirada de amor!

«No quieras con falsas alegrías alegrar mis verdaderas tristezas.» Pensemos en esto de alegrársele las tristezas a Don Quijote; las tristezas de doce años, las tristezas de su locura. Pues qué, ¿creéis que Alonso el Bueno no se daba cuenta de que estaba loco y no aceptaba su locura como único remedio de su amor, como regalo de la piedad divina? Al saber que su locura daba fruto, alborotóse el corazón del hidalgo, y mandó a Sancho, en albricias de aquellas no esperadas nuevas, el mejor despojo de la primera aventura que tuviese, y «si esto no te contenta, te mando —le dijo— las crías que este año me dieran las tres yeguas mías, que tú sabes que quedaban para parir en el prado concejil de nuestro pueblo». Primero le ofrece Don Quijote del caudal del caballero andante, despojo de aventura, en albricias de anunciarle la venida de Dulcinea, mas luego asoma Alonso Quijano, y con el corazón anegado en gozo porque viene a verle Aldonza, ofrece el hidalgo de su caudal, no ya despojo de aventura, sino crías de las yeguas. ¿No veis aquí cómo el amor saca a flor de la locura quijotesca la locura de Quijano?

Ya te dan fruto tus locuras, buen Caballero, pues merced a ellas sale a verte Aldonza, sacando del exceso de tu desvarío cuán grande debe ser tu amor. Y vino en seguida el tremendo golpe, el golpe que hundió en su locura al pobre Alonso el Bueno, hasta su muerte. Ahora, ahora es cuando se remacha la suerte de Alonso. Esperaba a Aldonza y lo vehemente de la esperanza no le dejaba dudar, y puesto de hinojos, como mejor decía a aquél callado culto de doce años «miraba con ojos desencajados y vista turbada a la que Sancho llamaba reina y señora, y como no descubría en ella sino una moza aldeana y no de muy buen rostro, porque era carirredonda y chata, estaba suspenso y

admirado, sin osar desplegar los labios». ¡Ni la locura te
valió, buen Caballero! Cuando al cabo de doce años vas a
tocar el precio de ella, la brutal realidad te da en el rostro. ¿No es acaso así con todo amor?

Mas no te pese, mi Don Quijote, y sigue con tu locura
solitaria; no te pese de no llegar a comprometerte con la dicha; no te pese de no votarte a la felicidad; no te pese de
que no se haya llenado tu anhelo de doce años, en brazos
de tu Aldonza.

«Y tú, ¡oh extremo del valor que puede desearse, término de la humana gentileza, único remedio deste afligido corazón que te adora!, ya que en el maligno encantador me
persigue y ha puesto nubes y cataratas en mis ojos, y para
ellos solos y no para otroso ha mudado y transformado tu
sin igual hermosura y rostro en el de una labradora pobre,
si ya también el mío no lo ha cambiado en el de algún ves-
tiglo para hacerle aborrecible a tus ojos, no dejes de mirar-
me blanda y amorosamente, echando de ver en esta sumi-
sión y arrodillamiento que a tu contrahecha hermosura
hago, la humildad con que mi alma te adora.» ¿No os en-
tran ganas de llorar oyendo este plañidero ruego? ¿No oís
cómo suena en sus entrañas, bajo la retórica caballeresca de
Don Quijote, el lamento infinito de Alonso el Bueno, el
más desgarrador quejido que haya jamás brotado del corazón del hombre? ¿No oís la voz agorera y eterna del eterno
desengaño humano? Por primera vez, por última, por única vez habla Don Quijote de su propio rostro, de aquel rostro de Alonso que se encendía en rubor al pensar en Aldonza... «La humildad con que mi alma te adora...» Humildad de doce años, humildad alimentada en largas noches de soledad y de absurdas esperanzas, humildad nutri-
da con el más grandioso temor y encogimiento que jamás
se viera. Lo inmenso de su amor le había hecho humilde,
y jamás si osó dirigirla una palabra sólo.

Seguid leyendo la historia de este encuentro, y sacándola
por vosotros mismos, lectores míos, el jugo que tenga; a mí
me apesadumbra tanto, que me priva de imaginación para
rehacerla y voy a pasar a otra cosa. Leed vosotros la res-

puesta grosera que la moza dio a Don Quijote, y cómo dio con ella en tierra a corcovos su borrica y cómo Don Quijote acudió a levantarla, cosa que evitó ella subiéndose de un salto sobre la borrica y dándole un olor a ajos crudos que le encalabrinó y atosigó el alma. No puede leerse sin angustia este martirio del pobre Alonso.

CAPITULO XI

De la extraña aventura que le sucedió al valeroso
Don Quijote con el carro o carreta de las cortes de la muerte

Reanudaron amo y escudero su camino, burlándose el socarrón Sancho de la candidez de su amo. Y entonces fue cuando toparon con la carreta de la muerte o de la compañía de Angulo el Malo, que Don Quijote, aleccionado y entristecido por lo que acababa de pasarle, tomó por lo que realmente era. Y entonces fue también cuando Rocinante, alborotado por el cascabeleo del moharracho, dio con su amo en tierra, y todo lo que sigue. Y cómo quiso castigar el Caballero a los farsantes, y le esperaron éstos en ala y armados de guijarros, y convenció Sancho a su amo, hombre cuerdo y sesudo al fin, de que no debía meterse con semejante tropa, pues entre todos los que allí estaban, aunque parecían reyes, príncipes y emperadores, no había ningún caballero andante. Y así Don Quijote mudó ya de su determinado intento. Y al ver que Sancho, por su parte, no quería vengarse, fue cuando le dijo lo de: «Pues ésa es tu determinación, Sancho bueno, Sancho discreto, Sancho cristiano y Sancho sincero, dejemos estas fantasmas y volvamos a buscar mejores y más calificadas aventuras.»

La del carro de la muerte parece una de las más heroicas que llevó a feliz término nuestro hidalgo, pues en ella se nos muestra venciéndose a sí mismo con su cordura. ¡Es que le pesaba sobre el corazón el encantamiento de su dama! El mundo comedia es, y gran locura querer luchar con gentes que no son lo que parecen, sino míseros farsantes que representan su papel y entre los cuales apenas si se halla de higos a brevas un caballero andante. En el tablado del mundo es novedad sorprendente ver entrar un caballero de verdad, de los que matan y hacen en serio la escena del desafío cuando los otros hacen que la hacen y por hacer el papel no más. Tal es el héroe. Y al héroe le esperaban los comediantes todos en ala y armados de piedras. Dejad, pues, a los farsantes y recordad la profunda sentencia de Sancho: «Nunca los cetros y coronas de los emperadores farsantes fueron de oro puro, sino de oropel o hoja de lata.» Recordadla y tened en cuenta que la creencia de los que en la comedia del mundo hacen el papel de maestros, cobrando por ello su salario, es ciencia de oropel u hoja de lata.

CAPITULO XII

De la extraña aventura que le sucedió al valeroso Don Quijote con el bravo Caballero de los Espejos

Conversando sobre lo que es la comedia del mundo se quedaron amo y escudero bajo de unos altos y sombríos árboles, cuando les rompió el sueño la llegada del Caballero de los Espejos. Y allí fue la plática de los escuderos de un lado y de los caballeros por el otro, y el declarar Sancho que a su amo un niño le hacía entender que era de noche en la mitad del día, sencillez por la que le quería como a las telas de su corazón y no se amañaba a dejarle por más disparates que hiciera. Aquí se nos declara la razón del amor que Sancho profesaba a su amo, mas no la de la admiración.

Pues, ¿qué creías, Sancho? El héroe es siempre por dentro un niño, su corazón es infantil siempre: el héroe no es más que un niño grande. Tu Don Quijote no fue sino un niño, un niño durante los doce largos años en que no logró romper la vergüenza que le ataba, un niño al engolfarse en los libros de caballerías, un niño al lanzarse en busca de aventuras. ¡Y Dios nos conserve siempre niños, Sancho amigo!

CAPITULOS XIII y XIV

Donde se prosigue la aventura del Caballero del Bosque, con el discreto, nuevo y suave coloquio que pasó entre los dos escuderos

Mientras platicaban los escuderos entre sí, también platicaban los caballeros, y de esta plática, y de haber afirmado el de los Espejos ser vencedor de Don Quijote, surgió el que concertasen un duelo bajo condiciones de que el vencido quedase sujeto a obedecer al vencedor. Y así que fue de día, fue el lance derribando Don Quijote al de los Espejos, el bachiller Sansón Carrasco, pues no era otro, que habiendo ido por lana y a llevarse al hidalgo a su casa, salió para la suya trasquilado.

Al descubrirle la visera y ver al bachiller, lo atribuyó Don Quijote a magia, mas Sancho, que se había encaramado a un árbol para ver la pelea, le pidió metiese la espada por la boca al que parecía el bachiller Sansón Carrasco. ¡Ah Sancho, Sancho, y cuán bien se aviene tu impiadosa crueldad de ahora con tu cobardía de antes!

Volvió al cabo en sí el bachiller, confesó aventajar Dulcinea del Toboso en hermosura a Casildea de Vandalia y prometió ir a presentarse a ella. «Todo lo confieso, juzgo y siento como vos lo creéis, juzgáis y sentís» —respondió el derrengado caballero, el burlador burlado, el vencido bachiller—. Así, mal que les pese, tienen que declarar los bachilleres ser verdad lo que por tal proclaman los hidalgos; así los burladores son burlados; así el sentido común debe andar por los suelos a botes de la lanza del heroísmo. Pues qué, ¿no hay sino hacerse el loco para reducir a cordura a los que lo son de veras?

CAPITULO XV

Donde se cuenta y da noticia de quién era el Caballero de los Espejos y su escudero

En este capítulo de la historia se nos cuenta cómo el Caballero de los Espejos no era otro que Sansón Carrasco, bachiller por Salamanca, que de acuerdo con el cura y el barbero ideó aquella traza para obligar a Don Quijote a que se redujese a su casa.

Y el maligno Carrasco juró vengarse de Don Quijote, moliéndole a palos las costillas, locura mil veces más desatinada y más de verdad locura que la del hidalgo; locura, en fin, de pasión de hombre sensato, que son las peores y las más ponzoñosas de las locuras todas. El loco «que lo es por fuerza lo será siempre, y el que lo es de grado lo dejará de ser cuando quisiera» —decía el bachiller.

Pero venid acá, señor bachiller por Salamanca, venid y decidme: ¿cuál es peor desvarío, el que arranca de la cabeza o el que del corazón brota, la enfermedad del imaginar o la del querer? Y el que de grado o por voluntad se hace el loco es que tiene la voluntad enferma o torcida, y para esto hay peor remedio que para las enfermedades del entendimiento, y los que, como su merced, tienen el entendimiento tupido de cordura socarrona, y allende esto se lo han atiborrado de lugares comunes escolásticos en las aulas de Salamanca, suelen tener la voluntad loca de malas pasiones, de rencor, de soberbia, de envidia. Pues ¿qué razón había para ir a pelear Sansón Carrasco contra Don Quijote?

«¿He sido yo su enemigo por ventura? ¿Hele dado yo jamás ocasión de tenerme ojeriza? ¿Soy yo un rival o hace él profesión de armas para tener envidia a la fama que yo por ellas he ganado?» —decía Don Quijote. Sí, generoso Caballero, sí; fuiste y eres su enemigo, como lo es todo hidalgo heroico y generoso de todo bachiller socarrón y rutinero; le diste ocasión de ojeriza, pues cobraste con tus locas hazañas una fama que él nunca alcanzó con sus cuerdos estudios y bachillerías salamanquesas, y era tu rival y te tenía envidia.

Y aunque declaró, y acaso así lo creyese él mismo, que salió al campo con la mira de reducirte a cordura, la verdad es que le movió a ello, tal vez sin él percatarse del motivo, su deseo de unir su nombre al tuyo y de andar junto contigo en lengua de la fama, como lo consiguió.

¿Y no sería acaso que buscaba llegase a oídos de aquella andaluza Casilda, con la que se pasó en claro las noches a la reja, allá en las calles de Salamanca, y a la que envolvió en su Casildea de Vandalia, su hazañosa proeza y su locura? ¿No oiría acaso hablar de ti con admiración a esa Casilda, que habría leído la primera parte de tu historia? Todo podría ser.

Pero tú le venciste, para que se vea que la locura generosa da más arrestos y más bríos que la cordura menguada y socarrona, y sobre todo para que el bueno del bachiller por Salamanca aprendiese aquello de *quod natura non dat, Salmantica non praestat*, vieja verdad a pesar de aquel arrogante lema del escudo de la vieja Escuela, que dice: *Omnium scientiarum princeps, Salmantica docet.*

CAPITULOS XVI y XVII

De lo que sucedió a Don Quijote con un discreto caballero de la Mancha
y
Donde se declara el último punto y extremo adonde llegó y pudo llegar el inaudito ánimo de Don Quijote, con la felicemente acabada aventura de los leones

Acabado este lance se encontró Don Quijote con el discretísimo Don Diego de Miranda, yendo con el cual toparon con los carros de los leones. Y allí fue la estupenda y nunca bien ponderada aventura y cuando Don Quijote exclamó el inmortal: «¿Leoncitos a mí?, ¿a mí leoncitos y a tales horas? Pues por Dios han de ver esos señores que acá los envían si soy hombre que se espanta de leones.» Quiso

convencerle Don Diego con que los leones no iban contra
él, mas despachándolo Don Quijote con que él sabía si iban
o no a él aquellos señores leones y amenazó al leonero si no
les abría la jaula. Pidió el leonero desuncir las mulas y ponerse en salvo, y «¡oh hombre de poca fe! —respondió Don
Quijote—, apéate y desunce y haz lo que quisieres».

¡Maravillosa proeza!, ¡nunca visto valor de Don Quijote,
y valor en seco, sin motivo ni objetivo, valor puro, valor
acendrado! ¿No sería tal vez que mientras Don Quijote
mostraba ostentar así su valentía, por debajo de él el pobre
Alonso el Bueno, agobiado por el desencanto sufrido al no
encontrarse con la suspirada Aldonza, buscaba morir en las
garras y quijadas del león con muerte no tan torturadora
como la que de continuo le estaba dando su amor
desventurado?

Ello fue que no sirvieron ruegos ni razones, sino que Don
Quijote se apeó «temiendo que Rocinante se espantaría con
la vista de los leones..., arrojó la lanza y embrazó el escudo
y desenvainando la espada, paso ante paso, con maravilloso
denuedo y corazón valiente, se fue a poner delante del
carro, encomendándose a Dios de todo corazón y luego a
su señora Dulcinea». Al mismo historiador la arranca expresiones de admiración esta intrepidez singular. Abierta la
jaula, «lo primero que (el león) hizo fue revolverse (en ella),
donde venía echado, y tender la garra y desperezándose
todo; abrió luego la boca y bostezó muy despacio, y con
casi dos palmos de lengua que sacó fuera se despolvoreó los
ojos y se lavó el rostro; hecho esto, sacó la cabeza fuera de
la jaula y miró a todas partes con los ojos hechos brasas, vista y ademán para poner espanto a la misma temeridad.
Sólo Don Quijote lo miraba atentamente, deseando que sal-
tase del carro y viniese con el a las manos, entre las cuales
pensaba hacerle pedazos», mientras acaso esperase en tanto
el pobre Alonso el Bueno que entre las garras de la bestia
acabase de sufrir su pobre y llagado corazón y se deshiciese
en él la imagen de aquella Aldonza, suspirada doce años.
«Pero el generoso león, más comedido que arrogante, no haciendo caso de niñerías ni de bravatas, después de haber mi-

rado a una y otra parte, como se ha dicho, volvió las espaldas y enseño sus partes traseras a Don Quijote, y con
gran flema y remanso se volvió a echar en la jaula.»

¡Ah condenado Cide Hamete Benengeli, o quienquiera
que fuese el que escribió tal hazaña, y cuán menguadamen-
te la entendiese! No parece sino que al narrarla te soplaba
al oído el envidioso bachiller Sansón Carrasco. No, no fue
así, sino lo que en verdad pasó es que el león se espantó o
se avergonzó más bien al ver la fiereza de nuestro Caballero, pues Dios permite que las fieras sientan más al vivo que
los hombres la presencia del poder incontrastable de la fe.
O ¿no sería acaso que el león, soñando entonces en la leona
recostada, allá en la arenas del desierto, bajo una palmera,
vio a Aldonza Lorenzo en el corazón del Caballero? ¿No fue
su amor lo que le hizo a la bestia comprender el amor del
hombre y respetarle y avergonzarse ante él?

No, el león no podía ni debía burlarse de Don Quijote,
pues no era hombre, sino león, y las fieras naturales, como
no tienen estragada la voluntad por pecado original alguno, jamás se burlan. Los animales son enteramente serios y
enteramente sinceros, sin que en ellos quepa socarronería ni
malicia. Los animales no son bachilleres, ni por Salamanca
ni por ninguna otra parte, porque les basta lo que la naturaleza les da.

Lo que le pasó al león, enjaulado entonces como en un
tiempo lo estuvo Don Quijote, es que al ver a éste se avergonzó, y que esto debió ser así nos lo prueba y corrobora
el que ya en otra ocasión, siglos antes, se había otro león
avergonzado ante otro hazañoso caballero, el Cid Ruy Díaz
de Vivar, según nos lo cuenta su viejo romance (*Poema del
Cid,* versos 2.278 a 2.301). El cual dice que estando el Cid
en Valencia con todos sus vasallos y sus yernos los infantes de
Carrión, y durmiendo el Campeador en un escaño, salióse de
la red y desató el león, sembrando miedo en la corte. Despertó el que en buena hora nació, y al ver lo que acontecía.

Mió Cid fincó el cobdo, en pie se levantó,
el manto tras al cuello e adeliño pora león.

> el león quando lo vió, assí envergonçó;
> ante mió Cid la cabeça premió e el rostro fincó.
> Mió Cid don Rodrigo al cuello lo tomó,
> e liévalo adestrando, en la red le metió.
>
> (2.296-2.301.)

Así ante Don Quijote, nuevo Cid Campeador, «envergonzó» el león, que acaso fuera uno de los dos que hoy figuran en nuestro escudo de armas, y el avergonzado ante el Cid el otro.

Aún insistió Don Quijote en que se irritase al león, más el leonero le convenció de que no debía hacerse. Y fue entonces cuando el Caballero pronunció aquellas profundísimas palabras de «bien podrán los encantadores quitarme la ventura, pero el esfuerzo y el ánimo será imposible». Y ¿qué más hace falta?

Y no se me venga ahora aquí diciendo que me aparto del puntualísimo texto del historiador, porque es preciso entender bien en que no puede uno apartarse de él sin muy grave temeridad y aun peligro de su conciencia, y en que somos libres de interpretarlo a nuestro sabor y consejo. En cuanto se refiere a los hechos, y aparte los evidentes errores de copista —rectificadores todos— no hay sino acatar la infalible autoridad del texto cervantino. Y así debemos creer y confesar que el león volvió las espaldas a Don Quijote y se volvió a echar en la jaula. Pero que fue por comendimiento y que considerase ñoñerías y bravatas las de Don Quijote y que no lo hiciese por vergüenza al ver su valor, o ya compadecido de su amor desgraciado, es una libre interpretación del historiador, que no vale sino, por la autoridad personal y puramente humana del historiador mismo. Sucede con esto como con el comentario que pone al discurso de los cabreros, llamándolo «inútil razonamiento», y que es una glosa desdichada que se ha interpolado en el texto.

Hago estas prevenciones porque no quiero, he de repetirlo una vez más, que se me confunda con la perniciosa y pestilente secta de los hombres vanos e hinchados de huera ciencia histórica, que se atreven a sostener que no hubo tales Don Quijote y Sancho en el mundo, y otras atroces osadías semejantes a que les lleva su desmedido afán de lograr notoriedad sosteniendo novedades y singularidades. Y ved aquí cómo el mismo noble impulso de dejar nombre y fama que movió a Don Quijote a llevar a cabo sus hazañas, les mueve a otros a negarlas. ¡Qué abismo de contradicciones es el hombre!

Y volviendo a nuestra historia, hemos de añadir que luego de avergonzado el león, y al explicar Don Quijote a Don Diego de Miranda su aparente locura en tal proeza, descubrió una vez más la raíz de ella al declarar que andaba a la busca de tan arriesgadas aventuras «sólo por alcanzar gloriosa fama y duradera», y explicó, con atinadísimas razones, cómo debe el caballero dar en temerario —pues reconoció ser «temeridad exorbitante» lo del león—, ya que «es más fácil dar el temerario en verdadero valiente que no el cobarde subir a la verdadera valentía, y en esto de acometer aventuras... antes se ha de pecar por carta de más que de menos». ¡Concertadísimas y muy cuerdas razones con las que se justifica todo exceso ascético o heroico!

Conviene también pararse a considerar cómo esta aventura del león fue una aventura, por parte de Don Quijote, de acabada obediencia y de perfecta fe. Cuando el Caballero topó al azar de los caminos con el león aquél fue sin duda alguna, porque Dios se lo enviaba a él; y su fortísima fe le hizo decir que él sabía si iban o no a él aquellos señores leones. Y con sólo verlos entendió la voluntad del Señor y obedeció según la tercera y más perfecta manera de obedecer que hay, según Iñigo de Loyola —véase el cuarto aviso que dictó sobre esto, según lo trae el P. Rivadeneira en el capítulo IV del libro V de la *Vida*— y es «cuando haga esto o aquello sintiendo alguna señal del Superior, aunque no me lo mande ni lo ordene». Y así Don Quijote, en cuanto vio al león, sintió la señal de Dios, y arremetió sin prudencia alguna, pues, como decía el mismo Loyola —véase el mismo capítulo antedicho—, «la prudencia no se ha de pedir tanto al que obedece y ejecuta cuanto al que manda y ordena». Y Dios quiso, sin duda, probar la fe y obediencia de Don Quijote como había probado la de Abraham mandándole subir al monte Moria a sacrificar a su hijo (Gen., cap. XXII).

CAPITULOS XVIII, XIX, XX, XXI, XXII y XXIII

Que tratan de los que sucedió a Don Quijote en casa del Caballero del Verde Gabán, de la aventura del pastor enamorado, de las bodas de Camacho, y en los dos últimos de la aventura de la cueva de Montesinos que está en el corazón de la Mancha, y de las admirables cosas que el extenuado Don Quijote contó que había visto «en ella»

Llegaron a casa de Don Diego, conoció allí Don Quijote al hijo de aquél, Don Lorenzo, y al oírle negar que hubiese habido caballeros andantes no trató ya de sacarle de su engaño, sino que propuso rogar al cielo le sacase de él. ¡Ah mi pobre Caballero, y cómo te ha dejado el encantamiento de tu Dulcinea!

Tras esto ocurrió lo de las bodas de Camacho, en que nada hay que notar, y después se dirigió Don Quijote a la cueva de Montesinos, que está en el corazón de la Mancha.

Antes de hundirse en ella, «hizo una oración en voz baja, pidiendo a Dios le ayudase y le diese buen suceso en aquella al parecer peligrosa y nueva aventura, y en voz alta dijo luego: ¡Oh señora de mis acciones y movimientos, clarísima y sin par Dulcinea del Toboso, si es posible que lleguen a tus oídos las plegarias y rogaciones deste tu venturoso amante, por tu belleza te ruego las escuches, que no son otras que rogarte no me niegues tu favor y amparo ahora que tanto lo he menester!» Ved cómo a canto de meterse en tan inaudito empeño ruega primero a Dios y a Dulcinea luego; a Dios en voz baja y a Dulcinea en alta voz. Con Dios primero, sí, pero a solas, que no necesita de que nos desgañitemos para oírnos, pues oye hasta el resollar de nuestro

silencio; mas con Dulcinea nos es menester dar grandes voces
a invocarla a pecho henchido y boca llena, entre los hombres.

Y prosiguió diciendo Don Quijote: «Yo voy a despeñar-
me, e empozarme y a hundirme en el abismo que aquí se
me representa, sólo porque conozca el mundo que si tú me
favoreces no habrá imposible a quien yo no acometa y acabe.» Amad a Dulcinea y no habrá imposible que se os resista y tese. ¡Ahí está el abismo: dentro de él!

«Y diciendo esto, se acercó a la sima, vio no ser posible
descolgarse ni hacer lugar a la entrada si no era a fuerza de
brazo o a cuchilladas, y así, poniendo mano a la espada, comenzó a derribar y a cortar de aquellas malezas que a la
boca de la cueva estaban, por cuyo ruido y estruendo salieron por ella una infinidad de grandísimos cuervos y grajos, tan espesos y con tanta priesa, que dieron con Don Quijote en el suelo; y si fuera tan agorero como católico cristiano, lo tuviera a mala señal y excusara de encerrarse en
lugar semejante.» Parémonos a considerarlo.

Si te empeñas en empozarte y hundirte en la sima de la
tradición de tu pueblo para escudriñarla y desentrañar sus
entrañas, escarbándola y zahondándola hasta dar con su
hondón, se te echarán al rostro los grandísimos cuervos y
grajos que anidan en su boca y buscan entre las breñas de
ella abrigo. Tendrás primero que derribar y cortar las malezas que encubren a la cueva encantada, o más bien tendrás que desescombrar su entrada, obstruída por escombros. Lo que llaman tradición los tradicionalistas no son
sino rastrojos y escurrajas de ella. Los grandísimos cuervos
y grajos que guardan la boca de esa sima encantada, y en
la que fraguaron sus encondrijos, jamás se empozaron ni
hundieron en las entrañas de la sima, y se atreven, no em-
bargamente, a graznar diciéndose moradores de su interior.
La tradición por ellos invocada no lo es de verdad; se dicen
voceros del pueblo y nada hay de esto. Con el machaqueo
de sus graznidos han hecho creer al pueblo que cree lo que
no cree, y es menester empozarse en las entrañas de la sima
para sacar de allí el alma viva de las creencias del pueblo.

Y antes de hundirse y empozarse uno en esa sima de las

verdaderas creencias y tradiciones del pueblo, no las del carbonero de la fe, tiene que derribar y cortar las malezas que cubren su entrada. Cuando lo hagáis os dirán que queréis cegar la cueva y taparla a los moradores de ella; os llamarán malos hijos y descastados y todo cuanto se les ocurra. Haced oídos sordos a graznidos tales.

Y allí, en la cueva, gozó Don Quijote de visiones que se dejan muy a la zaga a las más maravillosas de que otros hayan gozado, sin que sea menester repetir aquí lo de que, si a uno se le aparece un ángel en sueños, es que soñó que se le aparecía un ángel. Invito al lector a que relea, en el capítulo XXIII de la segunda parte, el relato de las asombrosas visiones de Don Quijote, y juzgando como debe juzgarse, por el contento y deleite que de su lectura reciba, me diga luego si no son más fidedignas que otras no menos asombrosas con que dicen que Dios regaló a siervos suyos, soñadores en la profunda cueva encantada del éxtasis. Y no sirve sino creer a Don Quijote, que siendo hombre incapaz de mentir, afirmó que lo por él contado lo vio por sus propios ojos y lo tocó con sus mismas manos, y esto baste y aun sobre. Sancho quiso negar la verdad de tales visiones, y más cuando oyó decir a su amo que vio a Dulcinea encantada en la moza labradora que aquél le había mostrado, mas Don Quijote respondió sesudamente: «Como te conozco, Sancho, no hago caso de tus palabras.» Ni debemos nosotros tampoco hacer caso de palabras sanchopancescas cuando de rendir fe a visiones se trate.

CAPITULO XXIV

Donde se cuentan mil zarandajas tan impertinentes como necesarias al verdadero entendimiento desta grande historia

Al llegar a esta aventura de visión se cree el historiador obligado a dudar de su autenticidad, mostrando en ello su poca fe, y hasta se propasa a suponer que al tiempo de morir se retractó de ella Don Quijote y dijo que «la había in-

ventado por parecerle que convenía y cuadraba bien con las
aventuras que había en su historia». ¡Oh menguado historiador, cuán poco se te alcanza de achaque de visiones!

Sin duda no leíste, o si lo leíste, pues se publicó veintidós
años antes que tú publicases la historia de Don Quijote,
no meditaste bien el libro de la *Vida del bienaventurado
P. Ignacio de Loyola,* del P. Pedro de Rivadeneira, quien
en el capítulo VII del libro I nos cuenta las visiones del
caballero andante de Cristo y cómo «se le representó la manera que tuvo Dios en hacer el mundo» y «vio la sagrada
humanidad de Nuestro Redentor Jesucristo, alguna vez
también a la gloriosísima Virgen» y otras maravillosas visiones, entre ellas la del demonio, que se le apareció muchas veces, «no sólo en Manresa y en los caminos, sino en
París también y en Roma; pero su semblante y aspecto...
era tan apocado y feo, que no haciendo casi dél, con el
báculo que traía en la mano, fácilmente le echaba de
sí».

De los que nieguen tales visiones y digan que son
imposibles, digamos lo que de ellos dice el piadosísimo
P. Rivadeneira, y es que «serán comúnmente hombres que no
saben, ni entienden, ni han oído qué cosa sea espíritu,
ni gozo, ni fruto espiritual..., ni piensan que hay otros pasa-
tiempos y gustos, ni recreaciones, sino las que ellos, de noche y de día, por mar y por tierra, con tanto cuidado y so-
licitud y artificio buscan para cumplir con sus apetitos y
dar contento a su sensualidad. Y así, no hay que hacer caso
de ellos». ¡Prudentísimas palabras que debía de conocer y
haber leído Don Quijote, pues contestó a Sancho lo de:
«¡Como te conozco, Sancho, no hago caso de tus palabras!»

Con gran acierto trae a colación aquí el P. Rivadeneira
lo del Apóstol (I Cor., II), de que los hombres carnales no
son quién para juzgar de las cosas y visiones de los espirituales, y se consuela el buen Padre con que había también
«cristianos y cuerdos, y leídos en historias y vidas de Santos», que aunque entienden que en cosas de visiones «es menester mucho tiento, porque puede haber engaño y muchas
veces le hay», no por eso ha de dejarse de darles crédito.

Conviene que el lector lea las razones todas que aduce el piadoso Padre historiador de Iñigo de Loyola para convencernos de la verdad de las visiones de éste, pues quien tan
grandes obras llevó a cabo, bien pudo ver lo que vio, y si
«necesariamente habemos de conceder lo que es más, con-
cedamos lo que es menos, y entendamos que todos los ra-
yos y resplandores que vemos en las obras que hizo, salieron destas luces y visitaciones divinas». ¿Cómo, en efecto,
negaremos que vio lo que vio Don Quijote en la cueva de
Montesinos, siendo Caballero incapaz de mentir, y habiendo arremetido a molinos y yangüeses, enzarzado a sus burladores en defender lo del yelmo, vencido al Caballero de
los Espejos y averzongado al león? El que estas y otras no
menos asombrosas hazañas llevó a cabo, bien pudo ver en
la cueva de Montesinos cuanto se le antojara ver en ella. Y
si lo vio, de lo cual no debe cabernos duda, ¿qué diremos
de la realidad de sus visiones? Si la vida es sueño, ¿por qué
hemos de obstinarnos en negar que los sueños sean vida?
Y todo cuanto es vida es verdad. Lo que llamamos realidad, ¿es algo más que una ilusión que nos lleva a obrar y
produce obras? El efecto práctico es el único criterio vale-
dero de la verdad de una visión cualquiera.

CAPITULO XXV

Donde se apunta la aventura del rebuzno y la graciosa del
titerero, con las memorables adivinanzas del mono adivino

De allí continuaron su camino, ardiendo Don Quijote en
deseos de saber para qué llevaba armas un hombre que se
les adelantó, y como rehusara éste darle cuenta de ello hasta que acabase de dar recado a su bestia, ayudóle a ello Don
Quijote, ahechándole la cebada y limpiando el pesebre, maravilloso ejemplo de humildad que no suele ser lo mentado
que merece serlo. Y ésta es, sin duda, una de las grandes
aventuras de nuestro Caballero: la de haber ahechado ce-

bada y limpiado el pesebre, no más, al parecer, que por oír pronto un relato deleitoso, el relato de los regidores rebuznantes.

Y como no está bien el creer que sólo por oír tal cosa se redujera Don Quijote a ejercer menesteres tan impropios de su oficio de caballero andante, hemos, por fuerza, de suponer lo hizo para ejercitar su humildad y ejercitarla sencillamente y buscando un pretexto, con lo que evitó la soberbia del humilde. No se las echó de tal, ni hizo ostentación de humildad, sino que pura y sencillamente, como quien hace la cosa más natural y corriente del mundo, y sin concederle importancia al acto, con aquellas manos que alancearon molinos, libertaron galeotes, vencieron al vizcaíno y al Caballero de los Espejos, y esperaron, sin temblar, al leoncito, con aquellas mismas manos ahechó cebada y limpió el pesebre, dando por razón aquellas sencillísimas palabras de: «No quede por eso, que yo os ayudaré a todo.»

Lo hizo más sencillamente aún que Iñigo de Loyola después de haber recibido el cardo de Prepósito general de la Compañía que formó, cuando «se entró en la cocina y en ella por muchos días sirvió de cocinero e hizo otros oficios bajos de casa», porque Iñigo lo hacía con intención de enseñar, «para provocar a todos con su ejemplo al deseo de la verdadera humildad» —dice el P. Rivadeneira, libro III, capítulo II—, y en Don Quijote no hubo ni esa segunda intención de aleccionar a otros, sino pura y simplemente ahechó la cebada y limpió el pesebre como si fuera cosa suya, como la violeta perfuma y el ruiseñor canta. «No quede por eso, que yo os ayudaré a todo.»

«Yo os ayudaré a todo», es lo que dice Don Quijote a todo hombre sencillo y limpio de segundas intenciones.

En esta aventura se ve acaso más que en otra alguna cómo era el espíritu de Alonso Quijano, a quien sus virtudes le valieron el sobrenombre de Bueno, el espíritu que guiaba al de Don Quijote, y cómo en la bondad del hombre está la raíz del heroísmo del Caballero. ¡Oh mi señor Don Quijote, y cuán grande te me apareces ahechando cebada y limpiando el pesebre, sin ostentación alguna de hu-

mildad y como si tal cosa hicieras! A bueno es a lo que na
die te ha ganado, a sencillamente bueno. Y por eso tienes
un altar en el corazón de todos los buenos que no en tu locura, sino en tu bondad paran su vista. Tú mismo, mi señor, cuando quisiste alabar a tu escudero le llamaste por de
pronto y ante todo Sancho bueno, y luego discreto, cristiano y sincero. Es lo que hay que ser en el mundo, señor mío,
sencillamente bueno, bueno a secas, bueno sin adjetivo ni
teologías, ni aditamento alguno, bueno y no más que bueno. Y si tan noble dictado se confunde con el de tonto, tú
llegaste, en tu bondad, hasta la locura entre tantos cuerdos
burladores; es decir, malos. Porque en nada como en la burla se conoce la maldad humana, y el demonio es el gran burlador, el emperador y padre de los burladores todos. Y si
la risa puede llegar a ser santa y libertadora, y, en fin, buena, no es ella risa de burla, sino risa de contento.

CAPITULO XXVI

*Donde se prosigue la graciosa aventura del titerero, con
otras cosas en verdad harto buenas*

Encontrándose Don Quijote en la venta, y después de haber oído el relato de los alcaldes rebuznantes, fue cuando
llegó maese Pedro con el mono adivino y el retablo de la
libertad de Melisendra. Pasmado Don Quijote al ver que
maese Pedro, luego que oyó al mono, le conoció, lo tuvo
por cosa demoníaca y pasó después a ver el retablo y asistir
a la representación de la libertad que a Melisendra dio su
esposo Don Gaiferos.

Salieron allí entonces Carlo Magno y Roldán, el alcázar
de Zaragoza, moros, Marsillo de Sansueña, Don Gaiferos...
Y cuando llevándose éste a su esposa Melisendra partió en
su seguimiento lucida caballería, púsose en pie Don Quijote, acudió en ayuda de Don Gaiferos después de pronunciado su discurso a los perseguidores, a estilo homérico, «y
comenzó a llover cuchilladas sobre la titerera morisma,

derribando a unos, y descabezando a otros, estropeando a éste, destrozando a aquél, y entre otros muchos tiró un altibajo tal, que si maese Pedro no se abaja, se encoje y se agazapa, le cercenara la cabeza con más facilidad que si fuera hecha de masa de mazapán».

¡Brava y ejemplarísima pelea! ¡Provechosa lección! Y no servía que maese Pedro advirtiese a Don Quijote que aquellos que derribaba, destrozaba y mataba no eran verdaderos moros, sino unas figurillas de pasta, pues no por eso dejaba de menudear aquél cuchilladas. Y hacía bien, muy requetebién. Arman los maeses Pedros sus retablos de farándula y pretenden que por ser las de ellos figurillas de pasta, declaradas tales, se les respete. Y lo que el Caballero andante debe derribar, descabezar y estropear es lo que, a título de ficción, hace más daño que el error mismo. Porque es más respetable el error creído que no la verdad en que no se cree.

«Mire, señor, que no haga el ridículo, ni se meta a perseguir figurillas de retablo; que estamos todos en el secreto, y es éste un juego de compadres en que a nadie engaña; mire que aquí no se trata sino de pasar el tiempo y hacer que hacemos, y ni Carlo Magno es Carlo Magno, ni Roldán, Roldán, ni Don Gaiferos es tal Don Gaiferos, y aquí a nadie se embauca, sino que se deleita y regocija a la galería, que aunque finge creer la comedia, tampoco la cree en verdad; mire, señor, no malgaste sus energías en pelear con figurillas de pasta...»

Pues porque son de pasta las figurillas y estamos en ello todos —respondo— es por lo que hay que descabezarlas y destrozarlas, pues nada más pernicioso que la mentira por todos consentida. Todos estamos en el secreto, secreto a voces; todos sabemos, y nos lo decimos al oído los unos a los otros, que el tal Don Gaiferos no es Don Gaiferos, ni hay tal libertad de Melisendra, y si es así, ¿por qué duele e irrita que se encarame uno a la pingorota de la torre más alta del pueblo y grite desde ella a voces, como vocero de la sinceridad, lo que todos se dicen al oído, derribando, descabezando y estropeando así al embuste? Hay que limpiar el mundo de comedias y de retablos.

Y acude maese Pedro cariacontecido y exclama: «Mire, pecador de mí, que me destruye y echa a perder toda mi hacienda.» Pues no vivas de eso, Ginesillo de Pasamonte; es lo que le debemos responder. Trabaja y no armes retablos. Y en resolución, digamos con Don Quijote: «¡Viva la andante caballería sobre cuantas cosas hoy viven en la tierra!» ¡Viva la andante caballería y muera la farándula!

¡Muera la farándula! Hay que acabar con los retablos todos, con las ficciones sancionadas. Don Quijote, tomando en serio la comedia, sólo puede parecer ridículo a los que toman en cómico la seriedad y hacen de la vida teatro. Y en último caso, ¿por qué no ha de entrar en la representación y formar parte en ella el descabezamiento, estropicio y destrozo de los comediantes de pasta? Es fuerte cosa que se quejen de quien toma en serio la comedia los que representan ésta lo más seriamente del mundo, y ponen todo su cuidado en que no se falte una tilde a las reglas del arte cómico. Porque habréis observado, buenos lectores, que nada hay más insoportable que la exigencia de que se guarden estrechamente los ritos, etiquetas y rúbricas de las cosas de pura representación, y que sean los que se dan de maestros de ceremonias los que menos respeten la verdadera seriedad de la vida. Sabrá muy bien cuándo se debe llevar corbata negra y cuándo blanca, hasta qué hora levita y desde qué hora fraque, y qué tratamiento debe dársele, pero este mismo no sabrá por dónde buscar a su Dios, ni cuál es su destino último. Y no hablemos de los que, rebelándose contra la ética, quieren imponernos la tiranía de la estética y sustituir a la conciencia moral con esa quisicosa que llaman el buen gusto. Cuando empiezan a prevalecer tales doctrinas, los obreros tienen que declararse cursis.

Tratando Teresa de Jesús, en el capítulo XXXVII de su *Vida*, de cómo «no cumple perder punto en puntos de mundo» por no dar «ocasión a que se sientan los que tienen su honra puesta en estos puntos» y de los que dicen que «los monasterios han de ser corte de crianza», dice que no puede entender esto. Agrega que ni aun tiempo hay para aprender tales cosas, pues sólo «para títulos de cartas es ya menester haya cátedra adonde se lea cómo se ha de hacer, a manera de decir, porque ya deja papel de una parte, ya de otra, y a quien no se solía poner magnífico hase de poner ilustre». La animosa monja no sabía en qué ha de parar esto, porque no teniendo aún cincuenta años cuando escribía lo transcrito, decía: «En lo que he vivido he visto tantas mudanzas, que no sé vivir.» Y añadía así: «Por cierto yo he lástima a gente espiritual que está obligada a estar en el mundo por algunos santos fines, que es terrible la cruz que en esto llevan. Si se pudieran concertar todos y hacerse ignorantes, y querer que los tengan por tales en estas ciencias, de mucho trabajo se quitarían.» ¡Y de tanto! Los espirituales deben concertarse, en efecto, y hacerse ignorantes en puntos de mundo y querer que los tengan por tales.

Cuando amamos a la verdad sobre todas las cosas, debemos concertanos para ignorar las premáticas y mandamientos de ese dichoso buen gusto con que se la disfraza, y para pisotear las buenas formas y dejar que nos llamen cursis y querer que nos tengan por tales.

Hay una gavilla suelta de faranduleros que llevan prendido en la boca el amomiado credo, herencia de sus bisabuelos, como llevan el escudo de la casa grabado en la sortija o en el puño del bastón, y respetan esas veneradas tradiciones de nuestros mayores como respetan otra antigualla: por bien parecer y hacerse pasar por distinguidos. Es de buen tono y viste muy bien eso que llaman ser conservador. Y esa gavilla de farsantes ha declarado cursilería todo lo que es pasión y arranque y brío y de mal gusto los tajos y mandobles a las titereras y los guiñoles todos que tienen armados. Y cuando esos mamarrachos, alcornoques secos y vacíos, digan y repitan la gran sandez de «lo cortés no quita a lo valiente», salgámosles a la cara y digámosles en ella y en sus barbas, si las tuvieran, que lo cortés quita a lo valiente, y que el verdadero valor quijotesco puede, suele y debe consistir muchas veces en atropellar toda cortesía y aparecer, hasta si preciso fuere, grosero. Sobre todo con los maeses Pedros que viven de retablos.

¿Conocéis cosa más terrible que oír la misa de un cura ateo, que la celebra para cobrar el pie de altar? ¡Muera toda farándula, toda ficción sancionada!

Pasando por León fui a ver y contemplar su primorosa catedral gótica, aquella gran lámpara de piedra, en cuyo seno canturrean los canónigos al son pastoso del órgano. Y contemplando sus mimbreñas columnas, sus altos ventanales de pintadas vidrieras por donde la luz al entrar se destranza y desparrama en colores vivos, y la enramada de nervios que sostiene la bóveda, pensé así: ¡Cuántos deseos silenciosos, cuántos anhelos callados, cuántos pensares recónditos no habrá recibido esta pedernosa fábrica, junto con oraciones cuchicheadas o tan sólo pensadas, con ruegos con imprecaciones, con reconvenciones! ¡Cuántos secretos vertidos en el confesionario! ¡Y si todos estos deseos, anhelos, pensares, oraciones, cuchicheos, ruegos, imprecaciones, requiebros, quejas y secretos, si todo esto empezase a cantar por debajo de la rutinera salmodia litúrgica del coro canónico? En la caja de una vihuela, en sus entrañas, duermen las notas todas que se le arrancaron a ella, así como las notas todas que pasaron junto a ella, rozándola, al pasar en vuelo, con sus alas sonoras; y si todas esas notas, propias y ajenas, que allí duermen, despertaran, estallaría la caja de la vihuela por el empuje de la tempestad sonora. Y así, si despertase todo eso que duerme en el seno de la catedral, vihuela de piedra, y rompiera a cantar todo ello, derrumbándose la catedral, rota por el empuje del clamor inmenso. Las voces, libertadas, buscarían el cielo. Derrumbaríase la catedral de piedra, vencida y agobiada por la violencia del propio esfuerzo al poner a cantar, pero de entre sus escombros, que seguirían cantando, resurgiría una catedral de espíritu, más aérea, más luminosa y a la vez más sólida, una inmensa seo que elevaría al cielo columnas de sentimiento que se ramificaran bajo la bóveda de Dios echando a tierra su peso muerto por arbotantes y contrafuertes de ideas. Y esto no sería comedia litúrgica. ¡Oh, y quién pudiese hacer cantar a nuestras catedrales toda oración, toda palabra, todo pensar y todo sentir que en su seno han acojido! ¡Quién pudiese animarles las entrañas, las entrañas mismas de la encantada cueva de Montesinos!

Volvamos al retablo. Un retablo hay en la capital de mi patria y la de Don Quijote, donde se representa la libertad de Melisendra o la regeneración de España o la revolución desde arriba, y se mueven allí, en el Parlamento, las figurillas de pasta según les tira de los hilos maese Pedro. Y hace falta que entre en él un loco caballero andante, y sin hacer caso de voces derribe, descabece y estropee a cuantos allí manotean, y destruya y eche a perder la hacienda de maese Pedro.

El cual volvió a la carga, y el pobre de Don Quijote, como llevaba en sí al bueno de Alonso el Bueno, convencióse de que todo había sido cosa de encantamiento y ofreció pagar el destrozo. Y harto hizo con pagarlo. Aunque si bien se mira, justo es que al que vive de mentiras, cuando se le han quebrado éstas, se le remedie en lo posible el daño hasta que aprenda a vivir de la verdad. Porque es lo que se dice: si quitáis a los faranduleros la farándula, de la cual tan sólo han aprendido a vivir, ¿cómo vivirán? Y cierto es también que Dios no quiere la muerte del pecador, sino que se convierta y viva, y para que pueda convertirse ha de vivir y para que viva es menester sustentarle.

¡Oh Don Quijote el Bueno, y cuán magnánimamente, después de haber derribado, descabezado y estropeado la mentira pagaste lo que ella valía, dando cuatro reales y medio por el rey Marsilio de Zaragoza, cinco y cuartillo por Carlo Magno, y así por los otros, hasta cuarenta y dos reales y tres cuartillos! ¡Si no costara más hacer añicos el retablo parlamentario y el otro!

CAPITULO XXVII

*Donde se da cuenta de quiénes eran maese Pedro y su mono,
con el mal suceso que Don Quijote tuvo en la aventura del
rebuzno, que no la acabó como él quisiera y lo tenía
pensado*

Luego de eso de maese Pedro, el cual ya sabemos qué pí-
caro era, fue cuando Don Quijote se halló entre la gente armada del pueblo de los rebuznadores e intentó persuadir-
los a que no peleasen por tal niñería, y corroborándolo Sancho, dio en la mala ocurrencia de rebuznar, por donde se
armó la pedrea de que a todo galope salió Don Quijote, encomendándose de todo corazón a Dios, que de aquel peligro le librase.

Y he aquí, al contar esta la primera vez que huye el denodado vencedor del vizcaíno, del Caballero de los Espejos
y del león, del que tantas veces afrontó a tropas de hombres, dice el historiador: «cuando el valiente huye, la su-
perchería está descubierta, y es de varones prudentes guardarse para mejor ocasión». Y ¿cómo iba a hacer frente Don
Quijote a un pueblo que tiene a gala rebuznar? La manera
de expresarse colectivamente un pueblo es un a modo de
rebuzno, aunque cada uno de los que lo componen use de
lenguaje articulado para sus menesteres individuales, pues
sabido es cuán a menudo ocurre que al juntarse hombres
racionales, o semirracionales siquiera, formen un pueblo
asno.

Antes de dictar ordenamiento para regir al pueblo, oi-
gamos su parecer —se dice—, consultémosle. Y es ello
algo así como si un albéitar, en vez de escudriñar a un asno
y tantearle y pulsarle y registrarle para descubrir de qué padece y dónde le duele y de qué remedio ha menester, le con-
sulta y espera a que rebuzne para recetarle, arrogándose el papel
de truchimán de rebuznos. No, sino cuando no se logra
convencer al pueblo rebuznador, huir de él como prudente
y no temerario caballero. Y no hacer caso de los Sanchos
egoístas que se quejan porque no los defendimos cuando

tuvieron el mal acuerdo de rebuznar ante rebuznadores.

Y volvió después de esto Sancho a lo del salario, y Don
Quijote quiso saldar cuentas y despedirle, y entonces es
cuando le dijo aquellas durísimas palabras de «asno eres y
asno has de ser y en asno has de parar cuando se te acabe
el curso de la vida», al oír lo cual rompió a llorar el pobre
escudero y confesó que para ser asno del todo no le faltaba
sino la cola. Y le perdonó al magnánimo Caballero, mandándole procurara ensanchar el corazón. Y fue y es uno de
los más señalados beneficios que Sancho debió y debe a
Don Quijote el de que éste le convenciera y le convenza de
que para ser asno del todo no le faltaba sino la cola. Cola
que no le brotará ni le crecerá mientras siga y sirva a Don
Quijote.

CAPITULO XXIX

De la famosa aventura del barco encantado

Y en esto llegaron a orillas del río Ebro y se encontraron
allí con «un pequeño barco sin remos ni otras jarcias algunas», y ¡es claro!, barco sin remos ni otras jarcias, y atado
a la orilla, ¡aventura al canto! Donde veas algo en facha de
espera, es que te espera a ti, no lo dudes. Y si es barco, mé-
tete en él, desátale y que te lleve a la buena de Dios.

Así hizo Don Quijote, y no bien se habían apartado obra
de dos varas de la orilla, cuando Sancho, que como buen
manchego debía ser hidrófobo, rompió a llorar. Y tan hidrófobo, pues al tentarse para comprobar si habían pasado
la línea equinoccial, en pasando la cual mueren los piojos,
topó, no ya con algo, sino con algos. Y el barco fue a dar
a una aceña, en que se hizo trizas, no sin antes haberse ido
al agua Don Quijote y Sancho.

Y éste sí que es típico dechado de aventuras de obediencia, más aún que la del león. Recuerda lo que siendo general de la Compañía de Jesús, «dijo diversas veces» Iñigo
de Loyola, y es que «si el Papa le mandase que en el puerto

de Ostia entrase en la primera barca que hallase y que sin
mástil, ni gobernalle, sin vela, sin remos, sin las otras cosas
necesarias para la navegación y para su mantenimiento,
atravesase la mar, que lo haría y obedecería, no sólo con
paz, mas aun con contentamiento y alegría de su ánimo»
(Rivadeneira, lib. V, cap. IV).

Y ¿para qué había puesto Dios allí aquel barquichuelo
sino para que, obedeciéndole, embarcase en él Don Quijote
a busca de una aventura desconocida? Nadie sabe qué le es
más propio ni cuál la hazaña (1) que le está reservada.

Tu hazaña, tu verdadera hazaña, la que hará valer tu
vida, no será acaso la que vayas tú a buscar, sino la que venga a buscarte, y ¡ay de los que van en busca de la dicha
mientras está llamando a las puertas de su casa! Por algo
se dijo lo de que las más grandes obras son obras de
circunstancia.

CAPITULO XXX

De lo que le avino a Don Quijote con una bella cazadora

Ahora empiezan las tristes aventuras de Don Quijote en
casa de los Duques; ahora es cuando topó con la bella ca-
zadora, la Duquesa, que le llevó a su morada a regocijarse
con él y burlarse de su heroísmo; ahora empieza la pasión
del Caballero en poder de sus burladores. Aquí es donde
la historia de nuestro ingenioso hidalgo se hunde en des-
peñaderos de lamentable miseria; aquí es donde a su mag-
nanimidad y discreción responden la bellaquería y sandez
de aquellos próceres que creían, sin duda, nacidos los héroes para divertirlos y servirles de juguetes y zarandillos.
¡Oh desdichado, que caminas al templo de la fama y corres

---

(1) Sentí por un momento la tentación de añadir «ni la aceña» diciendo «ni cuál la hazaña ni la aceña que le está reservada», pero he vencido pronto la tentación ésa. Odio los calembures y juegos de palabras,
que revelan el más menguado y más despreciable ingenio.

tras la inmortalidad de la gloria; mira que si los grandes de
la tierra te agasajan y miman y regalan, es para que ador-
nes sus mansiones o para divertirse contigo como con un
juguete! Tu presencia no es sino ornato de su mesa y figuras en ella como figuraría una fruta rara o el último ejemplar de un pajarraco que se extingue. Cuando más parecen
reverenciarte, más se burlan de ti. Mira que en el fondo no
hay soberbia como la soberbia de aquellos que no pueden
atribuir a propio mérito, sino al azar del nacimiento las
preeminencias de que gozan. No seas juguete de los grandes. Recorre la historia y ve en lo que vinieron a dar los
héroes que se redujeron a ser ornamento de los salones.

CAPITULO XXXI

Que trata de muchas y muy grandes cosas

Recibieron de solemne burla a Don Quijote en casa de
los Duques, vistiéronle a usanza caballeresca y le llevaron a
comer.

Y allí fue donde se encontró, en la mesa, con aquel «grave eclesiástico destos que gobiernan las casas de los princi-
pes; destos que, como no nacen príncipes, no aciertan a enseñar cómo han de ser los que lo son; destos que quieren
que la grandeza de los grandes se mida con la estrechez de
sus ánimos», y el cual enderezó a Don Quijote, llamándole
Don Tonto, aquella representación áspera y desabrida reco-
mendándole se volviese a su casa a criar a sus hijos si los
tenía, y a curar de su hacienda, dejando de andar vagando
por el mundo y dando que reír a cuantos le conocían y no
conocían.

¡Oh, y cómo dura y persiste y no acaba en nuestra España la ralea de estos graves y sesudos eclesiásticos que quieren que la grandeza de los grandes se mida con la estrechez
de sus ánimos! ¡Don Tonto! ¡Don Tonto! ¡Y cómo te viste
tratar, mi loco sublime, por aquel grave varón, cifra y com-

pendio de la verdadera tontería humana! El grave eclesiástico no debía de haber leído los Evangelios ni debía de conocer aquel sermón que Jesús desde la montaña, en que
dijo: «Cualquiera que dijere a su hermano "raca" será cul-
pado del concejo, y cualquiera que le dijere tonto será reo
del infierno del fuego» (Mateo, V, 22). Reo se hizo, pues,
del infierno del fuego, por haber llamado a Don Quijote
tonto.

Ya estás, señor mío, frente a la encarnación del sentido
común. Y no nos quepa duda de que, si Cristo Nuestro Señor hubiese en tiempo de Don Quijote vuelto al mundo,
o si hoy volviese a él, formaría aquel grave eclesiástico entonces o formarían hoy sus sucesores entre los fariseos, que
le reputarían por loco o dañino agitador y le buscarían nueva muerte afrentosa.

CAPITULO XXXII

De la respuesta que dio Don Quijote a su reprensor, con otros graves y gracioso sucesos

Pero a fe que si fue desabrida la reprimenda, también
fue estupenda la réplica de Don Quijote a ella, tal cual en
este capítulo se contiene. No hay sino releerla. No hay sino
leer la soberana lección a los que «sin haber visto más mundo que el que puede contenerse en veinte o treinta leguas
de distrito» se meten de rondón a dar leyes a la caballería
y a juzgar de los caballeros andantes.

«Mis intenciones siempre las enderezo a buenos fines,
que son de hacer bien a todos y mal a ninguno; si el que
esto entiende, si el que esto obra, si el que desto trata merece ser llamado bobo, díganlo vuestras grandezas», exclamó Don Quijote. Pero es que se las había con uno de esos
hombres de voluntad mezquina y de corazón estrecho que
han inventado lo de que hay ideas buenas e ideas malas, y
se empeñan en ser definidores de la verdad y del error, y

en que se siguen al mundo grandes males de que los hombres crean las visiones de la cueva de Montesinos y no otras visiones no menos visionarias que ellas. Los tales, locos, o mejor, menguados de corazón, no de cabeza, no hacen sino perseguir a los que tienen por locos de la cabeza y entercarse en hacernos creer que traen perdido al mundo los caballeros andantes que enderezan sus intenciones a buenos fines, crean lo que creyeren, y no los graves eclesiásticos que miden la grandeza de los grandes con la estrechez de sus ánimos. Como sus seseras resecas y amojamadas son incapaces de parir imaginación alguna, atiénense, como a inmovible norma de conducta, a las empedernidas y encontradas imágenes que en depósito recibieron, y como no saben abrirse sendero a campo traviesa y por la espesura de la selva, fija en la estrella norte la mirada, obtínanse en que vayamos los demás en su desvencijado carro por las roderas del camino de servidumbre pública. Esas gentes no hacen sino censurar a los que de veras hacen algo. Cuando alguien tiene cuita, acude a los caballeros andantes y no a ellos, ni «al perezoso cortesano que antes busca nuevas para referirlas y contarlas que procurar hacer obras y hazañas para que otros las cuenten y las escriban», como dirá más adelante el mismo Don Quijote cuando se le presente Trifaldín, el heraldo de la Dueña Dolorida.

Dijo muy bien Don Quijote: «Si me tuvieran por tonto los caballeros, los magníficos, los generosos, los altamente nacidos, tuviéralo por afrenta irreparable; pero de que me tengan por sandio los estudiantes que nunca entraron ni pisaron las sendas de la caballería no se me da un ardite». Razones dignas del Cid, quien, según el sabio romance, cuando aquel monje bernardo se atrevió a hablarle en lugar del rey Alfonso, platicando en el claustro de San Pedro de Cardeña:

> ¿Quién vos mete, dijo el Cid, en el consejo de guerra,
> fraile honrado, a vos agora, la vuesa cogulla puesta?
> Subid vos a la tribuna, y rogad a Dios que venzan,
> que non venciera Josué si Moisén non lo ficiera.
> Llevad vos la capa al coro, yo el pendón a la frontera.

....

que más de aceite que sangre, manchando el hábito
muestra,

reprimenda que hizo exclamar al rey lo de:

Cosas tenedes, el Cid, que farán fablar las piedras,
pues por cualquier niñeria facéis campaña la iglesia.

Y cuando los graves eclesiásticos no pueden con los caballeros andantes, vuélvense a sus escuderos. Pero también
Sancho sabe responder: «soy quien júntate a los buenos, y
serás uno de ellos..., yo me he arrimado a buen señor y ha
muchos meses que ando en su compañía, y he de ser otro
como él, Dios queriendo». Y lo querrá Dios, Sancho bueno, Sancho discreto, Sancho cristiano, Sancho sincero, lo
querrá Dios. ¡Tú lo dijiste: júntate a los buenos! Porque tu
amo fue y es y será bueno, ante todo y sobre todo bueno,
y en pura fuerza de bondad loco, y su locura le ha merecido gloria en el mundo mientras éste dure, y gloria también en la eternidad. ¡Oh Don Quijote, mi San Quijote! Sí,
los cuerdos canonizamos tus locuras, y que los graves eclesiásticos de ánimo estrecho se excusen de reprender lo que
no pueden remediar. «Y sin decir más ni comer más, se
fue», dice el historiador refiriéndose al grave eclesiástico.
¡Se fue!... ¡Oh, si pudiéramos decir siempre lo mismo!...
Recordemos aquí, lector, que esta reprimenda del grave
eclesiástico a Don Quijote no deja de tener parentesco con
la reprimenda que el vicario del convento de dominicos de
San Esteban, de Salamanca, de esta Salamanca en que escribo y en que se graduó el bachiller Sansón Carrasco, enderezó a Iñigo de Loyola según nos cuenta su historiador
en el capítulo XV del libro I de su *Vida*. Cuando le invi-
taron a que fuese a aquella casa, pues los frailes tenían gran
deseo de oírle y de hablarle, y fue, y después de haber comido lo llevaron a una capilla y preguntó el vicario a Ignacio en qué estudios se había criado y qué género de letras había profesado, y dijo luego: «Vosotros sois unos sim-

ples idiotas, y hombres sin letras, como vos mismo confesáis; pues ¿cómo podéis hablar seguramente de las virtudes y de los vicios?» Y luego encerraron a Ignacio y sus compañeros, y de allí los llevaron a la cárcel. Loyola, por su parte, «en más de treinta años nunca llamó a nadie bobo, ni dijo otra palabra de que se pudiese agraviar», según su biógrafo, en el capítulo VI del libro V de su *Vida*.

¿Cómo, sin licencia, ni título, ni grados conferidos por tribunal ordinario, cómo se atrevía así Ignacio a hablar de la virtud y del vicio? Y a Don Quijote, ¿quién le dio licencia para meterse a caballero andante, o con qué derecho se entremetía a enderezar tuertos y corregir abusos, aunque no lo hicieren los graves eclesiásticos que para hacerlo cobraban sus salarios? Ni el vicario del monasterio de San Esteban, de Salamanca, ni el grave eclesiástico que gobernaba la casa de los Duques sufrían que se saliese nadie del oficio que la sociedad les tuviera asignado. ¿Qué orden puede haber, en efecto, si no se atiende y atempera cada uno a lo que se le pide y no más allá que a ello? Cierto que no cabría así progreso, pero el progreso es fuente y raíz de muchos males. Bien se dijo lo de ¡zapatero, a tus zapatos! Ignacio habría hecho mejor en seguir la carrera a que sus padres le dedicaron, o por lo menos no meterse a predicar hasta quedarse graduado de teólogo, y Don Quijote debía haberse casado con Aldonza Lorenzo para criar a sus hijos y cuidar de su hacienda. Ambos graves eclesiásticos, el de casa de los Duques y el del convento de San Esteban, de Salamanca, fueron predecesores de aquel que escribió en el Catecismo: «Eso no me lo preguntéis a mí, que soy ignorante; doctores tiene la Santa Madre Iglesia que os sabrán responder.»

«Buenos estamos —como dijo el vicario de Salamanca—; tenemos el mundo lleno de errores, y brotan cada día nuevas herejías y doctrinas ponzoñosas; y vos no queréis declararnos lo que andáis enseñando...» Medrados estamos, en efecto, si ha de salir por ahí cada uno a su antojo, éste enderezando entuertos y aquél predicando, el uno alanceando molinos y el otro fundando Compañías. ¡Al carril, al carril todos! ¡Sólo en el carril hay orden! Y lo estupendo es que sea ésta hoy la doctrina de los que se dicen hijos del reprendido en el convento de San Esteban y herederos de su espíritu.

Acabada la comida en casa de los Duques, siguió la burla, no tan amarga ni burlesca como la gravedad del grave eclesiástico, y fue lo triste que fueron ya las doncellas las que, sin contar con sus amos los Duques, se propasaron a añadir burlas de su propia cuenta a las burlas tramadas por aquéllos. «Ni él ni yo sabemos de achaques de burlas», dijo Don Quijote refiriéndose a Sancho. Y era verdad, pues jamás se vio loco más serio que Don Quijote. Y cuando la locura se acompaña a la seriedad, reálzase y se eleva mil codos sobre la cordura retozona y burladora.

CAPITULO XXXIII

De la sabrosa plática que la Duquesa y sus doncellas pasaron con Sancho Panza, digna de que se lea y de que se note

Entre burlas y regocijo confesó Sancho a la Duquesa que tenía a Don Quijote por loco rematado, y él, pues con todo y con eso le seguía y servía e iba atenido a las vanas promesas suyas, sin duda alguna debía de ser más loco y tonto que su amo.

Pero ven acá, pobre Sancho: ven y dinos: ¿lo crees de veras así? Y aun creyéndolo, ¿no sientes que es mejor para tu fama y tu salud eterna seguir al loco generoso que no a un cuerdo mezquino? ¿No dijiste hace poco al grave eclesiástico, cuerdo hasta reventar de cordura, que hay que juntarse a los buenos por locos que ellos sean, y que habías de ser otro como él, como tu amo, Dios queriendo? ¡Ah Sancho, Sancho, y cómo bamboleas en tu fe y perinoleas y te revuelves como veleta a todos los vientos y al son que te tocan bailas! Pero sabemos bien que crees creer una cosa y crees otra, y que mientras te figuras sentir de un modo, es-

tás, en tu interior, sintiendo de otro modo muy diverso.
Bien dijiste lo de: «ésta fue mi suerte y mi malandanza; no
puedo más, seguirle tengo; somos de un mismo lugar; he
comido su pan; quiérole bien; es agradecido; diome sus pollinos, y, sobre todo, soy fiel...» Sí, y tu fidelidad te salvará,
Sancho bueno, Sancho cristiano. Estabas y estás quijotizado, y en prueba de ello, pronto te hizo dudar la Duquesa
de que hubieras inventado lo del encanto de Dulcinea, y
acabaste por confesar que de tu ruin ingenio no se puede
ni se debe presumir que fabricases en un instante tan
agudo embuste. Sí, Sancho, sí; cuando creemos ser burladores, solemos muchas veces ser burlados, y cuando se
nos figura hacer algo en chanza, es que el Supremo Poder,
que de nosotros se sirve para sus ocultos e inescudriñables
fines, nos lo hace hacer de veras. Cuando creemos ir por un
camino, nos están llevando por otro, y así no hay sino dejarse guiar de las buenas intenciones del corazón y que Dios
las haga fructificar, pues si nosotros sembramos la semilla,
arando antes la tierra que la recibe, es el cielo el que la rie-
ga y airea y da lumbre.

Debo aquí, antes de pasar adelante, protestar contra la
malicia del historiador, que al fin de este capítulo XXXIII,
que vengo explicando y comentando, dice que las burlas
que hicieron los Duques al Caballero fueron «tan propias y
discretas que son las mejores aventuras que en esta grande
historia se contiene». ¡No, no, y mil veces no! Las tales burlas no fueron ni propias, ni menos discretas, sino torpísi-
mas, y si ellas sirvieron para poner a mayor luz el insondable espíritu de nuestro hidalgo y alumbrar el abismo de la
bondad de su locura, débese tan sólo a que la grandeza de
Don Quijote y su heroísmo eran tales que convertían en veras las más bajas y torpes burlas.

CAPITULO XXXIV

Que da cuenta de la noticia que tuvo de cómo se había de desencantar la sin par Dulcinea del Toboso, que es una de las aventuras más famosas de este libro

Entre esas burlas que el historiador estima propias y discretas, no lo siendo ni de lejos, estuvo la del modo cómo se había de desencantar a Dulcinea, dándose Sancho tres mil trescientos azotes

> en ambas sus valientes posaderas
> al aire descubiertas, de tal modo,
> que le escuezan, le amarguen y lo enfaden.

Y los azotes había de dárselos de propia voluntad, sin que valiesen los que por fuerza quería propinarle Don Quijote. Negóse Sancho a dárselos, porfiaron, negándole el gobierno de la ínsula si no prometía vapulearse, y al fin, vencido de razones y de codicia, lo prometió. Y «Don Quijote se colgó del cuello de Sancho, dándole mil besos en la frente y en las mejillas», recompensa más que colmada a su final resignación.

Y, ¿por qué no te has de azotar por amor de Dulcinea, Sancho amigo, si es a ella a quien debes la perpetuidad de tu fama? Vale más que te azotes por Dulcinea que no por lo que sueles azotarte de ordinario; vale más Dulcinea que no gobierno de ínsula alguna. Si al azotarte, si al trabajar, pusieses siempre tu mira en Dulcinea, sería siempre santo tu trabajo. Cuando trabajes de zapatero, pon tu hito en hacerlo mejor que ningún otro y aspira a la gloria de que tus parroquianos no padezcan callos en los pies.

Hay una forma la más elevada de trabajo, cual es la de convertirlo en oración, y aserrar madera, colocar mampuesto, coser zapatos, cortar calzones o componer relojes a la mayor honra de Dios, pero hay otra forma, por menos encumbrada más humana y más conseguidera, y es hacerlo por Dulcinea, por la Gloria. ¡Cuántos pobres Sanchos que se de-

sesperan y reniegan bajo el yugo del trabajo se sentirían ali-
gerados de él y henchidos de alegría en su labor si al trabajar, es decir, al azotarse, pusieran su mira en desencantar
a Dulcinea, en cobrar nombre y fama con su trabajo! Esfuér-
zate, Sancho, por ser en tu pueblo el primero de tu oficio,
y toda la pesadumbre y graveza de tu trabajo se disipará
ante tan hondo propósito. El pundonor dignifica al artesano.

Cuenta el Génesis, no que Dios condenara al hombre al
trabajo, pues dice que le puso en el paraíso para que lo cui-
dara y trabajase (II, 15), sino que le condenó luego de haber Adán pecado, a la penosidad del trabajo, a que le fuese
éste penoso y molesto, a que con dolor comiera de la tierra,
que no le produciría sino espinas y cardos; a comer su pan
amasado con sudor (III, 17-19). Y el amor a la gloria, el
ansia de desencantar a Dulcinea, convierte en rosas los cardos y en suaves pétalos las pinchosas espinas. Y ¿cómo quieres, Sancho, que fuese a vivir Adán en el paraíso sin trabajar? ¿Qué paraíso podía ser ése en que no se trabaja? No,
no puede haber verdadero paraíso alguno sin algún trabajo
en él.

Ya sé que hay Sanchos que cantan esta copla:

> Cada vez que considero
> que me tengo de morir,
> tiendo la capa en el suelo
> y no me harto de dormir.

Ya sé que hay Sanchos que se representan la gloria eterna como un eterno nada hacer, como un campo celeste en
que, tendidos a la bartola, se está viendo lucir el sol increa-
do, pero para ellos la suprema recompensa debe ser la nada,
el sueño inacabable sin ensueños ni despertar. Nacieron can-
sados y con la pesadumbre de los trabajos y penas de sus
abuelos y tatarabuelos a cuestas; ¡descansen sobre sus nietos
y tataranietos, durmiendo en las honduras de éstos! Y es-
peren así que Dios los despierte al trabajo divino.

Ten por seguro, Sancho, que si al fin y a la postre se nos
da, como te tienen prometido, una visión beatífica de Dios,

esa visión habrá de ser un trabajo, una continua y nunca acabadera conquista de la Verdad Suprema e Infinita, un hundirse y chapuzarse cada vez más en los abismos sin fondo de la Vida Eterna. Unos irán en ese glorioso hundimiento más de prisa que otros y ganando más hondura y más gozo que ellos, pero todos irán hundiéndose sin fin ni acabamiento. Si todos vamos al infinito, si todos vamos «infinitándonos», nuestra diferencia estribará en marchar unos más de prisa y otros más despacio, en crecer éstos en mayor medida que aquéllos, pero todos avanzando y creciendo siempre y acercándonos todos al término inasequible, al que ninguno ha de llegar jamás. Y es el consuelo y la dicha de cada uno el saber que llegará alguna vez a donde llegó otro cualquiera, y ninguno a parada de última queda. Y es mejor no llegar a ella, a quietud, pues si el que ve a Dios, según las Escrituras, se muere, el que alcanza por entero la Verdad Suprema queda absorbido en ella y deja de ser.

Trabajo, Señor, da a Sancho, y danos a todos los pobres mortales trabajo siempre; procúranos azotes, y que siempre nos cueste esfuerzo conquistarse y que jamás descanse en Ti nuestro espíritu, no sea que nos anegues y derritas en tu seno. Danos tu paraíso, Señor, pero para que lo guardemos y trabajemos, no para dormir en él; dánoslo para que empleemos la eternidad en conquistar palmo a palmo y eternamente los insondables abismos de tu infinito seno.

CAPITULOS XL, XLI, XLII Y XLIII

De la venida de Clavileño y de otras cosas

Viene luego en nuestra historia el relato de la Dueña Dolorida, que al historiador le parece de perlas, según lo declara al principio del capítulo XL, y a mí me parece de lo más burdo y más torpemente tramado que puede darse. Todo el valor de esta grosera burla consiste en preparar la del caballo Clavileño, en el cual habrían de ir Don Quijote y su escudero por los aires al reino de Gandaya, vendados los ojos antes ambos.

Resistióse Sancho a subirse en Clavileño, pues no era brujo «para gustar de andar por los aires», ni era cosa que sus insulanos dijeran que su gobernador se andaba «paseando por los vientos», mas el Duque le dijo: «Sancho amigo, la ínsula que yo os he prometido no es movible ni fugitiva... y pues vos sabéis que sé yo que no hay ningún género de oficios destos de mayor cuantía que no se granjee con alguna suerte de cohecho, cuál más, cuál menos, el que yo quiero llevar por este gobierno es que vais con vuestro señor Don Quijote a dar cima y cabo a esta memorable aventura», con otras razones añadió. A lo cual «no más, señor —dijo Sancho—, yo soy un pobre escudero y no puedo llevar a cuestas tantas cortesías; suba mi amo, tápenme los ojos y encomiéndenme a Dios, y avísenme si cuando vamos por esas alturas podré encomendarme a Nuestro Señor o invocar los ángeles que me favorezcan». Entonces declaró Don Quijote que desde la memorable aventura de los batanes nunca había visto a Sancho con tanto temor. A pesar de lo cual montó el escudero en Clavileño, detrás de su amo, y pidió, con lágrimas en los ojos, que rezasen por él. Y luego, cuando iban por los aires imaginarios, se ceñía y apretaba a su amo, lleno de miedo cerval.

El resto de la aventura es cosa tristísima si la hemos de juzgar a lo mundano, pero ¡cuántos se remontan en Clavileño sin moverse del lugar en que montaron y atraviesan así la región del aire y la del fuego! Es tan triste la aventura, que quiero llegar a cuando al acabarla, y después de haberse visto Don Quijote y Sancho sin más daño que un revolcón y chamuscamiento, libre ya el escudero de su miedo, dio en inventar mentiras, y al oírlas Don Quijote se acercó a Sancho y le dijo estas preñadas palabras: «Sancho, pues vos queréis que se os crea lo que habéis visto en el cielo, yo quiero que me creáis a mí lo que vi en la cueva de Montesinos, y no digo más.»

Vele aquí la fórmula más comprensiva y a la vez más vasta de la tolerancia: si quieres que te crea, créeme tú. Sobre el crédito mutuo se cimenta la sociedad de los hombres. La visión del prójimo es para él tan verdadera como para ti lo es tu propia visión. Siempre, sin embargo, que sea verdadera visión y no embuste y patraña.

Y en esto estriba la diferencia entre Don Quijote y Sancho, y es que Don Quijote vio de veras lo que dijo había visto en la cueva de Montesinos —a pesar de las maliciosas insinuaciones de Cervantes en contrario— y Sancho no vio lo que dijo haber visto en las esferas celestes yendo en lomos de Clavileño, sino que lo inventó mintiendo, por imitar a su amo o desahogar su miedo. No nos es dado a todos gozar de visiones y menos aún el creer en ellas y creyéndolas hacerlas verdaderas.

Poneos en guardia contra los Sanchos que, apareciendo defensores y sustentadores de la ilusión y de las visiones, en realidad no defienden sino la mentira y la farándula. Cuando os digan de un embustero que acaba por creer los embustes que urde, contestad rotundamente que no. El arte no puede ni debe ser el alcahuete de la mentira; el arte es la suprema verdad, la que se crea en fuerza de fe. Ningún embustero puede ser poeta. La poesía es eterna y fecunda, como la visión; la mentira es estéril como una mula y dura menos que la nieve marcera.

Y admiremos la suprema generosidad de Don Quijote, que estando seguro de que él vio lo que dijo haber visto en la cueva de Montesinos, y más seguro aún, si cabe, de que Sancho no vio lo que decía haber visto en las celestes esferas, se limitó a decirle: «si vos queréis que os crea..., yo quiero que me creáis». ¡Cristianísima manera de salir del paso y cerrárselo a los embusteros que, juzgando a los demás por sus propias mañas, toman por embustes las visiones quijotescas! Y hay, no obstante, una vara infalible para deslindar de la mentira la visión.

Don Quijote se hundió y empozó en la cueva de Montesinos lleno de coraje y denuedo, sin hacer caso de Sancho, que quería disuadirle de ello, a cuyas amonestaciones contestó lo de «¡ata y calla!», y haciendo oídos sordos al guía, bajó lleno de valor, y Sancho montó en Clavileño aterido de miedo y con lágrimas en los ojos y no muy de su voluntad. Y así como el valor es el padre de las visiones, así la cobardía es la madre de los embustes. El que acomete una empresa henchido de bravura y fiado en el triunfo o sin importársele de la derrota llega a ver visiones, pero no trama mentiras, y el que teme un desenlace adverso, el que no sabe afrontar serenamente el fracaso, el que empeña en su intento esa mezquina pasión del amor propio, que se arredra ante el no salirse con la suya, éste trama mentiras para precaverse de la derrota y no sabe ver visiones.

Así en nuestra patria y patria de Don Quijote y Sancho, como es la cobardía moral lo que tiene presas a las almas, y los hombres reculan ante un probable fracaso y tiemblan de haber de caer en ridículo, verbenean que es una lástima las mentiras y escasean que da pena las visiones. Los embusteros ahogan a los visionarios. Y no sabremos ver visiones reconfortantes y encorazonadoras y gozar de ellas mientras no aprendamos a afrontar el ridículo y a arrostrar el que los tontos y los menguados de corazón nos tomen por locos o caprichudos o soberbios, y a saber que el quedarse solo no es quedar derrotado, como dicen los mentecatos, y a no andarnos siempre calculando de antemano el llamado triunfo. Don Quijote no pensó, al meterse en la cueva, en cómo saldría de ella ni en si saldría siquiera, y por eso vio allí dentro visiones. Y Sancho, como mientras iba, a su pesar y con los ojos vendados, sobre Clavileño, no pensaba sino en cómo habría de salir de aquella aventura en que por quiebras de su oficio escuderil se veía metido, así que se vio sano y libre, rompió a ensartar embustes.

Y esta otra diferencia hay al respecto entre Don Quijote y Sancho, y es que Don Quijote se metió en la cueva por sí y ante sí, sin que nadie le forzase a ello ni la mandase hacerlo, pudiendo muy bien haberse ahorrado tal proeza, para cuyo cumplimiento hubo de desviarse de su camino, y Sancho montó en Clavileño porque el Duque se lo impuso como condición para darle el gobierno de la ínsula. Don Quijote se despeñó, empozó y hundió en la cueva sólo porque conociera el mundo que si su Dulcinea le favorecía no habría imposible que él no acometiera y acabase, y Sancho montó en Clavileño por amor al gobierno de la ínsula. Y de lo encumbrado y desinteresado del propósito del Caballero nació su valor, y de su valor las visiones de que gozó, y de lo interesado y pobre del propósito del escudero nació su miedo, y de su miedo los embustes que urdió. Ni Don Quijote buscaba gobierno alguno, sino sólo mostrar la fortaleza con que le animaba Dulcinea y hacer que los hombres declararan así la grandeza de ésta, ni Sancho buscaba gloria alguna, sino el gobierno de la ínsula. Y por esto Don Quijote vio visiones valerosamente, y Sancho fraguó embustes cobardemente.

El interés, sea del género que fuese y aunque se disfrace de amor a la gloria, la rebusca de fortuna, de posición, de honores, de distinciones mundanas, de aplausos del momento, de cargos o preeminencias de aparato, de lo que nos dan los otros a cambio de servicios reales o ilusorios o a trueque de promesas y halagos, todo esto engendra cobardía moral, y la cobardía moral pare mentiras conejilmente, y el desinterés de no buscar sino a Dulcinea y saber esperar a que los hombres nos reconocerán al cabo fieles servidores y favoritos de ella, infunde valor, y el valor nos regala visiones. Armémonos, pues, de visiones quijotescas y desbaratemos con ellas los embustes sanchopancescos.

CAPITULO XLIV

Cómo Sancho Panza fue llevado al gobierno, y de la soledad y proeza de Don Quijote

Partióse luego de esto Sancho para el gobierno de su ínsula, después de recibidos los consejos de su amo, «y apenas se hubo partido Sancho, cuando Don Quijote sintió su soledad»; tristísimo rasgo que nos ha conservado la historia. Y ¿cómo no había de sentir su soledad, si Sancho era el linaje humano para él y en cabeza de Sancho amaba a los hombres todos? ¿Cómo no, si había Sancho sido su con-

fidente y el único que le oyó aquello de los doce años en
que había querido en silencio a Aldonza Lorenzo más que
a la lumbre de sus ojos, que la tierra comería un día? ¿No
estaba entre ellos dos solos el secreto misterioso de su vida?

Sin Sancho, Don Quijote no es Don Quijote, y necesita
el amo más del escudero que el escudero del amo. ¡Cosa triste la soledad del héroe! Porque los vulgares, los rutineros,
los Sanchos, pueden vivir sin caballeros andantes, pero el caballero andante, ¿cómo vivirá sin pueblo? Y es lo triste que
necesita de él, y ha de vivir, sin embargo, solo. ¡Oh soledad, oh triste soledad!

Encerróse Don Quijote a solas, sin consentir le sirvieran
doncellas, y «a la luz de dos velas de cera se desnudó, y al
descalzarse, ¡oh desgracia indigna de tal persona!, se le sol-
taron, no suspiros ni otra cosa que desacreditase la limpieza de su policía, sino hasta dos docenas de puntos de una
media, que quedó hecha celosía. Afligióse en extremo el
buen señor —añade la historia—, y diera él por tener allí
un adarme de seda verde una onza de plata». Y a seguida
diserta el historiador sobre la pobreza, y entre otras cosas
dice: «¿Por qué quieres estrellarte con los hidalgos y bien
nacidos más que con la otra gente?»

Agradezcamos al puntualísimo historiador de Don Quijote el que nos haya conservado este suceso íntimo del habérsele suelto al Caballero las dos docenas de puntos de la
media y de su aflicción por ello. Es algo de una profundísima melancolía. Quédase el héroe a solas y encerrado en
su aposento, lejos de los hombres, y cuando éstos le creen
acaso con la mente ocupada en sus futuras empresas o en-
cendiéndose en nuevos anhelos de perdurable gloria, está el
«buen señor» —¡y qué bien cae lo de llamarle «buen señor» en este caso!— afligido por el soltamiento de los puntos de la media.

¡Oh pobreza, pobreza! —digo yo también—, y ¡cómo
ocupas las soledades de los caballeros andantes y de los
hombres todos! Por no confesarse pobre se deslustra el héroe, y sus desmayos y aflicciones y tristezas es porque se le
deshicieron las medias y no tiene con qué sustituirlas. Le

veis triste, le veis abatido, juzgáis que el desaliento le gana
o que el caballeresco ánimo se le amengua, y no es sino que
piensa en lo mucho que rompen botas sus hijitos. ¡Oh pobreza, pobreza, y cuándo te llevaremos de bracete con la vista alta y el corazón sereno! El más terrible enemigo del heroísmo es la vergüenza de aparecer pobre. Pobre era
Don Quijote, y al verse con las medias sueltas de puntos se
afligía. Arremetió a molinos, embistió a yangüeses, venció
al vizcaíno y a Carrasco, esperó a pie firme y sin temblar
al león, para venir a afligirse luego de tener que presentarse
ante los Duques con la media deshecha, mostrando su pobreza. ¡Tener que hacer un papel en el mundo siendo pobre!

    ¡Y si los pobres mundanos supiéramos el descanso que
da el hacer voto de pobreza y no avergonzarse de ella? Iñigo de Loyola, a imitación de otros fundadores, instituyó
voto de pobreza en la Compañía por él fundada, y de cuán
bien les va a sus hijos con ella nos certifica el P. Alonso Rodríguez en el capítulo III, del tratado III de la tercera parte
de su *Ejercicio de perfección*. En que nos dice que si deja
uno criados en el mundo, halla en la Compañía muchos
que le sirvan, y que «si vais a Castilla, a Portugal, a Francia, a Italia, a Alemania, a las Indias y a cualquier parte
del mundo, hallaréis que nos tiene ya puesta allá la casa
con otros tantos oficiales de asiento», por manera que, dejando las riquezas del mundo, «más señor sois vos de las
cosas y riquezas del mundo que los mismos ricos; que no
son ellos los señores de sus haciendas y riquezas, sino vos»,
y así, en efecto, entienden muchos de los jesuitas. Y agrega
con mucho tino el buen padre que «mientras el rico está
dando vuelcos de noche porque su hacienda y riquezas le
quitan el sueño, el religioso, cuán sin cuidado y sin tener
cuenta si vale caro o barato, o si es buen año o malo, lo tiene todo!».

    También el pobre Don Quijote hizo algo así como voto
de pobreza al principio de su carrera y salió de su casa
sin blanca y se negaba a pagar, creyéndose libre de ello por
fuero de caballería, mas el ventero que le armó caballero le
persuadió a que llevara dineros y camisas limpias, y le

obedeció, «vendiendo una cosa y empeñando otra y malbaratándolas todas». Y por haber así quebrantado su voto
de pobreza, la pobreza le persigue y le acuita, y se acon-
goja al soltársele los puntos de las medias.

¡Oh pobreza, pobreza!, antes que confesarte preferimos pasar por bellacos, por duros de corazón, por falsos, por malos
amigos y hasta por viles. Inventamos miserables embustes para rehusar lo que no podemos dar por carecer nosotros
de ello. La pobreza no es la escasez de recursos pecuniarios
para la vida, sino el estado de ánimo que tal escasez engendra;
la pobreza es algo íntimo, y de aquí su fuerza: como dice

> ¡Oh necesidad infame, a cuántos honrados fuerzas
> a que por salir de ti, hagan mil cosas mal hechas!

el tan sabido romance refiriéndose al engaño con que el
Cid sacó dinero a los judíos, dándoles un arca llena de arena.

Mira a ése; no sale de casa sino a favor de las espesas sombras de la noche, porque entonces no se ve cómo su traje
relumbra de puro roce; tiene vergüenza de aparecer pobre,
más aún que de serlo. Mira ese otro; es un Catón, un hombre rígido e incorruptible; repite cada día que hay que predicar con el ejemplo y la pureza de la vida, mas en cuanto
se mete a murmurar no inquiere sino cuánto gana éste o
cuánto tiene aquél y no hace sino pensar en lo cara que es
la vida.

¡Oh pobreza, pobreza!, tú has hecho el hediondo orgullo
de nuestra España. ¿No conocéis acaso el orgullo de la pobreza, y de la más baja y declarada, de la pobreza del mendigo? Es cosa maravillosa que sea la pobreza, lo que más
nos afrenta y aflige, una de las cosas que nos den más orgullo. Aunque no sea sino orgullo fingido y un modo de
encubrir aquélla; es una vergüenza disfrazada de orgullo
para defenderse, como el miedo a esos inofensivos anima-
litos que lo disfrazan de terribilidad y se ponen amedrentadores, hinchándoseles la gola cuando más muertos de
miedo se sienten. Sucede con esto como con aquello de que
muchos se ensoberbezcan de su humildad.

Es menester que os fijéis en la gravedad y aun altanería con que pordiosean muchos pordioseros. Os contaré un caso al propósito, y es de un mendigo que acostumbraba pedir a un señor los sábados y una vez le pidió no siendo sábado y aquél le dio una perra chica, mas percatándose luego de habérsela dado en día no sábado, le llamó al mendigo la atención sobre ello, rogándole no se saliese de la costumbre. Y al oír esto el mendigo, le alargó la limosna, devolviéndosela, y le dijo: «¡Ah!, ¿pero ahora salimos con ésas? Tome, tome su perra chica y busque otro pobre.» Que es como si dijera: ¿Con que vengo a hacerle la merced de ponerle en ocasión de que ejercite la virtud de la caridad y gane así méritos para el cielo, y me viene con condiciones y reparos? Tome, tome su limosna y busque quien le favorezca en tomársela.

Y ¡oh pobreza la más triste y miserable de todas, la de tener que presentarse con las medias enterizas, la de tener que conservar el traje de papel que en la comedia del mundo representamos! Triste caso es el del pobre cómico que no puede mudarse de camisa y tiene que guardar y limpiar y conservar enteros los disfraces con que se gana la vida en su tablado; triste caso es no tener en las crudas noches del invierno una pobre capa con que guardarse del frío y tener que guardar el vistoso manto con que se hace el papel de rey en la comedia. Y más triste aún que no pueda uno en esas noches abrigarse con el manto teatral.

Don Quijote se afligía y avergonzaba de tener que aparecer pobre. Era, al fin, hijo de Adán. Y Adán mismo, nos cuenta el Génesis (capítulo III, versículos 7 a 10), que después que hubo pecado conoció estar desnudo, es decir que era pobre, y al llamarle Dios se escondió, y es que tenía miedo por verse desnudo. Y el miedo a la desnudez, a la pobreza, ha sido siempre y sigue siendo el primer resorte de acción de los pobres mortales. Terribles fueron aquellos tenebrosos tiempos medievales, hacia el milenio, cuando empujaba a los espíritus, más que el ansia de la gloria celestial, el temor al infierno; ¿no veis que en nuestra sociedad es más el horror a la pobreza que no la sed de riquezas lo que lanza a los más de los hombres a sus más locas empresas? Es más avariciosidad que ambición lo que nos muève, y si examinamos a los que pasan por más ambiciosos, encontraremos un avaro dentro de ellos. Toda garantía nos parece poca para preservarnos y preservar a los nuestros de la tan aborrecida y tan temida pobreza, y amontonamos riquezas para taparle todo agujero por donde se nos meta en casa. El delito hoy, el verdadero delito, es ser pobre; aquellas de nuestras sociedades que se dicen más adelantadas y cultas distínguense por su odio a la pobreza y a los pobres; nada hay más triste que el ejercicio de la beneficiencia. Diríamos que se quiere suprimir a los pobres, no la pobreza; exterminarlos, como si se tratase de exterminar una plaga de animales dañinos. Se trata de acabar con la pobreza, no por amor al pobre, sino para que su presencia no nos recuerde el terrible término.

Y ¿qué de extraño tiene que se buscase el cielo no más que por huir de la indigencia? El ansia de renombre y fama, la sed de gloria que movía a nuestro Don Quijote, ¿no era acaso, en el fondo, el miedo a oscurecerse, a desaparecer, a dejar de ser? La vanagloria es, en el fondo, el terror a la nada, mil veces más terrible que el infierno mismo. Porque al fin en un infierno se es, se vive, y nunca, diga lo que dijere el Dante, puede, mientras se es, perderse la esperanza, esencia misma del ser. Porque la esperanza es la flor del esfuerzo del pasado por hacerse porvenir, y ese esfuerzo constituye el ser mismo.

Y ven ahora acá, mi Don Quijote, y llama a tu Alonso el Bueno, y dime: esa tu vergüenza de ser pobre, ¿no entró, en parte, al menos, en la grandiosa vergüenza que te impidió declararte a Aldonza Lorenzo? Tú conocías lo de «contigo pan y cebolla», y algo más que pan y cebolla podías ofrecerla, como era «una olla de algo más vaca que ternera, salpicón las más noches, lentejas los viernes... y algún palomino de añadidura los domingos», pero ¿era eso bastante para ella? Y aun siéndolo, ¿lo sería para los frutos que de vuestro amor pudiesen nacer?... Pero dejo esto, pues sé bien cuán profundamente te conmueves y ruborizas si se te habla de ello.

No nos extrañe, pues, que Don Quijote se recostase, «pensativo y pesaroso, así de la falta que Sancho le hacía como de la irreparable desgracia de sus medias, a quien tomara los puntos, aunque fuera con seda de otro color, que es una de las mayores señales de miseria que un hidalgo pueda dar en el discurso de su prolija estrecheza». ¡Y qué maravillosa conjunción la que el historiador establece aquí entre la soledad y la pobreza de Don Quijote! ¡Pobre y solo! Aún se puede soportar la pobreza en compañía o la soledad en riqueza pero ¡pobre y solo!

¿De qué le servían, estando pobre y solo, los requiebros de Altisidora? Hizo bien en cerrar la ventana al oírlos.

CAPITULO XLVI

*Del temeroso espanto cencerril y gatuno que recibió
Don Quijote en el discurso de los amores de la
enamorada Altisidora*

Mas luego, apiadado de la dolencia de amor de la desenvuelta moza, mandó le pusiesen un laúd por la noche en el aposento, «que yo consolaré lo mejor que pudiere a esta lastimada doncella» —dijo—. Y llegadas las once horas de la noche, halló Don Quijote una vihuela en su aposento; templóla, abrió la reja, y sintió que andaba gente en el jardín, y habiendo recorrido los trastes de la vihuela, y afinándola lo mejor que supo, escupió y remondóse el pecho, y luego, con voz ronquilla, aunque entonada, cantó un romance que trae el historiador y que el mismo Don Quijote «aquel día había compuesto».

El verdadero héroe es, sépalo o no, poeta, porque ¿qué sino poesía es el heroísmo? La misma es la raíz de la una y del otro, y si el héroe es poeta en acción, es el poeta héroe en imaginativa. El caballero andante, que hace profesión de las armas, necesita raíces de poeta, porque su arte es arte militar, del cual no duda el doctor Huarte, como en el capítulo XVI de su *Examen* nos dice, sino que «pertenece a la imaginativa, porque todo lo que el buen capitán ha de hacer dice consonancia, figura y correspondencia..., para todo lo cual es tan impertinente el entendimiento como lo oídos para ver». Y todo ello no es sino redundancia de la vida, esfuerzo que en redondearse y cumplirse se perfecciona y acaba, obra cuyo fin es la obra misma. Llega a un punto la savia en que ha de volverse por donde fue, y al llegar allá, al punto que no es camino para otro, sino término, se vuelve sobre sí y da sobre el brote que así forma, la flor, y la flor lo es de belleza.

Don Quijote canta, Don Quijote es poeta, cosa que ya temía la gatita muerta de su sobrina cuando en el escrutinio que el cura y barbero hicieron en la librería, al querer perdonar la *Diana,* de Jorge de Montemayor, manifestó temores de que su tío diera en poeta, «que según dicen es enfermedad incurable y pegadiza», añadió. ¡Ay Antonia, Antonia, y qué ojeriza tienes a la poesía y qué rencor le guardas! Pero tu tío es poeta, y si no hubiera nunca cantado, no habría sido el héroe que fue. No que el ser cantor le hiciera ser héroe, sino que de la plenitud del heroísmo le brotó el canto.

No apruebo, pues, las razones que el P. Rivadeneira, en el capítulo XXII del libro III de su *Vida de San Ignacio* nos da para justificar el que la Compañía de Jesús no tenga coro. Dícenos que «no es esencia de la Religión el tener coro», y, en efecto puede haber ruiseñor mudo, pero será ruiseñor enfermo, y añade, con Santo Tomás, que los que tienen por oficio enseñar al pueblo y apacentarle con el pan de la doctrina «no deben ocuparse en cantar, porque, ocupados con el canto, no dejen lo que tanto importa». Pero ¿es que hay doctrina más íntima ni más profunda que la que se da cantando? En los consejos mismos que se dan al hombre, no es la letra, sino la música de ellos, lo que aprovecha y edifica. Música es el espíritu, y la carne es letra, y toda doctrina del corazón es canto.

Curioso es, en efecto, que siendo tales y tan grandes las semejanzas entre Don Quijote e Iñigo de Loyola, y recreándose éste y enterneciéndosele el ánima y hallando a Dios

con el canto, al que era muy inclinado, según en el capítulo V del libro V de su *Vida* nos cuenta su biógrafo, no pusiera coro en la Compañía y de ésta no tenerlo hemos de
deducir las imperfecciones que la acompañan y la esterilidad poética que sobre ella pesa. Jamás pudo albergarse a
sus anchas cigarra en ese hormiguero de clérigos regulares.
Y no se diga que no nacimos todos para cantar, que no se
trata aquí de «para» alguno, sino que todo el que de veras
ha nacido en espíritu y no sólo en carne, sólo por ello canta, canta porque ha nacido, y si no canta es que no nació
sino en carne. Y si fundamos la Compañía de Dulcinea
del Toboso, no nos olvidemos del coro, y sea el canto en
ella florecimiento de afectos heroicos y de encumbrados
anhelos.

Cantando estaba Don Quijote cuando echaron sobre él,
en torpísima burla, un saco de gatos, y al defenderse de
ellos le saltó uno al rostro y «le asió de las narices con las
uñas y los dientes, por cuyo dolor Don Quijote comenzó a
dar los mayores gritos que pudo», y costó quitársele.

¡Pobre mi señor! Se avergüenzan ante ti los leones y se
te agarran a las narices gatos. De gatos que huyen, y no de
leones que se ven libres, es de lo que debe apartarse el héroe. «Con pulgas y con mosquitos puede Dios hacer guerra
a todos los emperadores y monarcas del mundo», dice el P.
Alonso Rodríguez (*Ejercicio de perfección,* parte tercera, tratado primero, capítulo XV). ¡Líbrenos Dios de pulgas, de
mosquitos y gatos en huída y mándenos, en cambio, leones
a los que se abre la jaula!

Mas aun así y con todo y con ser temibles enemigos las
pulgas y los mosquitos, no debe dejarse de hacerles la
guerra, y para que se la hagamos nos lo manda Dios. Podía alguno haberle dicho a Don Quijote, para disuadirle de
perseguir a pulgas y mosquitos humanos, lo de que el águila no caza moscas —*aquila non capit muscas*—, pero le diría mal. Las moscas, y sobre todo las ponzoñosas, son un
excelente digestivo para el águila, un activísimo fermento
para la cochura de sus alimentos.

Y es que, en efecto, el veneno mismo que inyectado con

aguijón en los canalillos del torrente circulatorio de la sangre nos escuece, molesta y daña o nos levanta un bubón y acaso puede llegar a matarnos, ese mismo veneno, tomado por la boca, no sólo es inofensivo, sino que puede ayudarnos a hacer una pronta y acabada digestión. Y es gracias a lo digestivo de la ponzoña de esas moscas venenosas que con aguijón y todo traga, luego de cazadas, el águila, como puede ésta, una vez descansando su estómago, mirar cara a cara al Sol.

¿Creéis acaso que puede ponerse alma y vida en un trabajo que se emprende por amor a Dulcinea y para que os haga famosos, no sólo en los presentes, sino en los venideros siglos, si no nos espolean a él las miseriucas del lugarejo o lugarón en que comemos, dormimos y vivimos? El mejor libro de Historia Universal, el más duradero y extendido y el de historia más verdaderamente universal sería el de quien acertase a contar con toda su vida y su hondura las rencillas, los chismes, las intrigas y los cabildeos que se traen en Carbajosa de la Sierra, lugar de trescientos vecinos, el alcalde y la alcaldesa, el maestro y la maestra, el secretario y su novia, de una parte, y de la otra el cura y su ama, el tío Roque y la tía Mezuca, asistidos unos y otros por coro de ambos sexos. ¿Qué fue la guerra de Troya a que debemos la *Ilíada?*

Y las moscas, pulgas y mosquitos deben quedar muy satisfechos, porque, vamos a ver: a algún sujeto que intrigue, cabildee y se revuelva en esta ciudad en que escribo, ¿qué otra probabilidad puede quedarle de pasar de un modo o de otro, y bajo uno u otro nombre, a la posteridad, sino el que acierte yo, o acierte otro que como yo ame a Dulcinea, a pintarle con sus rasgos universales y eternos?

Miles de veces se ha dicho y repetido que lo más grande y más duradero en arte y literatura se construyó con reducidos materiales, y todo el mundo sabe que cuanto se pierde en extensión se gana en intensidad. Pero es que al ganarse en intensidad se gana en extensión también, por paradójico que os parezca; y se gana en duración. El átomo es eterno, si existe el átomo. Lo que es de cada uno de los hombres, lo es de todos; lo más individual es lo más general. Y por mi parte prefiero ser átomo eterno a ser momento fugitivo de todo el Universo.

Lo absolutamente individual es lo absolutamente universal, pues hasta en la lógica se identifica a las proposiciones individuales con las universales. Por vía de remoción se llega en el hombre al contratante social de Juan Jacobo, al bípedo implume de Platón, al *homo sapiens* de Linneo o al mamífero vertical de la ciencia moderna, al hombre por definición, que como no es de aquí ni de allí, ni de ahora ni de antes, no es de ninguna parte ni de tiempo alguno, resultando ser, por tanto, un *homo insipidus*. Y así, cuanto más se estrecha y constriñe la acción a lugar y tiempo limitados, tanto más universal y más secular se hace, siempre que se ponga alma de eternidad y de infinitud, soplo divino en ella. La mentira más grande en historia es la llamada historia universal.

Ved a Don Quijote: Don Quijote no fue a Flandes, ni se embarcó para América, ni intentó tomar parte en ninguna de las grandes empresas históricas de su tiempo, sino que anduvo por los polvorientos caminos de su Mancha a socorrer a los menesterosos que en ellos topase y a enderezarlos de allí y de entonces. Su corazón le decía que, vencidos los molinos de viento de la Mancha, quedaban vencidos en ellos todos los demás molinos, y castigado Juan Haldudo el rico, quedaban castigados todos los amos ricos despiadados y avariciosos. Porque no os quepa duda de que el día en que sea vencido del todo y por entero un malicioso, la malicia empezará a desaparecer de la tierra y desaparecerá pronto de ella.

Don Quijote fue, queda ya dicho, fiel discípulo del Cristo, y Jesús de Nazaret hizo de su vida enseñanza eterna en los campos y caminos de la pequeña Galilea. Ni subió a más ciudad que a Jerusalén, de nuestro Caballero.

Nada hay menos universal que lo llamado cosmopolita, o mundial, como ahora han dado en decir; nada menos eterno que lo que pretendemos poner fuera de tiempo. En las entrañas de las cosas, y no fuera de ellas, están lo eterno y lo infinito. La eternidad es la sustancia del momento que pasa, y no la envolvente del pasado, el presente y futuro de las duraciones todas; la infinitud es la sustancia del punto que miro, y no la envolvente de la anchura, largura y altura de las extensiones todas. La eternidad y la infinitud son las sustancias del tiempo y del espacio, respectivamente, y éstos sus formas, estando aquéllas virtualmente todas enteras en cada momento de una duración la una, en cada punto de una extensión la otra.

Cacemos, pues, y traguémonos a las moscas ponzoñosas que zumbando y esgrimiendo su aguijón revolotean en torno nuestro, y Dulcinea nos dé el poder de convertir esta caza en combate épico que se cante en la duración de los siglos por el ámbito de la tierra toda.

CAPITULOS XLVII, XLIX, LI, LIII Y LV

Del fatigado fin y remate que tuvo el gobierno de Sancho Panza

Deja aquí el historiador a Don Quijote, y salteando los capítulos entre las cosas de éste y las de su escudero, pasa a contarnos cómo gobernó Sancho su ínsula, gobernamiento a que sólo cabe poner de comentario aquellas palabras de Pablo de Tarso en el versillo 18 del capítulo III de su segunda epístola a los Corintios, donde dice: «Nadie se engañe a sí mismo; si alguno entre vosotros parece ser sabio en este siglo, hágase simple para ser de veras sabio.»

Con razón dijo el mayordomo oyendo a Sancho: «Cada día se ven cosas nuevas en el mundo; las burlas se vuelven en veras, y los burladores se hallan burlados.» ¿Y cómo no?

Sancho, el gobernador por burlas, ordenó cosas tan buenas, que hasta hoy se guardan en aquel lugar y se nombran: las Constituciones del gran gobernador Sancho Panza. Y no nos extrañe esto, pues los más de los grandes legisladores no pasan de Sanchos Panzas, que al no serlos, mal podrían legislar.

Y llegó, por fin, el fin del gobierno de Sancho, y con este fin se sumergió Panza en las honduras de su heroísmo. Dejando el gobierno de la ínsula, por el que tanto había suspirado, acabó de conocerse Sancho, y pudiera haber dicho a sus burladores lo que Don Quijote dijo a Pedro Alonso cuando éste le recojió en su primera salida, y es aquello de: «Yo sé quién soy.» Dije que sólo el héroe puede decir «yo sé quién soy», y ahora añado que todo el que puede decir «yo sé quién soy» es héroe, por humilde y oscura que su vida nos parezca. Y Sancho, al dejar la ínsula, supo quién era.

Luego que le molieron y quebrantaron en el burlesco asalto a la ínsula, vuelto en sí del desmayo que el temor y el sobresalto le produjeron, preguntó qué hora era, calló, vistióse, se fue a la caballeriza, «siguiéndole todos los que allí se hallaban, y llegándose al rucio le abrazó y le dió un beso de paz en la frente, y no sin lágrimas en los ojos, le dijo: «Venid vos acá, compañero mío y amigo mío y conllevador de mis trabajos y miserias; cuando yo me avenía con vos, y no tenía otros pensamientos que los que me daban los cuidados de remendar vuestros aparejos y de sustentar vuestro corpezuelo, dichosas eran mis horas, mis días, mis años; pero después que os dejé y me subí sobre las torres de la ambición y de la soberbia, se me han entrado por el alma adentro mil miserias, mil trabajos y cuatro mil desasosiegos.» Y luego de enalbardar al rucio, añadió otras no menos bien concertadas razones, pidiendo le dejaran volver a su «antigua libertad».

«Yo no nací —dijo— para ser gobernador ni para defender ínsulas ni ciudades de los enemigos que quisieren acometerlas. Mejor se me entiende a mí de arar y cavar, podar y ensarmentar las viñas, que de dar leyes ni de defender provincias ni reinos. Bien se está San Pedro en Roma; quiero decir, que bien se está cada uno usando el oficio para que fue nacido.» Y tú, Sancho, no naciste para mandar, sino para ser mandado, y el que para ser mandado nació, halla su libertad en que le manden y su esclavitud en mandar; naciste, no para guiar a otros, sino para seguir a tu amo Don Quijote; y en seguirle está tu ínsula. ¡Ser señor! ¡Y qué de congojas y miserias trae consigo! Bien decía Teresa de Jesús, cuando en el capítulo XXXIV de su *Vida* nos habla de aquella señora que había de ayudarle en fundar el monasterio de San José, que viéndola vivir aborreció del todo el desear ser señora, porque «ello es una sujeción, que una de las mentiras que dice el mundo es llamar señores a las personas semejantes, que no me parecen son sino esclavos de mil cosas».

Creíste, Sancho, salir de casa de tu mujer y tus hijos y los dejaste por buscar para ti y para ellos el gobierno de la ínsula, pero en realidad saliste llevado del heroico espíritu de tu amo y fuiste conocido, aunque sin darte de ello clara cuenta, que el seguirle y servirle y vivir con él era tu ínsula. ¿Qué vas a hacer sin tu amo y señor? ¿De qué te ha servido el gobierno de tu ínsula si no tenías allí a tu Don Quijote y no podías mirarte en él y servirle y admirarle y quererle? Porque ojos que no ven, corazón que no siente.

«Quédense en esta caballeriza —añadió Sancho— las alas de la hormiga, que me levantaron en el aire para que me comiesen vencejos y otros pájaros, y volvamos a andar por el mundo con pie llano...» Habrás oído muchas veces, buen Sancho, que hay que ser ambicioso y esforzarse por volar para que nos broten alas, y yo te lo he dicho muchas veces y te lo repito, pero tu ambición debe cifrarse en buscar a Don Quijote: la ambición del que nació para ser mandado debe ser buscar quien bien le mande y que pueda de él decirse lo que del Cid decían los burgaleses, según el viejo *Romance de Mio Cid:*

Dios, qué buen vasallo si oviesse buen señor

Al dejar ese gobierno por el que tanto tiempo suspiraste y que te parecía ser la razón y el fin de todos tus andantes trabajos, al dejarlo y volverte a tu amo, llegas al meollo de ti mismo y puedes hombrearte con Don Quijote y decir como él y con él: «¡Yo sé quién soy!» Eres héroe como él, tan héroe como él. Y es, Sancho, que el heroísmo se pega cuando nos acercamos al héroe con el corazón puro. Admirar y querer al héroe con desinterés y sin malicia es ya participar de su heroísmo; es como el que sabe gozar de la obra de poeta, que es a su vez poeta por saber gozarla.

Teníate por interesado y codicioso, Sancho, y al salir de tu ínsula pudiste exclamar: «Saliendo yo desnudo como salgo, no es menester otra señal para dar a entender que he gobernado como un ángel.» Y así era la verdad, y así lo reconoció el doctor Recio. Ofreciéronle compañía para el camino y «todo aquello que quisiese para el regalo de su persona y para la comodidad de su viaje». Pero «Sancho dijo que no quería más que un poco de cebada para el rucio y medio queso y medio pan para él». No se olvidaba de su amigo y compañero el rucio, del sufrido y noble animal que le ligaba a la tierra. «Abrazáronle todos, y él, llorando, abrazó a todos y los dejó admirados así de sus razones como de su determinación tan resoluta y discreta.» Y quedóse solo en los caminos del mundo, lejos de su casa, sin la ínsula y sin Don Quijote, abandonado a sí mismo, dueño de sí. ¿Dueño? «Le tomó la noche algo oscura y cerrada», y solo, sin su amo, fuera de su lugar, ¿qué iba a sucederle? «Cayeron él y el rucio en una honda y oscurísima sima.»

Mira, Sancho, es lo que tiene que sucederte en cuanto te encuentres lejos de tu lugar, del lugar de los tuyos, sin ínsula y sin amo: caerte en sima. Pero no te vino mal esa caída, porque allí, en el hondo de la sima, pudiste ver mejor lo hondo de la sima de tu vida y cómo el que se vio ayer gobernador de una ínsula, «mandando a sus sirvientes y sus vasallos, hoy se había de ver sepultado en una sima sin haber persona alguna que le remediase, ni criado ni vasallo que acuda a su socorro». Y allí, en el fondo de la sima, comprendiste que no habrías de tener en ella la ventura que tu amo Don Quijote tuvo en la cueva de Montesinos, pues «allí vio él visiones hermosas y apacibles —te decías—, y yo veré aquí, a lo que creo, sapos y culebras». Sí, hermano Sancho; no son las visiones para todos ni es el mundo de las simas más que una proyección del mundo de la sima de nuestro espíritu; tú hubieras visto en la cueva de Mon-

tesinos sapos y culebras como en esa cueva en que caíste los
viste; y tu amo hubiera visto en esa tu sima visiones hermosas y apacibles como las vio en la cueva de Montesinos.
Para ti no ha de haber más visiones que las de tu amo; él
ve el mundo de las visiones y tú lo ves en él; él lo ve por
su fe en Dios y en sí mismo, y tú lo ves por tu fe en Dios
y en tu amo. Y no es menos grande tu fe que la fe de Don
Quijote, ni son menos propias de ti las visiones que ves por
tu amo, que son propias de él las que él ve por sí mismo.
El mismo Dios se las suscita, a él mismo y a ti en él. No
es menos héroe el que cree en el héroe que el héroe mismo
creído por él.

Mas el propio Sancho dio en lamentarse en el fondo de
la sima y en llorar su desgracia, viendo ya que sacaría de
allí sus huesos «mondos, blancos y roídos», y los de su buen
rucio con ellos; viéndose morir lejos de su patria y de los
suyos, sin que nadie le cierre los ojos ni se duela de su muerte al tiempo de morir, que es morir dos veces y quedarse
solo con la muerte. Y así le llegó el día; y ¿qué iba a hacer
el pobre Sancho, solo con su rucio, sino dar voces y pedir
socorro? Y explorar su sima, pues para algo había servido
a Don Quijote. Y entonces es cuando exclamó aquellas tan
preñadas sentencias: «¡Válame Dios todopoderoso! Esta que
para mí es desventura, mejor fuera para aventura de mi
amo Don Quijote. El sí que tuviera estas profundidades y
mazmorras por jardines floridos y por palacios de Galiana,
y esperar salir desta oscuridad y estrecheza a algún florido
prado; pero yo, sin ventura, falto de consejo y menoscabado de ánimo, a cada paso pienso que debajo de los pies,
de improviso, se ha de abrir otra sima más profunda que
la otra, que acabe de tragarme.»

Sí, hermano Sancho, sí; el menoscabo de tu ánimo te impide y te impedirá encontrar jardines floridos y palacios de
Galiana en las profundas simas a que caigas. Pero mira,
ahora en que en el fondo de la sima de tu desgracia reco-
noces lo mucho que de tu amo te separa, ahora es cuando
estás más cerca de él, pues cuanto más sientas tu distancia
de él, más a él te acercas. Te pasa con tu amo, aunque en

finito y relativo, lo que en infinito y absoluto nos pasa a tu amo, a ti, a mí y a todos los mortales con Dios, y es que cuanto más sentimos el infinito que de Él nos separa, más cerca de Él estamos, y cuanto menos acertamos a definirle y representárnoslo, mejor le conocemos y queremos más.

Y yendo así con el rucio y con sus pensamientos por aquellas profundidades, Sancho, dando voces, las oyó... ¿Quién había de oírlas?, ¿quién otro sino el mismísimo Don Quijote? El cual, habiendo salido una mañana a imponerse y ensayarse en lo que había de hacer en el trance de la honra de la hija de Doña Rodríguez, fue llevado por Dios a la boca de la sima, donde oyó las voces que Sancho daba. Y Don Quijote le creía alma en pena y le ofrecía sufragios para sacarle del purgatorio, que pues su profesión era de favorecer y acorrer a los necesitados de este mundo, también lo sería para acorrer y ayudar a los menesterosos del otro.

Mira, Sancho, cómo tu amo, al oírte en la sima y en la sima no verte, tiénete por muerto y te ofrece sus sufragios. Y entonces, al oír tú la voz de tu amo, exclamaste lleno de júbilo: «¡Nunca me he muerto en todos los días de mi vida!» Ya no piensas en que recojan tus huesos mondos, blancos y roídos, ni en que has de morir solo con la muerte; oíste a tu amo, y olvidando que has de morir, recuerdas tan sólo que no te has muerto nunca todavía. Y rebuznó el rucio, y al oírlo comprendió Don Quijote que no se trataba de alma en pena, sino de su escudero, que le acompañaba. Y es la señal muy cierta, pues cuando de las cosas que nos parecen del otro mundo salen rebuznos, es que no se trata sino de cosas del mundo éste. Y Don Quijote hizo que le sacaran de la sima.

Y así fue sacado Sancho de la sima en que cayera al salir del gobierno de su ínsula y encontrarse solo, de aquella sima por la que caminó llevando tras de sí y guiando a su rucio. Que esta diferencia, entre otras, había entre amo y escudero, y es que aquél se dejaba guiar de su caballo y el escudero guiaba a su rucio. Y así sucede que en la marcha por el bajo mundo se deja el Quijote llevar por su animal, y el Sancho lo lleva.

CAPITULO LVI

*De lo que sucedió a Don Quijote con Doña Rodríguez, la
dueña de la Duquesa, con otros acontecimientos dignos de
escritura y de memoria eterna*

En la melancólica aventura de la dueña Doña Rodríguez
sólo hay que advertir la encantadora simplicidad de esta
buena mujer, que entre tantos burladores acudió en veras
a Don Quijote. Y entonces se preparó el singular duelo del
Caballero con Tosilos para obligar al seductor de la hija de
Doña Rodríguez a que tomase a ésta por suegra, y el inesperado desenlace de él, merced al súbito enamorarse Tosilos de la ex doncella y declarar cómo la quería por mujer.
Y he aquí cómo, entre tantos burladores, la simple, la boba,
la sincera Doña Rodríguez logró poner a su desdoncellada
hija a punto de casarse, gracias a Don Quijote. Pues siempre ocurre que quien con pureza de intención y de veras y
no en burlas acude a Don Quijote, sin burlarse de él, consigue su propósito. Difícil es esta fe en un mundo de burladores, pero ¿no creéis que quien tomase a Don Quijote
tanto en serio como Doña Rodríguez y su hija le tomaron
lograría sus propósitos, a no atravesársele aviesos burladores, como se les atravesaron a ellas?

Cierto es que, al descubrirse que el caballero que se dio
por vencido no era el seductor, sino Tosilos, se llamaron a
engaño la seducida y su señora madre, pero bien dijo Don
Quijote a la ex doncella al encontrarse con aquel nuevo caso
de encantamiento: «Tomad mi consejo, y a pesar de la malicia de mis enemigos, casaos con él, que sin duda es el mismo que vos deseáis alcanzar por esposo.» ¡Y tan el mismo!
Como que lo aceptó, pues más quería ser mujer legítima
de un lacayo que no amiga y burlada de un caballero. De
mano de Don Quijote tomó inesperado esposo, y ésta es la
aventura a que, por el pronto, dio más feliz remate nuestro
Caballero. Y le dio tal por haberse encontrado con gentes
sencillas y humildes, de las que toman el mundo en serio

y acuden en serio a Don Quijote; por haberse encontrado
con burlada moza que anhelaba esposo, contentándose con
el que Don Quijote le diera.

¡Hermosa conformidad! Y tal es la condición para que
pueda el héroe hacer en nosotros su beneficio, y es que nos
hallemos dispuestos a recibir de su mano lo que nos diere,
siempre que remedie nuestra necesidad. ¿Eres, lectora, una
burlada doncella y quieres remediar tu desgracia? ¿Necesitas marido que cubra tu vergüenza? Pues no pretendas que
haya él de ser éste o aquél, y menos tu burlador; conténtate
con el que te depare Don Quijote, que es buen casamentero.

Y al concluir de contar esta tan afortunada aventura, añade el historiador estas terribles palabras: «Aclamaron todos
la victoria por Don Quijote, y los más quedaron tristes y
melancólicos de ver que no se habían hecho pedazos los tan
esperados combatientes.» ¡Oh, y qué terrible es en sus burlas el hombre! Más de temer es la burla del hombre que
no la seria acometividad de una fiera salvaje, que os ataca
por hambre. Puestos los hombres en el despeñadero de las
burlas, no paran hasta bajar a crímenes y villanías; por burlas comenzaron muchos de los más horrendos delitos; por
buscar deleite y regocijo se ha llevado a muchos a trabarse
de manos homicidas.

¡Cosa terrible la burla! Dicen que por burla, señor mío
Don Quijote, se escribió tu historia para curarnos de la locura del heroísmo y añaden que el burlador logró su obje-
to. Tu nombre ha llegado a ser para muchos cifra y resu-
men de burlas, y sirve de conjuro para exorcizar heroísmos
y achicar grandezas. Y no recobraremos más nuestro aliento de antaño mientras no volvamos la burla en veras y hagamos el Quijote muy en serio y no por compromiso y sin
creer en ti.

Ríense los más de los que leen tu historia, loco sublime,
y no pueden aprovecharse de su meollo espiritual mientras
no la lloren. ¡Pobre de aquel a quien tu historia, Ingenioso
Hidalgo, no arranque lágrimas, lágrimas del corazón, no ya
de los ojos!

En una obra de burlas se condensó el fruto de nuestro

heroísmo; en una obra de burlas se eternizó la pasajera grandeza de nuestra España; en una obra de burlas se cifra y compendia nuestra filosofía española, la única verdadera y hondamente tal; con una obra de burlas llegó el alma de nuestro pueblo, encarnada en hombre, a los abismos del misterio de la vida. Y esa obra de burlas es la más triste historia que jamás se ha escrito; la más triste, sí, pero también la más consoladora para cuantos saben gustar en las lágrimas de la risa la redención de la miserable cordura a que la esclavitud de la vida presente nos condena.

Yo no sé si esa obra, mal entendida y peor sentida, puede tener en ello parte, mas es el caso que se cierne sobre nuestra pobre patria una atmósfera abochornada de gravedad abrumadora. Por dondequiera, hombres graves, enormemente graves, graves hasta la estupidez. Enseñan con gravedad, predican con gravedad, mienten con gravedad, engañan con gravedad, disputan con gravedad, juegan y ríen con gravedad, faltan con gravedad a su palabra, y hasta eso que llaman informalidad y lijereza son la lijereza e informalidad más graves que se conocen. Ni aun a solas dan unos tumbos y zapatetas en el aire, en seco y sin motivo alguno, y de tal modo pareció agotarse en la historia de Don Quijote el repuesto todo heroísmo que en España hubiera, que no es fácil se encuentre hoy en el mundo pueblo más incapaz que el español de comprender y sentir el humor. Aquí se toman por donaires y se ríen las más chocarreras torpezas de cualquier ingenio afrailado; hay asnos en figura humana que celebran como agudo chiste el que se le diga a alguien que se le ven las orejas de burro. Después que tú, Don Quijote, te fuiste de este mundo, se ha llegado a reír como gracias las insípidas sandeces de un tal Fray Gerundio de Campazas, y luego que Sancho dejó de luchar en la conquista de su fe, se nos vino un Bertoldo italiano y está bertolizando a nuestro pueblo. Mentira parece que en el pueblo en que Don Quijote elevó a heroicas hazañas las más miserables burlas se rieran los retorcidos chistes de aquel fúnebre Quevedo, hombre grave y tieso, si los ha habido, y fuesen reídas las pretendidas gracias, puramente de corteza, cuando no de pellejo de corteza, es decir, de vocablo, de su *Gran Tacaño*.

CAPITULO LVII

*Que trata de cómo Don Quijote se despidió del Duque, y de
lo que le sucedió con la discreta y desenvuelta Altisidora,
doncella de la Duquesa*

Harto Don Quijote de su ociosidad en casa de los Duques, y dolido ya, por muy dentro de sí, aunque su historiador no nos lo apunte, de las burlas que se le hacían, decidió marcharse. Y no nos quepa duda de que las tales burlas ni se le pasaban inadvertidas ni dejaban de dolerle, pues aunque su locura las tomara por buenas y las aprovechase en heroísmo, no dejaba de trabajar por debajo de ella su cordura, a oscuras, y tal vez sin que él mismo se percatara de ello.

Y así, «pidió un día licencia a los Duques para partirse», y se la dieron «con muestras de que en gran manera les pesaba de que los dejase». A Sancho le dieron, a escondidas de su amo, «un bolsillo con doscientos escudos de oro», el triste precio de las burlas, el salario de los juglares. Y después de sufrir una vez más los burlescos requiebros de Altisidora, se salió Don Quijote del castillo, «enderezando su camino a Zaragoza».

Toma ya libre huelgo el Caballero de la Fe; respiremos con él.

CAPITULO LVIII

*Que trata de cómo menudearon sobre Don Quijote aventuras
tantas que no se daban a vagar unas a otras*

«Cuando Don Quijote se vio en la campaña rasa, libre y desembarazado de los requiebros de Altisidora, le pareció que estaba en su centro y que los espíritus se le renovaban para proseguir de nuevo el asunto de sus caballerías, y volviéndose a Sancho, le dijo: La libertad, Sancho, es uno de los más preciados dones que a los hombres dieron los cielos...», con todo lo que se sigue.

Sí, ya estás libre de burlas y chacotas, ya estás libre de Duques y doncellas y lacayos, ya estás libre de la vergüenza de aparecer pobre. Se comprende bien que «en metad de aquellos banquetes sazonados y de aquellas bebidas de nieve» te pareciera «estar metido entre las estrecheces de la hambre». Bien decías: «Venturoso aquel a quien el cielo dio un pedazo de pan, sin que le quede obligación de agradecerlo a otro que al mismo cielo.» ¿Y quién es ése?

«En estos y otros razonamientos iban los andantes Caballero y escudero», y ocupado el corazón de Don Quijote por los dejos de su esclavitud en casa de los Duques y el recuerdo de su soledad y su pobreza, cuando se encontró con una docena de labradores que llevaban, cubiertas con unos lienzos, unas imágenes de relieve y entalladura para el retablo de su aldea. Pidió Don Quijote cortésmente que se las mostrasen y le enseñaron las de San Jorge, San Martín, San Diego Matamoros y San Pablo, caballeros andantes del cristianismo los cuatro, y que pelearon a lo divino. Y Don Quijote, al verlos dijo: «Por buen agüero he tenido, hermanos, haber visto lo que he visto, porque estos santos y caballeros profesaron lo que yo profeso, que es el ejercicio de las armas; sino que la diferencia que hay entre mí y ellos es que ellos fueron santos y pelearon a lo divino y yo soy pecador y peleo a lo humano. Ellos conquistaron el cielo a fuerza de brazos, porque el cielo padece fuerza, y yo, hasta ahora, no sé lo que conquisto a fuerza de mis trabajos; pero si mi Dulcinea del Toboso saliese de los que padece mejorándose mi ventura y adobándoseme el juicio, podría ser que encaminase mis pasos por mejor camino del que llevo.»

¡Hondísimo pasaje! Aquí la temporal locura del Caballero Don Quijote se derrite en la eterna bondad de la cordura del hidalgo Alonso el Bueno, y no hay acaso en toda la tristísima epopeya de su vida pasaje que nos labre más honda pesadumbre en el corazón. Aquí Don Quijote se adentra y entraña en la cordura de Alonso Quijano el Bueno, zahonda en sí mismo, torna a ser niño y a mamar, según aquello de Teresa de Jesús (*vida, XIII, 11*) de que lo «del conocimiento propio jamás se ha de dejar ni hay alma en este camino tan gigante que no haya menester muchas veces tornar a ser niño y a mamar». Sí, Don Quijote se vuelve aquí a la niñez espiritual, a la niñez cuyo recuerdo es el alivio de nuestra alma, pues es el niño que llevamos todos dentro quien ha de justificarnos algún día. Hay que hacerse como niños para entrar en el reino de los cielos. Aquí se le agolpaban en la cabeza y en el corazón a Don Quijote aquellos años de sus remotas mocedades, de que nada nos dice su historia: todos aquellos misteriosos años en que, libre todavía del encanto de los libros de cabellerías, había contemplado con paz, en serenas tardes, la mansedumbre de la reposada Mancha.

¿Y no había, pobre Caballero, en el poso de este tu desencanto, un recuerdo de aquella garrida Aldonza, por la que suspirabas doce años ya sin más que haberla visto cuatro veces? «Si mi Dulcinea del Toboso saliese de los (trabajos) que padece...», decías, mi pobre Don Quijote, y en tanto pensaba dentro de ti Alonso Quijano: ¡oh, si el imposible, por ser imposible, se cumpliese merced a mi locura, si Aldonza, movida a compasión y encantada por la locura de mis proezas, viniese a romper mi vergüenza, esta vergüenza de pobre hidalgo entrado en años y henchido de amor, ¡oh, entonces, «mejorándose mi ventura y adobándoseme el juicio», encaminaría mis pasos a una vida de amor dichoso! ¡Oh mi Aldonza, mi Aldonza, tú pudiste llevarme por mejor camino del que llevo!, pero... ¡es ya tarde! ¡Te encontré muy tarde en mi vida! ¡Oh misterios del tiempo! ¡Contigo habría yo sido héroe, pero un héroe sin locura; contigo, este mi esfuerzo heroico habríase enderezado a hazañas de otra laya y a otro alcance; contigo, en vez de estas burlas, habría derramado fecundas veras por los campos de mi patria!

Y ahora, dejando a Alonso el Bueno, volvamos a Don

Quijote para oír al Caballero empeñado en la hazañosa empresa de enderezar los tuertos del mundo a fin de alcanzar, merced a ello, eternidad de nombre y fama, oírle cómo confiesa no saber lo que conquista a fuerza de sus trabajos, y verle volver su mirada a la salvación de su alma y a la conquista del cielo, que padece fuerza.

«¿De qué aprovecha al hombre si ganare todo el mundo y perdiere su alma?», dice el Evangelio (Mat., XVI, 26).

Estas palabras de descorazonamiento en su obra de Don Quijote, esa su bajada a la cordura de Alonso el Bueno, es lo que más a las claras pone su hermandad espiritual con los místicos de su propia tierra castellana, con aquellas almas llenas de sed de los secos parámeros sobre que moraban y de la serena limpieza del terso cielo bajo el cual penaban. Son a la vez la queja del alma al encontrarse sola.

¿Por qué afanarse? ¿Para qué todo? Bástale a cada día su malicia. ¿Para qué ir a enderezar los tuertos del mundo? El mundo lo llevamos dentro de nosotros, es nuestro sueño, como lo es la vida; purifiquémonos y lo purificaremos. La mirada limpia, limpia cuanto mire; los oídos castos castigan cuanto oyen. La mala intención de un acto, ¿está en quien lo comete o en quien lo juzga? La horrible maldad de un Caín o de un Judas, ¿no será acaso condensación y símbolo de la maldad de los que han fomentado sus leyendas? ¿No es la maldad nuestra lo que nos hace descubrir cuanto hay de malo en nuestro hermano? ¿No es la paja que te anubla el ojo lo que te permite ver la viga del mío? Tal vez el demonio carga con las culpas de los que le temen... Santifiquemos nuestra intención, y quedará santificado el mundo; purifiquemos nuestra conciencia, y puro saldrá el ambiente. «La caridad cubre multitud de pecados», dice la primera de las epístolas atribuídas al apóstol Pedro (IV, 8). Los limpios de corazón ven a Dios en todo, y todo lo perdonan en su nombre. Las ajenas intenciones caen fuera de nuestro influjo, y sólo en la intención está el mal.

Y sobre todo, en esos tus actos heróicos, ¿qué buscas? ¿Enderezar entuertos por amor a la justicia, o cobrar eterno nombre y fama por enderezarlos? La verdad es, pobres mortales, que no sabemos lo que conquistamos a fuerza de trabajos. Mejóresenos la aventura, adóbesenos el juicio y enderezaremos nuestros pasos por mejor camino del que llevamos, por otro camino que no el de la vanagloria.

¡Buscar renombre y fama! Ya lo dijo Segismundo, hermano de Don Quijote:

> ¿Quién por vanagloria humana
> pierde una divina gloria?
> ¿Qué pasado bien no es sueño?
> ¿Quién tuvo dichas heróicas
> que entre sí no diga, cuando
> las revuelve en su memoria:
> sin duda que fue soñando
> cuanto vi? Pues si esto toca
> mi desengaño, si sé
> que es el gusto llama hermosa
> que la convierte en cenizas
> cualquiera viento que sopla,
> acudamos a lo eterno,
> que es la fama vividora
> donde ni duermen las dichas
> ni las grandezas reposan.

> *(La vida es sueño,* III, 10)

Acudamos a lo eterno, sí, y así mejorada nuestra ventura y adobado nuestro juicio, encaminemos nuestros pasos por mejor camino del que llevamos, encaminémonos a conquistar el cielo, que padece fuerza.

> la fama vividora
> donde ni duermen las dichas
> ni las grandezas reposan.

Ya antes, mucho antes que el Segismundo calderoniano, el grave Jorge Manrique, al cantar la muerte de su padre, Don Rodrigo, maestre de Santiago, nos dijo de las tres vidas: la vida de la carne, la vida del nombre y la vida del alma. Cuando después de tanta hazaña descansaba don Rodrigo

> en la su villa de Ocaña,
> vino la muerte a llamar
> a su puerta,
> diciendo: Buen caballero,
> dexad el mundo engañoso,
> y su halago,
> muestre su esfuerzo famoso
> vuestro corazón de acero
> en este trago.
> Y pues de vida y salud
> hicisteis tan poca cuenta
> por la fama,
> esfuércese la virtud
> para sufrir esta afrenta
> que os llama.
> No se os haga tan amarga
> la batalla temerosa
> que esperáis,
> pues otra vida más larga
> de fama tan gloriosa
> acá dexáis.
> Aunque esta vida de honor
> tampoco no es eternal,
> ni verdadera,
> mas con todo muy mejor
> que la otra temporal
> perecedera.
> ....
> Y con esta confianza
> y con la fe tan entera
> que tenéis
> partid con buena esperanza,
> que esta otra vida tercera
> ganaréis.

¿No es acaso la mayor locura dejar perder la gloria inacabable por la gloria pasajera, la eternidad de espíritu por
que dure nuestro nombre tanto como dure el mundo, un
instante de eternidad? Mayormente, cuanto que buscando
la gloria celestial se conquista, por añadidura, la terrena.
Bien lo decía Fernando del Pulgar, consejero, secretario y
cronista de los Reyes Católicos, quien en su libro de los *Claros varones de Castilla,* al hablar del conde de Haro, don
Pedro Fernández de Velasco, nos dice que «este noble Conde, no señoreado de ambición por aver fama en esta vida,
mas señoreando la tentación por aver gloria en la otra, gobernó la república tan rectamente que ovo el premio que
suele dar la verdadera virtud: la cual conoscida en él, al-
cançó tener tanto crédito e autoridad que si alguna grande
y señalada confiança se avía de fazer en el Reyno, quier de
personas, quier de fortalezas o de otra cosa de cualquier
qualidad, siempre se confiaban en el». Quiere decirse, que,
buscando el reino de Dios y su justicia, haber gloria en la
otra vida, consiguió de añadidura fama en ésta, por donde
se ve una vez más cómo el mejor negocio es la virtud y la
carrera más lucrativa y provechosa la de santo.

La carrera más provechosa y lucrativa es la de santo, en
efecto. También Iñigo de Loyola fue en sus mocedades, según dije que el P. Rivadeneira nos lo cuenta, amigo de leer
libros de caballerías, y buscó «alcanzar nombre de hombre
valeroso, y honra y gloria militar». *(Vida,* libro II, capítulo
II). Pero leyó otros y «trató muy de veras consigo mismo
de mudar la vida y enderezar la proa de sus pensamientos
a otro puerto más cierto y más seguro que hasta allí, y des-
tejer la tela que había tejido, y desmarañar los embustes y
enredos de su vanidad» (libro II, cap. II). Y este Iñigo, ¿no
tuvo alguna Aldonza por la que suspiró años y más años y
que le llevó a su vida de santidad, luego de rompérsele la
pierna?

¡Abismático pasaje, henchido de suprema melancolía, el
del encuentro de Don Quijote con las cuatro imágenes de
los caballeros andantes a lo divino! Por buen agüero lo tuvo
el Caballero, y era, en efecto, el agüero de sus próximas con-

versión y muerte. Pronto, mejorada su ventura y adobado su juicio, enderezará sus pasos por mejor camino, por camino de la muerte.

¡Abismático pasaje! ¿Y a quién de nosotros, los que seguimos o queremos seguir en algo a Don Quijote, no nos ha ocurrido cosa parecida? El triste dejo del triunfo es el desencanto. No, no era aquello. Lo que hiciste o dijiste no merecía los aplausos con que te lo premiaron. Y llegas a casa y te encuentras en ella solo, y entonces, vestido como estás, te echas sobre la cama y dejas volar tu imaginación por el vacío. En nada te fijas, en nada concretas tu imaginación; te invade un gran desaliento. No, no era aquello. No quisiste hacer lo hecho, no quisiste decir lo dicho; te aplaudieron lo que era tuyo. Y llega tu mujer, rebosante de cariño, y al verte así, tendido, te pregunta qué tienes, que te pasa, por qué te preocupas, y la despides, acaso desabridamente, con un áspero y seco: ¡déjame en paz! Y quedas en guerra. Y en tanto creen los que te censuran que estás embriagado con el triunfo, cuando en verdad estás triste, muy triste, abatido, enteramente abatido. Te has cobrado asco a ti mismo; no puedes volver atrás, no puedes retrotraer el tiempo y decir a los que iban a escucharte: «Todo esto es mentira; yo ni aun sé lo que voy a decir; aquí venimos a engañarnos; voy a ponerme en espectáculo; vámonos, pues, cada uno a su casa, a ver si se nos mejora la ventura y adobamos nuestro juicio».

El lector echará de ver, de seguro, que escribo estas líneas bajo un apretón de desaliento. Y así es. Es ya de noche, he hablado esta tarde en público y aún se me revuelven en el oído tristemente los aplausos. Y oigo también los reproches, y me digo: ¡tienen razón: fue un número de feria; tienen razón: me estoy convirtiendo en un cómico, en un histrión, en un profesional de la palabra. Y ya hasta mi sinceridad, esta sinceridad de que he alardeado tanto, se me va convirtiendo en tópico de retórica. ¿No sería mejor que me recogiese en casa una temporada y callase y esperara? Pero, ¿es esto hacedero?, ¿podré resistir mañana?, ¿no es acaso una cobardía desertar?, ¿no hago algún bien a al-

guien con mi palabra, aunque ella me desaliente y apesa-
dumbre? Esta voz me dice: ¡calla, histrión!, ¿es voz de un
ángel de Dios o es la voz del demonio tentador? ¡Oh Dios
mío, Tú sabes que te ofrezco los aplausos lo mismo que las
censuras; Tú sabes que no sé dónde ni a dónde me llevas;
Tú sabes que, si hay quienes me juzgan mal, me juzgo yo
peor que ellos; Tú, Señor, sabes la verdad; Tú solo; mejó-
rame la ventura y adóbame el juicio, a ver si enderezo mis
pasos por mejor camino del que llevo!

«No sé lo que conquisto a fuerza de mis trabajos», digo
con Don Quijote. Y Don Quijote tuvo que decirlo en uno
de esos momentos en que sacude el alma el soplo del ale-
tazo del ángel del misterio; en un momento de angustia.
Porque hay veces que, sin saber cómo y de dónde, nos so-
brecoge de pronto, y al menos esperarlo, atrapándonos des-
prevenidos y en descuido, el sentimiento de nuestra mor-
talidad. Cuando más entoñado me encuentro en el tráfago
de los cuidados y menesteres de la vida, estando distraído
en fiesta o en agradable charla, de repente parece como si
la muerte aleteara sobre mí. No la muerte, sino algo peor,
una sensación de anonadamiento, una suprema angustia. Y
esta angustia, arrancándonos del conocimiento aparencial,
nos lleva de golpe y porrazo al conocimiento sustancial de
las cosas.

La creación toda es algo que hemos de perder un día o
que un día ha de perdernos, pues ¿qué otra es desvanecer-
nos del mundo sino desvanecerse el mundo de nosotros?
¿Te puedes concebir como no existiendo? Inténtalo; concen-
tra tu imaginación en ello y figúrate a ti mismo sin ver, ni
oír, ni tocar, ni recordar nada; inténtalo, y acaso llames y
traigas a ti esa angustia que nos visita cuando menos la esperamos, y sientes el nudo que te aprieta el gaznate del
alma, por donde resuella tu espíritu. Como el arrendajo al
roble, así la cuita imperecedera nos labra a picotazos el corazón para ahoyar en él su nido.

Y en esa angustia, en esa suprema congoja del ahogo espiritual, cuando se te escurran las ideas, te alzarán de un
vuelo congojoso para recobrarlas al conocimiento sustancial.

Y verás que el mundo es tu creación, no tu representación, como decía el tudesco. A fuerza de ese supremo trabajo de congoja conquistarás la verdad, que no es, no, el reflejo del Universo en la mente, sino su asiento en el corazón. La congoja del espíritu es la puerta de la verdad sustancial. Sufre, para que creas y creyendo vivas. Frente a todas las negaciones de la «lógica», que rige las relaciones aparecidas de las cosas, se alza la afirmación de la «cardíaca» que rige los toques sustanciales de ellas. Aunque tu cabeza diga que se te ha de derretir la conciencia un día, tu corazón, despertado y alumbrado por la congoja infinita, te enseñará que hay un mundo en que la razón nos es guía. La verdad es lo que hace vivir, no lo que hace pensar.

A la vista de las imágines padeció un relámpago de desmayo Don Quijote. De no haberlo nunca padecido, sería, en puro sobrehumano, inhumano, y como tal, modelo imposible para los hombres de cada día. Y ¿qué mucho lo padeciera si el mismo Cristo, abrumado por la tristeza en el olivar, pidió a su Padre si podía ahorrarle las heces del cáliz de la amargura? Don Quijote dudó por un momento de la Gloria, pero ésta, su amada, le amaba a su vez ya y era, por tanto, su madre, como lo es del amado toda su amante verdadera. Hay quien no descubre la hondura toda del cariño que su mujer le guarda sino al oírla, en momento de congoja, un desgarrador ¡hijo mío!, yendo a estrecharle maternalmente en sus brazos. Todo amor de mujer es, si verdadero y entrañable, amor de madre; la mujer prohija a quien ama. Y así Dulcinea es ya madre espiritual, no tan sólo señora de los pensamientos, de Don Quijote, y aunque se le hubiese a éste pasado por las mientes desahijarse de ella, veréis que ella le recobra con amoroso reclamo, como al ternerillo recental que corre a triscar suelto le requerencia la vaca al sentirse con las ubres perinchidas, rompiendo con dulce arrullo el aire que los separa. Veréis cómo le detiene con verdes lazos.

Y fue que iban, después de lo narrado, entretenidos amo y escudero en razones y pláticas, entrando por una selva que fuera del camino estaba, cuando «a deshora, y sin pensar en ello, se halló Don Quijote enredado entre unas redes de hilo verde, que desde unos árboles a otros estaban tendidas» y que resultaron estarlo por unas hermosísimas doncellas y unos mozos principales que, disfrazados de pastores y zagalas, querían, formando una nueva y pastoril Arcadia, pasarlo en recitar églogas de Garcilaso y de Camoens. Conocieron a Don Quijote y le rogaron se detuviese con ellos, como así lo hizo, y en su compañía de ellos comió. Y a fuer de agradecido, y para pagar el agasajo, ofreció lo que podía y tenía de su cosecha, cual fue sustentar durante dos días naturales, en mitad de aquel camino real que va a Zaragoza, que aquellas señoras contrahechas en pastoras que allí estaban, eran las más hermosas doncellas y más corteses que había en el mundo, exceptuando tan sólo a la sin par Dulcinea del Toboso, única señora de sus pensamientos.

¡Vele aquí cómo vuelve ya a su locura nuestro admirable Caballero! Cuando más ensimismado iba en meditar la vanidad y locura del esfuerzo de sus trabajos, le prenden y vuelven verdes redes al fresco sueño de la locura y de la vida. Volvió el Caballero al sueño de la vida, a su generosa locura, resurgiendo reconfortado de la egoísta cordura de Alonso el Bueno. Y entonces, al retornar a su sublime locura, entonces es cuando vuelve a su magnánima intención y ofrece lo que ofreció sostener en honra y prez de sus agasajadores. De aquella sumersión en los abismos de la oquedad del esfuerzo humano tomó huelgos y recobró nuevo cuajo la energía creadora del Caballero de la Fe, al modo como Anteo al toque de la Tierra, su madre; y se lanzó a la santa resignación de la acción, que nunca vuelve, como la mujer de Lot, la cara al pasado, sino que siempre se orienta al porvenir, único reino del ideal.

Se echó Don Quijote al camino, plantóse en él y lanzó su reto. Y aquí dirá el lector lo que ya varias veces se habrá dicho en el curso de esta peregrina historia, y es: ¿qué tiene que ver la verdad de una proposición con el valor de quien la sustenta y la fortaleza de su brazo? Por que venza en lid de armas el sustentador de esto o de aquello, ¿ha de tenerse lo que él sustentaba por más verdadero que lo sustentado por el vencido?

Ya te he dicho, lector, que son los mártires los que hacen la fe más bien que ser la fe la que hace mártires. Y la fe hace la verdad.

Verdad entre burla y juego, como es hija de la fe, es peña que el agua y viento para siempre está en un ser.

como según el conocido romance dijo Rodrigo de Vivar,

> ahinojado ante el Rey
> delante de los que juzgaba, antes de los años diez.

Es verdadero, te lo repito, cuanto moviéndonos a obrar hace que cubra el resultado a nuestro propósito, y es, por lo tanto, la acción la que hace la verdad. Déjate, pues, de lógicas. Y ¿cómo se hace que los hombres crean las cosas y les lleven a llenar sus propósitos si no es manteniéndolas con valor? Las gentes creen verdadera la empresa que venció por el esfuerzo del ánimo y del brazo de quien la sustentaba, y al creerla verdadera la hacen tal si les lleva a obrar con buen éxito. Las manos, pues, abonan a la lengua, y con hondo sentido dijo Pedro Vermúez a Ferrando, el infante de Carrión, en aquellas famosas Cortes, lo de:

> Delant myo Cid e delant todos oviste te de alabar
> que mataras el moro e que fizieras barnax;
> Croviorontelo todos, ma non saben la verdad.
> E eres fermoso, mas mal barragán.
> Lengua sin manos, cuemo osas fablar.

> *(Poema del Cid,* 3.324-3.328.)

Y continúa echándole en cara que huyó del león al que avergonzó el Cid, por lo cual valía menos entonces —poró menos vales oy (3.334)—, y luego abandonó a su mujer, la hija del Cid, y

Por cuanto las dexastes menos valedes vos;
(3.344)

y acaba exclamando:

De cuanto he dicho verdadero seré yo.
(3.357.)

Todos creyeron a Ferrando, mas era por ignorar la verdad: que era hermoso, pero «mal barragán». Lengua sin manos, ¿cómo osas hablar?

No faltará todavía chinche escolástico como para venirme con que confundo la verdad lógica con la verdad moral y el error con la mentira, y que puede haber quien se mueva a obrar por manifiesta ilusión y logre, sin embargo, su propósito. A lo que digo que entonces la tal ilusión es la verdad más verdadera, y que no hay más lógica que la moral. Y de cuanto digo verdadero seré yo. Y basta.

Salió Don Quijote al camino, plantóse en él, lanzó su reto y entonces fue cuando una manada de toros y cabestros le derribaron y pisotearon. Así sucede que, cuando retáis a caballero a defender una verdad, vienen toros y cabestros y hasta bueyes, y os pisotean. .

CAPITULO LIX

*Donde se cuenta el extraordinario suceso, que se puede tener
por aventura, que le sucedió a Don Quijote*

Levantóse Don Quijote, montó, y sin despedirse de la Arcadia fingida reanudó, más entristecido aún, su camino. Porque venía ya triste desde casa de los Duques. Y viendo comer a Sancho: «Come, Sancho amigo —dijo Don Quijote—, sustenta la vida, que más que a mí te importa, y déjame morir a manos de mis pensamientos y a fuerza de mis desgracias» ¡Déjame morir! ¡Déjame morir a manos de mis pensamientos, y a fuerza de mis desgracias! ¿Pensabas acaso, pobre Caballero, en el encantamiento de Dulcinea y pensaba tu Alonso en el encanto de Aldonza?

«Yo, Sancho —prosiguió Don Quijote—, nací para vivir muriendo, y tú para morir comiendo.» ¡Preñadísima sentencia! Sí, para vivir muriendo nació todo género de heroísmo. Al verse el Caballero «pisado y acoceado y molido de los pies de animales inmundos y soeces, pensó» dejarse morir de hambre. La cercanía de la muerte, que se le venía encima a muy raudos pasos, iba alumbrando su mente y disipando de ella la cerrazón de la locura. Comprendía ya que eran animales inmundos y soeces los que le cocearon y molieron, y no los tuvo por cosa de encantamiento y magia.

¡Pobre mi señor! La fortuna se te ha vuelto de espaldas y te desdeña. Mas no por eso la esperas menos, y tu esperanza es tu verdadera fortuna: tu dicha el esperarla. ¿No esperaste durante doce arrastrados años y no esperabas todavía lo imposible, con tanto más grande esperanza cuanto más es lo esperado imposible? Bien se ve que no habías olvidado aquello que leíste en el canto segundo de la áspera *Araucana* de mi paisano Ercilla, y es que

> el más seguro bien de la fortuna
> es no haberla tenido vez alguna.

Descansaron un rato amo y escudero, reanudaron camino y llegaron a una venta, que por la tal venta la tomó Don Quijote, pues salió, como vemos, de casa de los Duques en vía de curación de su locura y desempañada la vista. Las burlas se la iban aclarando. Las burlas le abrieron los ojos para conocer a los animales inmundos y soeces.

Y aún tuvo que apurar en la venta otro tormento, y fue el de conocer las patrañas que acerca de él había propalado la falsa segunda parte de su historia.

CAPITULO LX

De lo que sucedió a Don Quijote yendo a Barcelona

Continuaron camino de Barcelona, y en él, sesteando entre unas espesas encinas y alcornoques, sucedió el más triste suceso de tantos tan tristísimos como la historia de nuestro Don Quijote encierra. Y fue que, desesperado Don Quijote de la flojedad y caridad poca de Sancho su escudero, «pues, a lo que creía solos cinco azotes se había dado, número desigual y pequeño para los infinitos que le faltaban» por darse si había de desencantar a Dulcinea, determinó azotarle a pesar suyo. Intentó hacerlo, resistióse el escudero, forcejeó Don Quijote, y viéndolo Sancho Panza, «se puso en pie, y arremetiendo a su amo, se abrazó con él a brazo partido, y echándole una zancadilla, dio con él en el suelo boca arriba; púsole la rodilla derecha sobre el pecho y con las manos le tenía las manos de tal modo que ni le dejaba rodear ni alentar».

Basta ya, que oprime al ánimo más recio la lectura, de este tristísimo paso. Tras las burlas de los Duques, la aflicción por la pobreza, el desmayo del heroísmo ante las imágenes de los cuatro caballeros y el molimiento por pies de animales inmundos y soeces, sólo faltaba, como suprema tortura, la rebeldía de su escudero. Sancho se había visto gobernador, y a su amo, a las patas de los cabestros. El paso es de hondísima tristeza.

Don Quijote le decía: «¿Cómo, traidor, contra tu amo y señor natural te desmandas? ¿Con quien te da su pan te atreves?» ¿El pan? No sólo el pan, sino la gloria y la vida misma perduraderas. «Ni quito el rey ni pongo rey —respondió Sancho—, sino ayúdome a mí, que soy mi señor.»

¡Oh pobre Sancho, y a qué desfalladero de torpeza te arroja la carne pecadora! Te desmandas contra tu amo y señor natural, contra el que te da el eterno pan de tu vida eterna, creyéndote señor de ti mismo. No, pobre Sancho, no; los Sanchos no son señores de sí mismos. Esa proterva razón que para rebelarte aduces de «¡soy mi señor!!» no es más que un eco del «¡no serviré!» de Lucifer, el príncipe de las tinieblas. No, Sancho, no; tú no eres ni puedes ser señor de ti mismo, y si mataras a tu amo, en aquel mismo instante te matarías para siempre a ti mismo.

Pero bien mirado, tampoco está del todo mal que Sancho se rebele así, pues de no haberse nunca rebelado no sería hombre, hombre de verdad, entero y verdadero. Y esa rebelión, si bien se mira, fue un acto de cariño, de hondo cariño a su amo, que se desmandaba y salía, en la tristeza de su locura agonizante, de las buenas prácticas caballerescas. Después de aquello, después de haberle tenido sujeto bajo su rodilla, después de haberle vencido, es seguro que Sancho quiso y respetó y admiró más a su amo. Así es el hombre.

Y Don Quijote prometió no tocarle en el pelo de la ropa, dejándose vencer de su escudero. Es la primera vez en su vida toda en que el Caballero de los Leones se deja vencer humildemente y sin defenderse siquiera; se deja vencer de su escudero.

Y este mismo Sancho, que arremete a su amo y le pone la rodilla sobre el pecho, al sentir sobre su cabeza y pendientes de un árbol dos pies de persona con zapatos y calzas, tiembla de miedo y da voces llamando a Don Quijote que le acorra y favorezca.

No bien acaba de desmandarse contra su amo y señor natural al grito revolucionario de «¡yo soy mi señor!», cuando no es señor de sí mismo, sino que tiembla de miedo al sentir sobre su cabeza unos pies calzados, y llama a su amo y señor natural, al que le amparaba del miedo. Y Don Quijote, ¡claro está!, acudió a la llamada, porque era bueno. Y supuso fueran pies de forajidos y bandoleros que en aquellos árboles estaban ahorcados.

Así lo vieron al amanecer, en que «cuarenta bandoleros vivos, que de improviso les rodearon diciéndoles en lengua catalana que se estuvieran quedos y se detuvieran hasta que llegase su capitán». Y el pobre Don Quijote hallóse «a pie, su caballo sin freno, su lanza arrimada a un árbol, y finalmente sin defensa alguna, y así tuvo por bien cruzar las

manos e inclinar la cabeza, guardándose para mejor sazón
y coyuntura». ¡Ejemplarísimo Caballero! Y ¡cómo le han
enseñado las burlas de los Duques, las coces de los cabestros y la arremetida de Sancho! Es que barrunta, aun sin
conocerla, la cercanía de su muerte.

Llegó el capitán, Roque Guinart, vio la triste y melancólica figura de Don Quijote y le animó. Había oído hablar de él. Y allí conoció Don Quijote la concertada república de los bandoleros y pretendió persuadir con buenas palabras, y no obligarle por fuerza, a Roque Guinart a que
se hiciese caballero andante. Sirvió el encuentro para que el
Caballero admirase la vida del caballeresco bandolero, la
equidad con que se repartían los despojos del robo y su generosidad con los viandantes. Y él, Don Quijote, que con
grande escándalo de las personas graves había dado libertad a los galeotes, no intentó siquiera deshacer la república
de los bandidos.

Esto de la justicia distributiva y el buen orden que en
repartir los despojos del botín se observaba en la banda de
Roque Guinart, es condición de toda sociedad de bandoleros. Fernando del Pulgar, al hablarnos en su *Claros varones de Castilla* del bandolero don Rodrigo de Villadrados,
conde de Ribadeo, que con sus bandas y su gran poder
«robó, quemó, destruyó, derribó, despobló Villas e Lugares
e pueblos de Borgoña e de Francia», nos dice que «tenía
dos singulares condiciones: la una, que fazía guardar la justicia entre la gente que tenía, e no consentía fuerza ni robo
ni otro crimen; e si alguno lo cometía, él por sus manos lo
punía». Por donde se ve cómo es en el seno de las sociedades organizadas para el robo donde más severamente se persigue el robo mismo, así como en los ejércitos, organizados
para defender y destruir, es donde más duramente se castigan las ofensas y lo que a la destrucción del ejército mismo tienda. Y así cabe decir de todo género de justicia humana que brotó de la injusticia, de la necesidad que ésta
tenía de sostenerse y perpetuarse. La justicia y el orden nacieron en el mundo para mantener la violencia y el desor-
den. Con razón ha dicho un pensador que de los primeros

bandoleros a sueldo surgió la Guardia Civil. Y los romanos, formuladores del derecho que aún subsiste, los del *ita ius esto*, ¿qué eran sino unos bandoleros que empezaron su vida por un robo, según la leyenda por ellos mismos forjada?

Conviene, lector, te pares a considerar eso de que nuestros preceptos morales y jurídicos hayan nacido de la violencia y de que, para poder matar una sociedad de hombres, se haya dicho a cada uno de éstos que no deben matarse entre sí, y se les haya predicado que no deben robarse unos a otros para que así se dediquen al robo en cuadrilla. Tal es el verdadero abolengo y linaje de nuestras leyes y nuestros preceptos; tal la fuente de la moral al uso. Y este su abolengo y linaje se descubre en ella, y por esto nos sentimos inclinados a perdonar y aun querer a los Roque Ginart, porque en ellos no hay doblez ni falsía, sino que aparecen sus bandas tal y como son mientras pueblos y naciones que se dicen llamados a cumplir el derecho y servir a la cultura y a la paz son sociedades fariseas. ¿Conocéis algún rasgo quijotesco de una nación de hombres como tal nación?

Consideremos, por otra parte, cómo del mal sale el bien —porque al fin es un bien, si bien transitorio, el de la justicia distributiva—, y tiene éste sus raíces en aquél, o son más bien caras de una misma figura. De la guerra brota la paz, y del robo en cuadrilla el castigo al robo. La sociedad tiene que tomar sobre sí los crímenes para liberar de ellos, y de su remordimiento, a los que la forman. Y ¿no hay, acaso, un remordimiento social, desparramado entre sus miembros todos? Sin duda, y el hecho éste del remordimiento social, tan poco advertido de ordinario, es el móvil principal de todo progreso de la especie. Acaso lo que nos mueve a ser buenos y justos con los de nuestra sociedad es cierto oscuro sentimiento de que la sociedad misma es mala e injusta; el remordimiento colectivo de una tropa de guerra es tal vez lo que les mueve a prestarse servicios entre sí y aun a prestárselos, a las veces, al enemigo vencido. Por conocer la insolencia de su oficio se guardaban fe entre sí los compañeros de Roque.

Este precioso episodio de Roque Guinart es el que más íntima relación guarda con la esencia de la historia de Don Quijote. Es un reflejo, a la vez, del culto popular al bandolerismo, culto jamás borrado de nuestra España. Roque Guinart es un predecesor de los muchos bandidos generosos cuyas hazañas, transmitidas y esparcidas merced a los pliegos de cordel y coplas de ciegos, han admirado y deleitado a nuestro pueblo: de Diego Corrientes, llamado por antonomasia el bandido generoso; del guapo Francisco Esteban; de José María, el Rey de la Sierra Morena; del gaucho Juan Moreira, allá en la Argentina, y de tantos otros mas, cuyo patrón en el ciclo de nuestro pueblo es San Dimas.

Cuando crucificaron a Nuestro Señor Jesús Cristo, uno de los malhechores que estaba colgado junto a El le injuriaba, diciendo: «Si Tú eres el Cristo, sálvate a Ti mismo y a nosotros.» Y respondiendo el otro, reprendiéndole diciendo: «¿Ni aun tú temes a Dios estando en la condenación? Nosotros, a la verdad, justamente padecemos, porque recibimos lo que merecieron nuestros hechos, mas Este ningún mal hizo.» Y dijo a Jesús: «Señor, acuérdate de mí cuando fueres en tu reino.» Y entonces Jesús le dijo: «De veras te digo que hoy serás conmigo en el paraíso.» (Luc., XXIII, 39-43).

No se encuentra otra vez alguna en el Evangelio una afirmación tan redonda de «serás conmigo en el paraíso», una tan firmemente dada seguridad de salvación. Una vez canoniza el Cristo, y es a un bandolero en el momento de la muerte. Y al canonizarle, canoniza la humildad de nuestro bandolerismo. Y ¿por qué, cuando fustigó duramente a tantos escribas y fariseos, hombres honrados según la ley? Porque éstos se tenían por justos a sí mismos, como el fariseo de la parábola, mientras el bandolero, como el publicano de la misma, reconoció su culpa. Fue su humildad lo que premió Jesús. El bandolero se confesó culpable y creyó en el Cristo.

Nada aborrece más el pueblo que al Catón, que se tiene por justo y parece ir diciendo: miradme y aprended de mí a ser honrados. Roque Guinart, por el contrario, no ensalzaba su estado, sino que confesó a Don Quijote que no había modo de vivir más inquieto ni sobresaltado que el suyo, y que perseveraba en él por deseo de venganza, a despecho y a pesar de lo que entendía, y añadió: «y como un abismo llama a otro y un pecado a otro pecado, hanse eslabonado las venganzas de manera que no sólo las mías, pero las ajenas, tomo a mi cargo; pero Dios es servido de que, aunque me veo en la mitad del laberinto de mis confusiones, no pierdo la esperanza de salir dél a puerto seguro». Es un eco de la oración de San Dimas. Y nos parece oír aquello de Pablo de Tarso: «No hago el bien que quiero, sino el mal que no quiero hago; miserable hombre de mí, ¿quién me librará de este cuerpo de muerte?» (Rom., VII, 19,24).

«No hago el bien que quiero, sino el mal que no quiero hago.» Palabras que nos sugiere la conducta de Roque Guinart y que nos piden a gritos nos paremos a meditarlas. Y a meditar que no es lo mismo cumplir la ley que ser bueno. Hay, en efecto, quien se muere sin haber abrigado un solo buen deseo y sin haber, a pesar de ello, cometido un solo delito, y quien, por el contrario, llega a la muerte con una vida cargada de delitos y de generosos deseos a la vez. Son la intenciones y no los actos lo que nos empuerca y estraga el alma, y no pocas veces un acto delictuoso nos purga y limpia de la intención que lo engendrara. Más de un rencoroso homicida habrá empezado a sentir amor a su víctima luego que sació su odio en ella, mientras hay gentes que siguen odiando al enemigo que se murió, después de muerto. Ya sé que son muchos los que anhelan una humanidad en que se impidan los crímenes aunque los malos sentimientos envenenen las almas, pero Dios nos dé una humanidad de fuertes pasiones, de odios y de amores, de envidias y de admiraciones, de ascetas y de libertinos, aunque traigan consigo estas pasiones sus naturales frutos. El criterio jurídico sólo ve lo de fuera y mide la punibilidad del acto por sus consecuencias; el criterio estrictamente moral debe juzgarlo por su causa y no por su efecto. Lo que ocurre es que nuestra moral corriente está manchada de abogacía, y nuestro criterio ético estropeado por el jurídico.

El matar no es malo por el daño que reciben el muerto o
sus deudos o parientes, sino por la perversión que al espíritu del matador lleva al sentimiento que le impulsa a dar
a otro la muerte; la fornicación no es pecado por daño alguno que reciba la fornicada —pues de ordinario no lo recibe tal y sí sólo deleite—, sino porque el sucio deseo distrae al hombre de la contemplación de su propio fin y le
tiñe de falsedad cuanto percibe. Con hondo sentimiento se
llama entre los gauchos «desgracia» no al ser muerto, sino
al haber tenido que matar a otro. Y por ello, aunque en el
mundo de la servidumbre, en el mundo aparencial, de las
trasgresiones del derecho, caigamos en delito, nos salvare-
mos si conservamos sana intención en el mundo de la libertad, en el mundo esencial de los anhelos íntimos.

Y además, ¿no endurecerá en sus fechorías al facineroso
la desconfianza del perdón? Recordad aquí a los galeotes.
Creo que, si todos los hombres se persuadieran de que hay
un perdón final para todos y una vida perdurable, en una
u otra forma, se harían todos mejores. El temor al castigo no
evita más fechorías que las que provocan la desesperanza
de perdón. Recordad a Pablo el ermitaño y a Enrico, el bandolero del drama de Tirso de Molina que lleva por título
El condenado pro desconfiado, profunda quintaesencia de la
fe española; recordad que si Pablo macerado en penitencia,
se pierde por desconfiar de su salvación, por confiar en ella
se salva Enrico, el forajido. Volved a leer este drama. Recordad a aquel Enrico, hijo de Anareto, que conservó entre
sus maldades entrañables cariño a su tullido padre y fe en
la misericordia de Dios, reconociendo la justicia del castigo. Recordadle diciendo:

> Mas siempre tengo esperanza
> en que tengo de salvarme, puesto que no va fundada
> mi esperanza en obras mías, sino en saber que se
> hermana
> Dios con el más pecador, y con su piedad le salva.

(II, 17.)

y recordadle arrepentido, gracias a su padre.

¿Que esto repugna al sentido moral? Al sanchopancesco, sí; al quijotesco, no. Un filósofo alemán de hace poco, Nietzsche, metió ruido en el mundo escribiendo de lo que está allende el bien y el mal. Hay algo que está no allende, sino dentro del bien y del mal, en su raíz común. ¿Qué sabemos nosotros, pobres mortales, de lo que son el bien y el mal vistos desde el cielo? ¿Os escandaliza acaso que una muerte de fe abone toda una vida de maldades? ¿Sabéis acaso si este último acto de fe y de contrición no es el brotar a la vida exterior, que se acaba entonces, sentimientos de bondad y de amor que circularon en la vida interior, presos bajo la recia costra de las maldades? Y ¿es que no hay en todos, absolutamente en todos, esos sentimientos, pues sin ellos no se es un hombre? Sí, pobres hombres, confiemos que todos somos buenos.

¡Pero es que así no viviremos nunca seguros! —exclamáis—. ¡Con tales doctrinas, no cabe orden social! Y ¿quién os ha dicho, apocados espíritus, que el destino final del hombre se sujete a asegurar el orden social en la tierra y a evitar esos daños aparentes que llamamos delitos y ofensas? ¡Ah pobres hombres!, siempre veréis en Dios un espantajo o un gendarme, no un Padre que perdona siempre a sus hijos, no más sino por ser hijos suyos, hijos de sus entrañas, y como tales hijos de Dios, buenos siempre por dentro de dentro, aunque ellos mismos ni lo sepan ni lo crean. Tengo, pues, para mí que Roque Guinart y sus compañeros eran mejores de lo que ellos mismos se creían. Reconocía el buen Roque la insolencia de su oficio, pero se sentía atado a él como a un sino fatal. Era su estrella. Y podía haber dicho con el gaucho Martín Fierro lo de:

> Vamos, suerte, vamos juntos,
> puesto que juntos nacimos,
> y ya que juntos vivimos,
> sin podernos dividir,
> yo abriré con mi cuchillo
> el camino *pa* seguir.

Y volviendo a nuestra historia, conviene recordar aquí lo que don Francisco Manuel de Melo, en su *Historia de los movimientos, separación y guerra de Cataluña en tiempo de Felipe IV,* obra publicada unos cuarenta años despues de la historia de nuestro Caballero, dice al describir a los catalanes «por la mayor parte hombres de durísimo natural», que «en las injurias muestran gran sentimiento y por eso son inclinados a venganza», y añade: «La tierra, abundante en asperezas, ayuda y dispone su ánimo vengativo a terribles efectos con pequeña ocasión; el quejoso o agraviado deja a los pueblos y se entra a vivir en los bosques, donde en continuos saltos fatigan los caminos; otros, sin más ocasión que su propia insolencia, siguen a estotros; éstos y aquéllos se mantienen por la industria de sus insultos. Llaman comúnmente andar en trabajo aquel espacio de tiempo que gastan en este modo de vivir, como en señal de que le conocen por desconcierto; no es acción entre ellos reputada por afrentosa, antes al ofendido ayudan siempre sus deudos y amigos.» Y habla luego de los famosos bandos de Narros y Cadells, «no menos celebrados y dañosos a su patria que los Güelfos y Gibelinos de Milán, los Pafos y Médicis de Florencia, los Beamonteses y Agramonteses de Navarra y los Gamboinos y Oñacinos de la antigua Vizcaya».

Al bando de los Narros pertenecía Roque Guinart, y como de tal bando despachó un mensajero a Barcelona dando cuenta a sus amigos de cómo iba Don Quijote, «para que con él se solazasen, que él quisiera que careciesen de este gusto los Cadells, sus contrarios; pero que eso era imposible a causa que las locuras y discripciones de Don Quijote y los donaires de su escudero Sancho Panza no podían dejar de dar gusto general a todo el mundo». ¡Pobre Don Quijote, ya querían hacerte monopolio de un bando y solaz a él solo reservado! ¡Lo que se le ocurre a un catalán, aunque sea bandolero!

CAPITULOS LXI, LXII Y XLIII

De lo que sucedió a Don Quijote en la entrada de
Barcelona, con otras cosas que tienen más de lo
verdadero que de lo discreto

A los tres días, «por caminos desusados, por atajos y sendas encubiertas, partieron Roque, Don Quijote y Sancho con otros seis escuderos a Barcelona», a cuya playa llegaron la víspera de San Juan en la noche, y allí se les despidió Roque, dejando diez escudos a Sancho.

Ya tenemos en ciudad a Don Quijote, y nada menos que en la grande y florida ciudad condal de Barcelona, «archivo de la cortesía, albergue de los extranjeros, hospital de los pobres, patria de los valientes, venganza de los ofendidos y correspondencia grata de firmes amistades y en sitio y belleza única», como más adelante, en el capítulo LXXII, la llama el historiador. Allí, al rayar el día, apacentó en el mar su vista, pareciéndole espaciosísimo y largo, vio las galeras y se halló de fiesta. Y vino la burla ciudadana de los amigos de Roque, que rodeando a Don Quijote, al son de chirimías y atabales le llevaron a la ciudad, donde los muchachos le hicieron ser derribado de Rocinante, poniendo a éste aliagas bajo el rabo.

Ya estás, mi señor Don Quijote, de hazmerreír de una ciudad y juguete de sus muchachos. ¿Por qué te saliste del campo y de sus caminos libres, único terreno propio de tu heroísmo? Allí, en Barcelona, le sacaron al balcón de una de las calles más principales de la ciudad, «a vista de las gentes y de los muchachos, que como a mona le miraban»; allí le pasearon por las calles, sobre un gran macho de paso llano, con un balandrán y a las espaldas un pergamino en que se leía: «Este es Don Quijote de la Mancha», lo que traía consigo con grande admiración del Caballero, que todos los muchachos sin haberle jamás visto le conocieran.

¡Pobre Don Quijote, paseado por la ciudad con tu *ecce homo* a espaldas! Ya estás convertido en curiosidad ciudadana. Y no faltó, un castellano por cierto, quien te llamase

loco y te reprendiese tu locura. Y luego, en casa de don Antonio Moreno, que le hospedaba, hubo sarao y le hicieron
bailar hasta que tuvo que sentarse «en mitad de la sala, en
el suelo, molido y quebrantado de tan bailador ejercicio».

Esto supera ya en tristeza a cuanto desde el día malven-
turado en que topó con los Duques le está ocurriendo. Le
pasean por las calles, convertido en mona de los muchachos, y luego le hacen bailar. Tomándole de juguete, de
trompo, de perinola y zarandillo. Ahora, ahora es, mi señor, cuando cuesta seguirte; ahora es cuando tus fieles han
de poner su fe a prueba. «¡Qué baile! ¡Qué baile!», es uno
de los gritos de irrisión y burla con que escarnecen a los
hombres las muchedumbres españolas. Y a ti, mi señor
Don Quijote, te hicieron bailar en Barcelona hasta molerte
y quebrantarte.

Ser blanco de la ociosa curiosidad de las muchedumbres;
oír que al pasar dicen junto a uno a media voz; «¡Ese!, ése!»;
aguantar las miradas de los necios, que le miran a uno porque se le trae y se le lleva en los papeles públicos, y luego
persuadirte de que no conoce tu obra esa gente, como no
conocían las hazañas de Don Quijote, y menos aún su espíritu heroico, los chicuelos que por las calles de Barcelona
le aclamaban, y de que no eres sino un hombre para ellos,
¿sabéis lo que es esto? ¿Sabéis lo que es eso de que se conozca sólo vuestro nombre y de que se os conozca en dondequiera, mientras en dondequiera no saben lo que habéis
hecho? Pudiera muy bien suceder que estos mis comentarios a la vida de mi señor Don Quijote provocaran en esa
nuestra España, como han provocado algunos otros trabajos míos, discusiones y vocerío; pues bien: os aseguro desde
ahora que los más furiosos en vocear por ellos no les ha-
brán leído. Y, sin embargo, es tan miserable el hombre,
que prefiere el nombre sin la obra a la obra sin el nombre;
quiere más dejar su efigie acuñada en cobre a dejar oro puro
de su espíritu, de donde se borren la efigie y la leyenda.

Allí, en la industriosa ciudad de Barcelona, le enseñaron,
¿qué sino curiosidades de industria? allí vio y oyó a la cabeza encantada; allí visitó el taller de imprimir. «Sucedió,

pues, que yendo por una calle alzó los ojos Don Quijote y
vio escrito sobre una puerta, con letras muy grandes: *Aquí
se imprimen libros,* de lo que se contentó mucho, porque hasta entonces no había visto imprenta alguna y deseaba saber
cómo fuese.» Curiosidad naturalísima en quien buscó en libros bálsamo al demasiado amor y fue por libros llevado a
meterse en las azarosas andanzas de su carrera de gloria. Fi-
guraos al hidalgo cincuentón que allá, en su lugarejo manchego, había alimentado con lecturas su soledad, para quien
más que para otro cualquiera fueron los libros fieles amigos, y comprenderéis con qué ánimo entraría en la imprenta. En la cual se portó como discreto y manifestó que sabía
algún tanto del toscano y se preciaba de cantar algunas es-
tancias de Ariosto. Y hasta allí dejó asomar ciertas puntas
y ribetes de ironía a cuenta de los traductores y las
traducciones.

Este y otros pasajes especialmente literarios de nuestra
historia son de los que más suelen citar esos que se llaman
a sí mismos cervantistas, pero la verdad es que ello apenas
lo merece. Son tiquismiquis y minucias de los del oficio,
que a los demás les debe tener sin cuidado. Bien está que
los escritores nos cuidemos de la hechura de nuestros trabajos y le demos vueltas y más vueltas al lenguaje y al estilo, pero de esto nada se le da al que nos lee. Bien está el
que un escritor teja sus párrafos y luego los desmonte, per-
che, lustre, tunda y prense para cortarlos y coserlos luego y
hacer así traje a su pensamiento; mas sea para provecho del
que le haya de leer. Yo mismo, en estas páginas, confieso
que a las veces he zuñido y bruñido mi discurso; mas en
lo que sobre todo he puesto ahínco es en sacar a ras de lengua escrita voces de la lengua corrientemente hablada, en
desentoñar y desentrañar palabras que chorrean vida según
corren frescas y rozagantes de boca en boca y de oído en
boca de los buenos lugareños de tierras de Castilla y de
León. Hay que flexibilizar y enriquecer el rígido y escueto
castellano, dicen allende los mares. Sin duda hay que darle
más soltura y más riqueza, pero es a la lengua enteca y en-
clavijada de los periódicos y de los cafés. Mas para ello no

es menester acudir fuera y tomar de prestado voces y giros de otros idiomas; basta remejerle los entresijos al mismo romance castellano. Cada uno ha de engordar de sí mismo.

Otros vienen y nos dicen que no, sino que lo necesario y apremiante es podar nuestra lengua y recortarla y darla precisión y fijeza. Dicen los tales que padece de maraña y de braveza montesina nuestra lengua, que por dondequiera le asoman y apuntan ramas viciosas, y nos la quieren dejar como arbolito de jardín, como boje enjaulado. Así, añaden, ganará en claridad y en lógica. Pero ¿es que vamos a escribir algún *Discurso del método* con ella? ¡Al demonio la lógica y la claridad ésas! Quédense los tales recortes y podas y redondeos para lenguas en que haya de encarnar la lógica del raciocinio raciocinante, pero la nuestra, ¿no sabe ser acaso, ante todo y sobre todo, instrumento de pasión y envoltura de quijotescos anhelos conquistadores?

Y en eso mismo de claridad habría que entenderse, pues hay quien aspira a que le den las ideas mascadas, ensalivadas y hechas bola engullible para no tener que pasar otro trabajo sino el de tragarlas, o mejor aún, que se las empapucen.

CAPITULO LXIV

Que trata de la aventura que más pesadumbre dio a Don Quijote de cuantas hasta entonces le habían sucedido

Y allí, en Barcelona, dieron fin las maladanzas caballerescas de nuestro Don Quijote; allí fue vencido por el Caballero de la Blanca Luna. Hízose éste el contradizo, le buscó quimera por precedencia de hermosura de sus respectivas damas, le derribó y le pidió confesase las condiciones del desafío. Y el gran Don Quijote, el inquebrantable Caballero de la Fe, el heroico loco, molido y aturdido y «como si hablara dentro de una tumba, con voz debilitada y enferma, dijo: Dulcinea del Toboso es la más hermosa mujer del mundo y yo el más desdichado caballero de la tierra, y no es bien que mi flaqueza defraude esta verdad; aprieta, caballero, la lanza y quítame la vida, pues me has quitado la honra».

Ved aquí cómo cuando es vencido el invicto Caballero de la Fe es el amor lo que en él vence. Esas sublimes palabras del vencimiento de Don Quijote son el grito sublime de la victoria del Amor. El se había entregado a Dulcinea sin pretender que por eso se le entregase Dulcinea, y así su derrota en nada empañaba la hermosura de la dama. El la había hecho, cierto es, él la había hecho en pura fe, él la había creado con el fuego de su pasión; pero una vez creada, ella era ella y de ella recibía su vida él. Yo forjo con mi fe, y contra todos, mi verdad, pero luego de así forjada ella, mi verdad se valdrá y sostendrá sola y me sobrevivirá y viviré yo de ella.

¡Oh mi Don Quijote, y cuán a dos dedos de tu salvación eterna estás, pues curado ya de la presunción, no hablas de fortaleza de tu brazo, sino que confiesas tu flaqueza! Y ¡cómo se te viene encima la luz purificadora de la muerte próxima! ¡Cómo de dentro de una tumba hablas; cómo de dentro de la tumba del mundo que se burla de los héroes y los pasea por las calles con su pergamino a la espalda! Y vencido y maltrecho y triste y afligido y conociendo tu flaqueza, aún proclamas a Dulcinea del Toboso la más hermosa mujer del mundo. ¡Oh generoso Caballero! Tú no eres como esos que buscando la Gloria, cuando se ven por ella desdeñados, la niegan y la denigran y la motejan de vana y aun dañosa; tú no eres de los que culpan a la Gloria de sus propias flaquezas y de no haber podido conquistarla; tú, vencido y maltrecho, prefieres la muerte a renegar de la que te metió en tu carrera el heroísmo.

Y es porque tienes fe en ella, en tu Dulcinea; sientes que, cuando pareciendo abandonarte, deja que te venzan, es para luego ceñirte entre sus temblorosos brazos con hambriento cariño, y apretarte a su pecho encendido hasta que sean un parejo golpear el de su corazón y el del tuyo, y pegar a tu boca su boca, respirando de tu aliento y de su aliento tú y

quedar así las dos bocas prendidas para siempre en un beso
inacabable de gloria y de amor eternos. Te deja ser vencido
para que comprendas que no a la fortaleza de tu brazo, sino
al amor que la tuviste debes tu vida eterna. Tú la amaste,
invicto Caballero de la Fe, con el amor más esmerado y
grande, con amor que se alimentaba de sus desdenes y re-
chazos. No por haberla visto transformada en zafia labradora se te amenguó el denodado ánimo ni pregonaste la vanidad de vanidades y todo vanidad, del sabio rey podrido
por los hartazgos. Al ser vencido, tu grito de triunfo, invicto Caballero, fue proclamar la hermosura sin par de
Dulcinea.

Así a nosotros, tus fieles, cuando más vencidos estemos,
cuando el mundo nos aplaste y nos estruje el corazón la vida
y se nos derritan las esperanzas todas, danos alma, Caballero, danos alma y coraje para gritar desde el fondo de nuestra nadería: ¡plenitud de plenitudes y todo plenitud! ¿Qué
yo muero en mi demanda? Pues así se hará ésta más grande con mi muerte. ¿Que peleando en pro de mi verdad,
me vencen? ¡No importa! No importa, pues ella vivirá, y
viviendo ella os mostrará que no depende de mí, sino de
ella.

No es éste mi yo deleznable y caduco; no es éste mi yo
que como de la tierra, y al que la tierra comerá un día, el
que tiene que vencer; no es éste, sino que es mi verdad, mi
yo eterno, mi padrón y modelo desde antes de antes y hasta después de después; es la idea que de mí tiene Dios, Conciencia del Universo. Y esta divina idea, esta mi Dulcinea,
se engrandece y se sobrehermosea con mi vencimiento y
muerte. Todo tu problema es éste: si has de empeñar esa
tu idea y borrarla y hacer que Dios te olvide, o si has de
sacrificarte a ella y hacer que ella sobrenade y viva para
siempre en la eterna e infinita Conciencia del Universo. O
Dios o el olvido.

Si por guardar tu mecha apagas la luz: si por ahorrar tu
vida malgastas tu idea, Dios no se acordará de ti, anegán-
dote en su olvido como en perdón supremo. Y no hay otro
infierno que éste: el que Dios nos olvide y volvamos a la

inconsciencia de que surgimos. «Señor, acuérdate de mí», digamos con el bandolero que moría junto a Jesús (Lucas, XXVIII, 42). Señor, acuérdate de mí, y que mi vida toda sea una vivificación de mi idea divina, y si la empañare, si la sepultare en mi carne, si la deshiciere en este mi yo caduco y terreno, entonces, ¡ay de mí, Señor, porque me perdonarías olvidándome! Si aspiro a Ti, viviré en Ti; si de Ti me aparto, iré a dar en lo que no es tuyo, en lo único que fuera de Ti cabe: en la nada.

Y el vencedor de Don Quijote, el de la Blanca Luna, a quien también sacó del sosiego aldeano el amor a Dulcinea, no mata al Caballero, sino que exclama: «¡Viva, viva en su la fama de la hermosura de la señora Dulcinea del Toboso!», y se contenta con pedirle al vencido que se retire a su lugar mientras él le mande..., ¡que se retire a bien morir! Sansón Carrasco, el bachiller por Salamanca, que no era otro el de la Blanca Luna, fue también en busca de gloria, y para que la fama lleve su nombre con el de Don Quijote.

¿Y no fue también para merecer a los ojos de aquella andaluza Casilda, de quien se enamoró en unas callejas de la dorada ciudad del Tormes?

Y Sancho, el fiel Sancho, «todo triste, todo apesarado, no sabía qué hacerse ni decirse; parecíale que todo aquel suceso pasaba en sueños y que toda aquella máquina era cosa de encantamiento. Veía a su señor rendido y obligado a no tomar armas en un año; imaginaba la luz de la gloria de sus hazañas oscurecida; las esperanzas de sus nuevas promesas deshechas, como se deshace el humo con el viento».

Parémonos a considerar este fin de la gloriosa carrera de Don Quijote y cómo fue en Barcelona vencido, y vencido por su convecino el bachiller Sansón Carrasco. Y aquí, mi señor Don Quijote, he de confesarte una mi pasada bellaquería.

Hace algunos años que en un semanario que en esta nuestra España alcanzó autoridad y renombre, lancé contra ti, generoso hidalgo, este grito de guerra: ¡Muera Don Quijote! Resonó el grito, sobre todo en Barcelona donde fuiste

vencido, y donde me lo tradujeron al catalán; resonó el grito y tuvo eco y me lo corearon y aplaudieron muchos. Pedí
que murieras para que resucitara en ti Alonso el Bueno, el
enamorado de Aldonza, como si su bondad se hubiera nunca mostrado más espléndida que en tus locas hazañas. Y
hoy te confieso, señor mío, que aquel mi grito que tanto
gusto dió en esa Barcelona donde fuiste vencido y donde
me lo tradujeron al catalán, fue un grito que me inspiró tu
vencedor Sansón Carrasco, bachiller por Salamanca. Porque
si es en esa Barcelona, faro y como centro de la nueva vida
industrial de España, si es en esa ciudad donde más se grita contra el quijotismo, es el espíritu, pero es lo bajo del
espíritu bachilleresco y salmantino lo que a esas denigra-
ciones les lleva. Porque allí, en Barcelona, es donde vence
el bachiller Sansón Carrasco.

Y cuando éste declaró a don Antonio Moreno quién era:
«¡Oh señor —dijo don Antonio—, Dios os perdone el agravio que habéis hecho a todo el mundo en querer volver
cuerdo al más gracioso loco que hay en él! ¿No veis, señor,
que no podrá llegar el provecho que cause la cordura de
Don Quijote a lo que llega el gusto que da con sus desvaríos?» Y por este hilo siguió ensartando sus pareceres. ¡Triste modo de pensar, pues no quiere que sane, por parecerle
loco «gracioso» y por tomar «gusto» de sus desvaríos! No
se sabe qué deplorar más, si la pequeñez de alma de Sansón Carrasco o la de don Antonio Moreno.

Quieren a Don Quijote para reírle las gracias y tomar
gusto de sus desvaríos, y por haberlas reído antaño tienen
hogaño que llorar, y por haber tomado de sus desvaríos gustos, les tiene que disgustar la vida de hoy.

Yo lancé contra ti, mi señor Don Quijote, aquel muera.
Perdónamelo; perdónamelo, porque lo lancé lleno de sana
y buena, aunque equivocada, intención, y por amor a ti;
pero los espíritus menguados, a los que su mengua les per-
vierte las entendederas, me lo tomaron al revés de como yo
lo tomaba, y queriendo servirte, te ofendí acaso. Triste caso
este de que no nos hayan de entender cosa alguna a derechas, y no más por defecto de cabeza que por vicio de co-

razón. Perdóname, pues, Don Quijote mío, el daño que
pude hacerte queriendo hacerte bien; tú me has convenci-
do de cuán peligroso es predicar cordura entre estos espíritus alcornoqueños; tú me has enseñado el mal que se sigue de amonestar a que sean prácticos a hombres que pro-
penden al más grosero materialismo, aunque se disfrace de
espiritualismo cristiano.

Pégame tu locura, Don Quijote mío, pégamela por entero. Y luego que me llamen soberbio o lo que quieran.
No quiero buscar el provecho que ellos buscan. Que digan:
¿qué querrá, qué busca?, y conjeturando por los suyos, no
encuentren mis caminos. Ellos buscan el provecho de esta
vida perecedera y se aduermen en la rutinera creencia de la
otra; a mí, Don Quijote, déjame luchar conmigo mismo,
¡déjame sufrir! Guárdense para sí aspiraciones de diputado
provincial; a mí dame tu Clavileño, y aunque no me mueva del suelo, sueñe en él subir a los cielos del aire y del fuego imperecederos. ¡Alma de mi alma, corazón de mi vida,
insaciable sed de eternidad e infinitud, sé mi pan de cada
día! ¿Hábil? No, hábil, no; no quiero ser hábil. No quiero
ser razonable según esa miserable razón que da de comer a
los vividores; ¡enloquéceme, mi Don Quijote!

¡Viva Don Quijote!, ¡viva Don Quijote vencido y maltrecho!, ¡viva Don Quijote muerto!, ¡viva Don Quijote! ¡Re-
gálanos tu locura y deja que en tu regazo me desahogue!
¡Si supieras lo que sufro, Don Quijote mío, entre estos tus
paisanos, cuyo repuesto todo de locura heroica te llevaste
tú, dejándoles sólo la petulante presunción que te perdía!...
¡Si supieras cómo desdeñan desde su estúpida e insultante
vanidad todo hervor de espíritu y todo anhelo de vida íntima! ¡Si supieras con qué asnal gravedad ríen las gracias
de la que creen locura y toman gusto de lo que estiman desvaríos! ¡Oh Don Quijote mío, qué soberbia, qué estúpida
soberbia la soberbia silenciosa de estos brutos que llaman
paradoja a lo que no estaba etiqueteado en su mollera, y
afán de originalidad a todo revuelo del espíritu! Para ellos
no hay quemantes lágrimas vertidas en el silencio, en el silencio del misterio, porque estos bárbaron se lo creen tener

todo resuelto; para ellos no hay inquietud del alma, pues
se creen nacidos en posesión de la verdad absoluta; para
ellos no hay sino dogmas y fórmulas y recetas. Todos ellos
tienen alma de bachilleres. Y aunque odian a Barcelona,
van a Barcelona y allí te vencen.

«Seis días estuvo Don Quijote en el lecho, marrido, triste, pensativo y mal acondicionado, yendo y viniendo con la
imaginación el desdichado suceso de su vencimiento», sin
que le sirviesen los consuelos de su fiel Sancho. El cual veía
bien que era él allí el más perdidoso, aunque su amo el
más malparado. Y pocos días después emprendieron su re-
greso a la aldea, «Don Quijote desarmado y de camino, Sancho a pie, por el rucio cargado con las armas». Así es desde
que vencieron a Don Quijote: son rucios los que llevan sus
armas.

En el camino encontró a Tosilos el lacayo, que le contó
cómo los Duques le hicieron apalear, y Doña Rodríguez se
volvió a Castilla y su hija entró monja. Así había acabado
una de las aventuras a que dio mejor remate Don Quijote.

CAPITULO LXVII

De la resolución que tomó Don Quijote de hacerse pastor y
de seguir la vida del campo en tanto que pasaba el año de
su promesa, con otros sucesos en verdad gustosos y buenos

Caminando, caminando, llegaron al lugar en que habían
topado a «las bizarras pastoras y gallardos pastores que en
él querían renovar e imitar a la pastoral Arcadia». Y al re-
conocerlo, dijo Don Quijote: «si es que te parece bien,
querría, ¡oh Sancho!, que nos convirtiésemos en pastores siquiera el tiempo que tengo de estar recojido. Yo compraré
algunas ovejas y todas las demás cosas que al pastoral ejercicio son necesarias, y llamándome yo el pastor Quijotiz y
tú el pastor Pancino, nos andaremos por los montes, por
las selvas y por los prados, cantando aquí, endechando allí,
bebiendo de los líquidos cristales de las fuentes, o ya de los

limpios arroyuelos o de los caudalosos ríos. Daránnos con abundantísima mano de su dulcísimo fruto las encinas, asiento los troncos de los durísimos alcornoques, sombra los sauces, olor las rosas, alfombras de mil colores matizados los extendidos prados, aliento el aire claro y puro, luz la luna y las estrellas, a pesar de la oscuridad de la noche, gusto el canto, alegría el lloro, Apolo versos, el amor conceptos, con que podremos hacernos eternos y famosos, no sólo en los presentes, sino en los venideros siglos».

Válgame Dios y con qué tino se dijo aquello de «cada loco con su tema», y cuán bien conocía a su tío la sobrina de Don Quijote cuando, al encotrarse el cura y el barbero, en el escrutinio que de la librería hicieron, con la *Diana* de Jorge de Montemayor y querer perdonarla, exclamó: «¡Ay señor!; bien puede vuestra merced mandar quemar como a los demás; porque no sería mucho que, habiendo sanado mi señor tío de la enfermedad caballeresca, leyendo éstos se le antojase de hacerse pastor y andarse por los bosques y prados cantando y tañendo.»

Parece, al volver Don Quijote de Barcelona, ir en camino de curarse de su heroica locura y de prepararse a bien morir, mas en viendo el prado de otrora, sueña de nuevo con hacerse eterno y famoso, no sólo en los presentes, sino en los venideros siglos. Porque esta era su radical locura, este su resorte de acción, ésta, como vimos al principio de su historia, la causa que le movió a hacerse caballero andante. El ansia de gloria y renombre es el espíritu íntimo del quijotismo, su esencia y su razón de ser, y si no se puede cobrarlos venciendo gigantes y vestiglos y enderezando entuertos, cobráraselos endechando a la luna y haciendo de pastor. El toque está en dejar nombre por los siglos, en vivir en la memoria de las gentes. ¡El toque está en no morir! ¡En no morir! ¡En no morir! Esta es la raíz última, la raíz de las raíces de la locura quijotesca. ¡No morir! ¡No morir! Ansia de vida; ansia de vida eterna es la que te dio vida inmortal, mi señor Don Quijote; el sueño de tu vida fue y es sueño de no morir.

Con tal de no morir cambiabas tu profesión de caballero

andante por la de pastor endechante. Así tu España, mi
Don Quijote, al tener que recojerse a su aldea, vencida y
maltrecha, piensa en dedicarse al pastoreo, y habla de co-
lonización interior, de pantanos, de riegos y de granjas.

Y por debajo de esa ansia de no morir, ¿no andaba, mi
pobre Alonso, tu soberano amor? «Las pastoras de quien hemos de ser amantes —dijiste—, como entre peras podemos escoger sus nombres, y pues el de mi señora cuadra
así al de pastora como al de princesa, no hay para qué cansarse en buscar otro que mejor le venga.» Sí, siempre era
Dulcinea, la Gloria, y por debajo de ella siempre era Aldonza Lorenzo, la suspirada doce años. ¡Y cómo suspirarías
ahora por ella!, ¡cómo la llamarías!, ¡cómo grabarías un día
y otro su nombre en las cortezas de los árboles y hasta alguna vez en tu corazón! ¿Y si así llegaba ello a su noticia
y se daba cata de ello y venía a ti, desencantada?

¡Hacerse pastor! Es también, mi Don Quijote, lo que se
le ha ocurrido a tu pueblo luego que ha vuelto de América
derrotado en su encontronazo con el de Robinsón. Ahora
habla de dedicarse a cuidar y cultivar su hacienda, a alumbrar pozos y trazar canales para regar sus resecas tierras; ahora habla de política hidráulica. ¿No será que siente el remordimiento de sus atrocidades pasadas por tierras de Italia, Flandes y América?

Leed *Patria,* el hermoso poema de Guerra Junqueiro, el
poeta de nuestro pueblo hermano, el pueblo portugués.
Leed esa amarga sátira y llegad al fin de ella, cuando aparece vestido de monje carmelita el espectro del condestable
Nunalvares, el vencedor de Aljubarrota, que luego entró en
religión. Oídle hablar, oídle hablar del dolor que purifica
y redime, del dolor que:

> Como no ar o vento sobre o vento,
> como na mar a vaga sobre o vaga,
> só na dôr tem a dôr socegamento,

y llegad a cuando, en un éxtasis, descuelga la vieja espada
de Aljubarrota, tinta en sangre fraternal, y exclama:

Porém, se a patria, ja na derradeira
angustia e mingoa onde a lençou meu dano.
Terra d'escravos é, terra estrangeira.

Rutila espada, que brandí ufano!
Antes un velho lavrador mendigo
te erga á custo do chão, piadoso e humano.

Volte a bigorna o duro ago antigo!
E acabes, afinal, relha de arado.
Pelos campos de Deos, a lavrar trigo.

y arroja su espada al abismo de la noche, exclamando:

Deos te acompanhe! Seja Deos louvado!

Y luego entra en escena «el loco» —*o doido*—, el pobre
pueblo portugués, nuestro hermano, y echa de menos los
tiempos en que fue campesino:

Fosse eu ainda o camponez adusto,
lavrador matinal, risonho e grave,
d'alma de pomba e coração de justo!

Sentisse eu alinda a musica suave
da candura feliz no peito agreste,
qual em rorida brenba um trino d'ave!

Em vez do mundo (fome, guerra e peste!)
conquistasse, por unica vitoria,
os thesoiros semfim do amor celeste.

Nunca de feitos meus cantasse a Historia;
ignorasee o meu nome a voz de Fama
e a minha sombra humilde a luz de Gloria.

Viviese obscuro e triste, herva da lama;
nas alturas, porén, fosse contado
entre os que Deos aceita, os que Deos ama,

Es todo lo contrario de Don Quijote y Sancho. Busca
nuestro Caballero en la vida pastoril hacerse eterno y famo-

so; busca en ella este pobre loco portugués ser olvidado, ex-
piar sus culpas y redimirse en el dolor:

> Dôr temerosa, Dôr idolatrada,
> o Dôr, filha de Deos, mãe do Universo!

¿No buscan, en el fondo, una misma cosa? ¿No buscaba
lo mismo Don Quijote echándose al mundo a deshacer entuertos y proponiéndose dedicarse al ejercicio pastoril? ¿No
busca nuestro pueblo ahora, con los pantanos y canales, y
la política hidráulica, lo mismo que buscó con sus atrocidades en América?

El pobre loco portugués, *o doido,* luego de confesar sus
culpas, sus glorias:

> Minha gloira!..., infamia e vergonhas
> de ladrão, de pirata e de assasino!

pide la cruz, pide el dolor, y muere en la cruz, en cuya ca-
becera *desenhada a sangue,* esta ironía: «Portugal, rei do
Oriente», muere bendiciendo el llanto que brota de sus ojos:

> porque és o mar de pranto
> que os meus crimes verteram pelo mundo...,

bendiciendo la sangre que corre de sus heridas, porque es

> o mar de sangue,
> do meu orgullo e minha iniquidade...,

¿Es esto lo que pide y busca nuestro loco, nuestro pueblo
español? No, no es esto precisamente. No es que no cante
sus hechos la Historia, que ignore su nombre la voz de la
Fama, y su nombre humilde la luz de la gloria; no, no es esto.

Se retira a la vida pastoril, derrotado en la de caballero
andante, para poder hacerse eterno y famoso, no sólo en los
presentes, sino en los venideros siglos. Cambia de camino,
pero no de estrella que le guíe.

¿Ha de renunciar el pueblo a toda acción quijotesca y encerrarse en su natal dehesa a purgar sus antiguas culpas, cuidando de su ganado o labrando su tierra y sin poner su mira más que en el cielo? ¿Ha de pensar tan sólo en ser allá en las alturas contado entre los que Dios ama? ¿Ha de volver a su apacible vida de antes de lanzarse a sus aventureras empresas? ¿Tuvimos esta vida nunca? ¿Tuvimos paz?

No basta como ideal de la vida de un pueblo el de mantener la vida misma en el mayor bienestar y holgura, ni aun basta la felicidad. Menos aún abrazarse al dolor. No puede ser ideal ascético, destructor de la vida.

¿Aspirar al cielo? No; ¡al reino de Dios! Y a todas horas, día tras día, alza por miles de bocas nuestro pueblo esta plegaria a Nuestro Padre que está en los cielos: «venga a nos el tu reino»; es el reino de Dios el que ha de bajar a la tierra, y no ir la tierra al reino de Dios, pues este reino ha de ser reino de vivos y no de muertos. Y ese reino, cuyo advenimiento pedimos a diario, tenemos que crearlo, y no con oraciones sólo, con lucha.

> Pudesse eu, d'alma libre e resoluta,
> Olhos no fogo da manhã nascente,
> Erguer ainda os braços para la luta!
> Não, como outr'ora, para a luta ardente
> Da riqueza e grandeza, é vaidade...
> Da fortuna, que é sombra que nos mente...
> Seja a hora do prelio a eternidade!
> E o globo estreito a areia, onde não cança
> A batalha do Amor e da Verdade!

¡Esta, la batalla del Amor y de la Verdad! Y en tal pelea ha de ser el pueblo todo un Don Quijote, un pastor Quijotiz más bien:

> Cavalleiro de Deos,. ergue-te e avança!
> Põe na bigorna os gravos de Jesus;
> bate-os cantando... E o ferro da tu lança!
> Faz a hastea da lança d'uma cruz;

> vae, cavalleiro de viseira erguida;
> dá lançadas magnánimas de luz!...

¡Hay que pelear, sí, a lanzadas de luz!

Encerrémonos, bien está en la natal dehesa, pero a cobrar fama pastoreando y cantando. Es un derivativo de la acción heorica; es otra nueva empresa. Vayamos a manejar el cayado con mano movida por el corazón mismo que nos hizo manejar la espada. Es el ejercicio pastoril, ahora gobierno, que «no consiste —dice el maestro fray Luis de León en los *Nombres de Cristo,* libro I, capítulo IV— en dar leyes ni en poner mandamientos, sino en apacentar y alimentar a los que gobierna». ¿Apacentarlos y alimentarlos con qué? Con amor y verdad.

Pueblo moribundo se ha llamado a tu pueblo, Don Quijote mío, por los que embriagados con el triunfo pasajero olvidan que la fortuna da más vueltas que la tierra, y que aquello mismo que nos hace menos aptos para el tipo de civilización que hoy priva en el mundo, acaso eso mismo nos haga más aptos para la civilización de mañana. El mundo da muchas vueltas y la fortuna más.

Hay que aspirar, de todos modos, a hacerse eternos y famosos no sólo en los presentes, sino en los venideros siglos; no puede subsistir como pueblo aquel pueblo cuyos pastores, su conciencia, no se lo rerpesenten con una misión histórica, con un ideal propio que realizar en la tierra. Estos pastores han de aspirar a cobrar fama pastoreándolo y cantando, y así, cobrando fama, llevarle a su destino. ¿Es que no hay en la Conciencia eterna e infinita una eterna idea de tu pueblo, Don Quijote mío? ¿Es que no hay una España celestial, de que esta España terrena no es sino trasunto y reflejo en los pobres siglos de los hombres? ¿Es que no hay un alma de España tan inmortal como el alma de cada uno de sus hijos?

Cruzando el mar en quebradizas carabelas fueron nuestros abuelos a descubrir el Nuevo Mundo, que dormía bajo estrellas antes desconocidas; ¿no hay algún nuevo mundo del espíritu cuyo descubrimiento nos reserve Dios cuando

osemos, como los héroes de Camoens, lanzarnos a *mares
d'antes nunca navegados* en espirituales carabelas labradas
con madera de los bosques de nuestro pueblo?

Dicen en mi tierra vasca que los abuelos de mis abuelos,
los denominados pescadores del golfo de Vizcaya, se iban
tras la ballena hasta los bancos de Terranova siglos antes de
que Colón llamara a las puertas de la Rábida. Soberbiamen-
te lo dice el escudo de Lequeitio: *Reges debelavit, horrenda
cete subiecit, terra marique potents, Lequeitio.* Y para some-
ter a horendas ballenas fueron, dicen, los balleneros de mi
casta hasta las entonces desconocidas costas de la remota
América. Y aún dicen más, y es que corre la leyenda de
que fue un marino vasco, por nombre Andialotza, es decir,
Gran Vergüenza, quien primero dio a Colón noticias del Nuevo Mundo, por no atreverse, sin duda, el gran vergonzoso, a
descubrirlo. Temía a la gloria. ¿Será esto profético? Y si el
buen Andialotza, mi paisano, pierde su ingénita vergüenza,
¿habrá que esperar al Colón del Nuevo Espíritu de España?

¿Hay una filosofía española? Sí, la de Don Quijote. Y conviene que éste, nuestro Caballero de la Fe, el Caballero de
nuestra Fe, deje en el astillero su lanza y en la cuadra a Rocinante y cuelgue la espada, y convertido en el pastor Quijotiz, empuñe el cayado con mano firme, y lleve consigo el
caramillo, y a la sombra de las sombrosas encinas del dulcísimo fruto, mientras pacen cabizbajas sus ovejas, cante,
inspirado por Dulcinea, su visión del mundo y de la vida,
para cobrar, cantándola, eterno nombre y fama. Y no ya su
visión, sino más bien su encorazonamiento de ellos. Y para
cobrar fama, pues se nos dio la gloria como norte de la vida.
El Nunalvares del poeta os dirá de la fama que:

> Fama grande do mundo tão mesquinho
> dando as trombetas com ardor, não vôa
> onde vôa cantando um passarinho.

Mas no os fiéis demasiado de tales voces de desaliento,
pues, sí, la fama vuela, vuela más allá del mundo, y vuela
aún más la canción del amor y la verdad.

Tal vez a los ecos de esa canción de amores del pastor Quijotiz caigan vencidos los gigantes que fingen ser molinos y se amansen los galeotes, y licencie Roque Guinart a sus huestes, y enmudezcan los canónigos y los graves eclesiásticos, y reconozcan los cuadrilleros que las bacías en manos del hidalgo milagrero son yelmos, y renuncien los maeses Pedros a sus titereras, y se nos abran las entrañas de la cueva de Montesinos, y se enderece todo entuerto, y se deshaga todo agravio, y se adoncellen todas las mozas del partido, y venga a nosotros el reino de Dios, realizándose en la tierra aquel siglo de oro con cuya visión embobó y suspendió Don Quijote el ánimo de los cabreros.

Hay que dar «lanzadas magnánimas de luz», o mejor, hay que lanzar la verdad al mundo, mientras se pastorea el ganado, al son de pastoril caramillo, la santa palabra que ha de hacer el milagro. Hay que pedir a Apolo versos, al amor conceptos. Sobre todo, conceptos al amor.

¿Hay una filosofía española, mi Don Quijote? Sí, la tuya, la filosofía de Dulcinea, la de no morir, la de creer, la de creer la verdad. Y esta filosofía ni se aprende en cátedras ni se expone por lógica inductiva ni deductiva, ni surge de silogismos, ni de laboratorios, sino surge del corazón.

Pensabas, mi Don Quijote, en hacerte pastor Quijotiz y que te diera el amor conceptos. Todos los conceptos de vida, todos los conceptos eternos, manan del amor. Es Aldonza, mi pastor Quijotiz, es siempre Aldonza la fuente de sabiduría. A través de ella, a través de tu Aldonza, a través de la mujer, ves el Universo todo.

¿No ves a este pueblo endiosando cada día más el ideal de la mujer, a la mujer por excelencia, a la Virgen Madre? ¿No le ves rendido a ese culto, y hasta casi olvidando por el culto al Hijo? ¿No ves que no hace sino ensalzarla más y más alto, pujando por ponerla al lado del Padre mismo, a su igual, en el seno de la Trinidad, que pasaría a ser Cuaternidad si no es ya que la identificaran con el Espíritu como con el Verbo se identificó al Hijo? ¿No la han declarado Corredentora? Y esto, ¿por qué es?

La concepción de Dios que se nos ha venido transmitiendo ha sido una concepción, no ya antropomórfica, sino andromórfica; nos la representamos, no ya como a persona humana —*homo*—, sino como a varón —*vir*—; Dios era y es en nuestras mentes masculino. Su modo de juzgar y condenar a los hombres, modo de varón, no de persona humana por encima de sexo; modo de padre. Y para compensarlo hacía falta la Madre, la Madre que perdona siempre, la Madre que abre siempre los brazos al hijo cuando huye éste de la mano levantada o del ceño fruncido del irritado Padre, la Madre en cuyo regazo se busca como consuelo una oscura remembranza de aquella tibia paz de la inconsciencia que dentro de él fue el alba que precedió a nuestro nacimiento y un dejo de aquella dulce leche que embalsamó nuestros sueños de inocencia; la Madre que no conoce más justicia que el perdón ni más ley que el amor. Las lágrimas maternales borran las tablas del Decálogo. Nuestra pobre e imperfecta concepción de un Dios varón, de un Dios con largas barbas y voz de trueno, de un Dios que impone preceptos y pronuncia sentencias, de un Dios Amo de casa, *Paterfamilias* a la romana, necesitaba compensarse y completarse, y como en el fondo no podemos concebir al Dios personal y vivo, no ya por encima de rasgos humanos, mas ni aun por encima de rasgos varoniles, y menos un Dios neutro o hermafrodita, acudimos a darle un Dios femenino, y junto al Dios Padre hemos puesto a la Diosa Madre, a la que perdona siempre porque, como mira con amor ciego, ve siempre el fondo de la culpa y en ese fondo la justicia única del perdón; a la que siempre consuela, la Madre Dulcísima, a la Madre de Dios, a la Virgen Madre. Es la Virgen Madre, es la Madre Purísima, la que no es sino madre y, siendo todo lo que hace ser mujer a la mujer, queda limpia de todo el barro humano para que en ella aliente e irradie tan sólo el soplo divino.

Es la Virgen Madre, es la Madre de Dios. Es la Madre de Dios, es la pobre Humanidad dolorida. Porque, aunque compuesta de hombres y mujeres, la Humanidad es la mujer, es madre. Lo es cada sociedad, lo es cada pueblo. Las muchedumbres son femeninas. Juntad a los hombres y te-

ned por cierto que es lo femenino de ellos, lo que tienen
de sus madres, lo que los junta. La pobre Humanidad dolorida es la Madre de Dios, pues en ella, en su seno, es donde se manifiesta, donde encarna la eterna e infinita Conciencia del Universo. Y la Humanidad es pura, purísima,
limpia de toda mancha, aunque nazcamos manchados cada
uno de los hombres y mujeres. ¡Dios te salve, Humanidad;
llena eres de gracia!

Mira, mi pastor Quijotiz, cómo se va a la Humanidad
desde Aldonza, la recatada doncella del Toboso; mira cómo
da el amor conceptos. Y mira si al son de tu pastoril caramillo puede hacerse amorosa filosofía española, aunque
graznen, para ahogar sus melódicos sones, los grandísimos
cuervos y grajos que anidan en la boca de la cueva de
Montesinos.

Si Don Quijote volviera al mundo, sería pastor, o lo será
cuando vuelva; pastor de pueblos. Y buscará que le dé el
amor conceptos, y en hacer vivir y triunfar éstos pondrá
todo el denuedo y la bravura toda que puso en acometer
molinos y liberar galeotes. Y buena falta nos está haciendo,
porque es cobardía de pensar lo que nos tiene tan abatidos.
Es cobardía de afrontar los eternos problemas; es cobardía
de escarbar en el corazón; es cobardía de hurgar las inquietudes íntimas de las entrañas eternas. Esa cobardía lleva a
muchos a la erudición, adormidera de desasosiegos del espíritu u ocupación de la pereza espiritual; algo así como el
juego del ajedrez.

«No quiero meterme a estudiar patología —me decía
un cobarde—, ni aun quiero saber hacia dónde me cae el
hígado ni para que sirve, pues si me pongo a ello, llego a
creer que padezco de la enfermedad cuya descripción acabo
de leer. Ahí está el médico, cuyo oficio es curarme y para
lo cual le pago; descargo en él mi responsabilidad, y si me
mata, allá por su cuenta; moriré, al menos, sin aprensiones
ni cuidados. Y lo mismo tengo al cura. No quiero meterme a pensar en mi origen ni en mi destino, de dónde vengo y adónde voy, y si hay o no Dios, y cómo sea, y si hay
o no otra vida y en qué consista; eso no sirve más que para

dar quebraderos de cabeza y robarme el tiempo y la energía que necesito para ganar el pan de mis hijos. Ahí está el cura, y pues tal es su oficio, averigüe él lo que haya, dígame misa y absuélvame cuando al ir a morirme confiese mis pecados. Y si se engaña y me engaña, allá él por su cuenta. El responderá de sí; para mí, en el creer no hay engaño.»

¡Qué falta nos estás haciendo, pastor Quijotiz, para arremeter con tus conceptos, dictados por el amor, a lanzadas magnánimas de luz, contra esta mentira apestosa y libertar a los pobres galeotes aunque luego te apedreen, que te apedrearán, de seguro, si les rompes las cadenas de la cobardía que les tienen presos; te apedrearán.

Te apedrearán. Los galeotes espirituales apedrean al que les rompe las cadenas que les agarrotan. Y precisamente por esto, porque ha de ser uno apedreado por ellos, es por lo que hay que libertarlos. El primer uso que de su libertad hacen es apedrear al libertador.

El más acendrado beneficio es el que se hace al que no nos lo reconoce por tal: la mayor caridad que puedes rendir a tu prójimo no es aplacarle deseos ni remediarle necesidades, sino encenderle aquéllos y crearle éstas. Libértale, y luego que te apedree por haberle libertado y ejercite así sus brazos libres, empezará a desear la libertad.

Te apedrearán porque se verán perdidos. Y dirán: ¿libertad? Bien, ¿Y qué hago yo con esto? Un galeote amigo mío, a quien me dedicaba yo a limarle las cadenas espirituales y sembrar inquietudes y dudas en su alma, me dijo un día: «Mira, déjame en paz y no me molestes; así vivo bien. ¿Para qué tribulaciones y congojas? Si yo no creyera en el infierno, sería un criminal.» Y le contesté: «No, seguirás siendo como eres y haciendo lo que haces y no haciendo lo que hoy no haces, y si así no fuera y dieses en criminal, entonces, es que lo eres también ahora.» Y me replicó: «Necesito una razón para ser bueno; un fundamento objetivo sobre que basar mi conducta; necesito saber por qué es malo lo que a mi conciencia repugna.» Y yo le contrarrepliqué: «Lo es porque repugna a tu conciencia, en la que vive Dios.»

Y volvió a replicarme: «No quiero encontrarme en medio del Océano, como un náufrago, ahogándome, perdido y sin tener una tabla a que agarrarme.» Yo volví a contrarreplicarle: «¿Tabla? La tabla soy yo mismo; no la necesito, porque floto en ese Océano de que hablas, y que no es sino Dios. El hombre flota en Dios sin necesidad de tabla alguna, y lo único que yo deseo es quitarte la tabla, dejarte solo, infundirte aliento y que sientas que flotas. ¿Fundamento objetivo, dices? ¿Y qué es eso? ¿Quieres más objetivo de ti que tú mismo? Hay que echar a los hombres en medio del Océano y quitarles toda tabla, y que aprendan a ser hombres, a flotar. ¿Tienes tan poca confianza en Dios, que estando en El, en quien vivimos, nos movemos y somos (*Hechos,* XVII, 28), necesitas tabla a que agarrarte? El te sostendrá, sin tabla. Y si te hundes en El, ¿qué importa? Estas congojas y tribulaciones y dudas que tanto temes son el principio del ahogo, son las aguas vivas y eternas, que te echan el aire de la tranquilidad aparencial en que estás muriendo hora tras hora; déjate ir al fondo y perder el sentido y quedar como una esponja, que luego volverás a la sobrehaz de las aguas, donde te veas y te toques y te sientas dentro del mismo Océano.» «Sí, muerto», me dijo. «No, resucitado y más vivo que nunca», le dije. Y el pobrecito de mi amigo el galeote se me escapó lleno de miedo de sí mismo. Y luego me ha apedreado, y al sentir sus pedradas sobre el yelmo de Mambrino con que me cubro la cabeza, he dicho en mi corazón: ¡Gracias, Dios mío! Porque has hecho que no cayeran mis palabras en el espíritu de mi amigo como en pelada roca, sino que prendieron en él.

¡Si les oyeses, mi pastor Quijotiz, hablar de su fe y de sus creencias a los galeotes del espíritu!.. ¡Si oyeras, mi buen pastor, hablar de ello a sus pastores!.. Uno de estos pastores he conocido para quien la virtud de los silbos con que llamaba a sus orejas, la verdad de la doctrina en que les adoctrinaba y sin acatar la cual les negaba salud eterna, estribaba, ¡figúrate!, ¡en que era castiza, en que era la más española! Para él la herejía no era sino una traición a la patria. Y conozco un perro de pastor, un labrador de nuestras glorias patrias y guardián de nuestras tradiciones, para quien la religión no es más que un género literario, tal vez una rama de las humanidades y a lo sumo una de las bellas artes. Contra estos miserables hace falta, mi pastor Quijotiz, para limpiar con tus cantos toda esa asquerosa cotena del espíritu e infundirnos a todos valor para que nos hundamos en la cueva de Montesinos y miremos allí cara a cara las visiones que se nos presenten.

Se comprende bien que los jesuitas, remachadores de cadenas de galeotes, te guarden ojeriza, mi Don Quijote, y quemen con algazara el libro de tu historia, según nos asegura que alguna vez lo han hecho, uno que rompió las cadenas de la Orden: el ex jesuita autor de *Un barrido hacia fuera en la Compañía de Jesús.*

¡Ven, pastor Quijotiz a pastorearnos y cantar los conceptos que el amor te inspire!

CAPITULO LXVIII

De la cerdosa aventura que le aconteció a Don Quijote

Y a poco de haber hecho Don Quijote estos propósitos de pastoreo, llegó una piara de más seiscientos puercos y pasaron sobre él. Por pena de su pecado tuvo aquella afrenta el Caballero, mas no lo acongojó tanto que no le dejase componer aquel madrigalete en que decía, entre otras cosas, lo de:

> Así el vivir me mata.
> que la muerte me torna a dar la vida.
> ¡Oh condición no oída
> la que conmigo muerte y vida trata!

¡Maravillosa sentencia en que se declara lo más íntimo del espíritu quijotesco! Y ved cómo cuando Don Quijote llegó a expresar lo más recóndito, lo más profundo, lo más entrañable de su locura de gloria, lo hizo en verso, y después de vencido y después de pisoteado por piara de cerdos. El verso es, sin duda, el lenguaje natural de lo profundo del espíritu; en verso compendiaron San Juan de la Cruz y Santa Teresa lo más íntimo de sus sentires. Y así Don Quijote fue en verso como llegó a descubrir los abismos de su locura, que el vivir le mataba y la muerte tornaría a darle vida, que su anhelo era anhelo de vida inacabable y eterna, de vida en la muerte, de perdurable vida:

> Así el vivir me mata,
> que la muerte me torna a dar la vida.

Sí, Don Quijote mío, la muerte tornó a darte vida y vida imperecedera. El vivir nos mata. Ya lo dijo tu hermana Teresa de Jesús, cuando cantó:

> Sácame de aquesta muerte,
> mi Dios, y dame la vida;
> no me tengas impedida
> en este lazo tan fuerte;
> mira que muero por verte
> y vivir sin Ti no puedo,
> que muero por que no muero.

CAPITULO LXIX

Del más raro y más nuevo suceso que en todo el discurso desta grande historia avino a Don Quijote

Cantando el madrigalete Don Quijote y durmiendo la vida Sancho, les llegó el nuevo día, y al declinar de la tarde de éste la última burla de los Duques. Y fue que les rodearon y entre denuestos e improperios los llevaron al castillo de los Duques. Y allí se encontraron sobre un túmulo con el cuerpo muerto de Altisidora, para resucitar a la cual mandó Radamanto que sellaran el rostro de Sancho con veinticuatro mamonas y doce pellizcos y seis alfilerazos en

brazos y lomo. Y a pesar de su resistencia, hiciéronlo así
seis dueñas y resucitó Altisidora. Y viendo Don Quijote la
virtud que el cielo puso en el cuerpo de Sancho, pidióle de
rodillas el que entonces, teniendo sazonada semejante virtud, se diera algunos azotes para desencantar a Dulcinea.

Y lo cierto es, a pesar de las torpes burlas de los Duques, que el cuerpo de Sancho tiene virtud para desencantar y resucitar doncellas. Del cuerpo de Sancho se alimentan los Duques y sus lacayos y sus doncellas; del cuerpo de
Sancho, en última instancia, procede el que Dulcinea pueda llevar a su favoritos al templo de la eternidad de la fama.
Sancho se azota con el trabajo, para que puedan otros, libres de él, enamorar a Dulcinea; los azotes de Sancho hacen el héroe héroe y a su cantor cantor celebrado, y al santo
santo y al poderoso poderoso.

Aquí dice el historiador una verdad como un templo cual
es «que tiene para sí ser tan locos los burladores como los
burlados, y que no estaban los Duques a dos dedos de parecer tontos, pues tanto ahínco ponían en burlarse de los
tontos...» Alto aquí, que ni a Don Quijote ni a Sancho puede llamárseles tontos y sí a los Duques, que lo eran, y de
remate y capirote, y tontos, como todos los tontos suelen
serlo, maliciosos y bellacos. No hay, en efecto, tonto bueno; el tonto, y más si es amigo de burlas, rumia el pasto
amargo de la envidia. En el fondo no perdonaban los Duques a Don Quijote el renombre por este adquirido y as-
piraban a unir su nombre al nombre inmortal del Caballero. Pero bien los castigó el sabio historiador pasando
en silencio sus nombres, con lo cual no lograron su
propósito.

En «los Duques» a secas se quedarán, y como cifra y com-
pendio de Duques sandios y malintencionados.

Poco después de la resurrección de Altisidora, entró esta
desenvueltísima doncella en el aposento de Don Quijote, y
en la plática que allí tuvieron dijo el Caballero aquellas memorables palabras de «no hay otro yo en el mundo», sentencia hermana melliza de aquella otra de «¡yo sé quién
soy!».

¡No hay otro yo en el mundo! He aquí una sentencia que deberíamos no olvidar nunca, y sobre todo cuando al acongojarnos por tener que desaparecer un día, nos vengan con la rídicula monserga de que somos un átomo en el Universo que sin nosotros siguen los astros su curso y que el Bien ha de realizarse hasta sin nuestro concurso, y que es soberbia imaginar que toda esa inmensa fábrica se hizo para nuestra salud. ¡No hay otro yo en el mundo! Cada uno de nosotros es único e insustituible.

¡No hay otro yo en el mundo! Cada cual de nosotros es absoluto. Si hay un Dios que ha hecho y conserva el mundo, lo ha hecho y conserva para mí. ¡No hay otro yo! Los habrá mayores, y menores, mejores y peores, pero no hay otro yo. Yo soy algo enteramente nuevo; en mí se resume una eternidad de pasado y de mí arranca una eternidad de porvenir. ¡No hay otro yo! Esta es la única base sólida del amor entre los hombres, porque tampoco hay otro tú que tú, ni otro él que él.

Prosiguió la plática, y en ella mostró la liviana Altisidora que, aun en burlas y todo, le dolía el desvío de Don Quijote. Imposible es que una doncella finja en chanzas enamorarse y no lleve a mal el que no se la corresponda en veras, y fue tal su irritación por no haber logrado esto, que llamando a Don Quijote «don vencido y don molido a palos», le declaró que lo de la resurrección había sido una burla.

Este rasgo debía bastar para convencernos de cuán real y verdadera es la historia que estoy explicando y comentando, porque esto de acabar por tomar en veras las burlas la desdeñada doncella es de las cosas que no se inventan ni pueden inventarse. Y tengo para mí que si Don Quijote flaquea y cede y la requiere, se le entrega ella en cuerpo y alma, aunque sólo fuera para poder decir luego que fue poseída por un loco cuya fama llenaba el mundo entero. Todo el mal de aquella doncella nacía de ociosidad, según declaró a los Duques el mismo Don Quijote. Sin duda, pero falta saber de qué género de ociosidad nacía su mal.

CAPITULO LXXI

*De lo que a Don Quijote le sucedió con su escudero Sancho
yendo a su aldea*

Salieron amo y escudero de casa de los Duques y reanudaron el camino de su aldea. Y yendo de camino ofreció Don Quijote a Sancho pagarle los azotes, «a cuyos ofrecimientos abrió Sancho los ojos y las orejas de un palmo, y dio consentimiento en su corazón a azotarse de buena gana». pues el amor de sus hijos y de su mujer le hacía mostrarse interesado, según declaró él mismo. Estimólos Sancho en ochocientos veinticinco reales, y Don Quijote exclamó: «¡Oh Sancho bendito! , ¡oh Sancho amable!, y cuán obligados hemos de quedar Dulcinea y yo a servirte todos los días que el cielo nos diere de vida.» Y llegada la noche se retiró Sancho entre unos árboles, y «haciendo del cabestro y de la jáquima del rucio un poderoso y flexible azote», desnudóse de medio cuerpo arriba, «comenzó a darse y comenzó Don Quijote a contar los azotes». A los seis u ocho pidió Sancho aumento de precio y se lo dobló su amo, «pero el socarrón dejó de dárselos en las espaldas, y daba en los árboles, con unos suspiros de cuando en cuando, que parecía que con cada uno de ellos se le arrancaba el alma».

Mira, Sancho, esto que acuenta de tus azotes pasó entre tu amo y tú, es un perfecto símbolo de lo que en tu vida pasa. Ya te dije que de tus azotes vivimos todos, incluso los que filosofamos sobre ellos o lo ponemos en coplas. Tiempo hay en que se te quiere obligar por fuerza a que te azotes, y se te esclaviza, pero llega un día en que haces lo que hiciste con tu amo y señor natural Don Quijote, y es desmandarte contra quien te quiere forzar a que te azotes y poner tu rodilla sobre su pecho y exclamar: «¡Mi amo soy yo!» Y entonces se cambia de táctica y se te ofrece pagarte los azotes, lo cual es un nuevo engaño, pues que de ellos sale también la paga que por ellos te dan. Y tú, pobre Sancho, movido del amor a tus hijos y a tu mujer, accedes y te dispones azotarte. Pero ¿Cómo has de hacerlo con vo-

luntad y de veras, si no estás persuadido del valer de tus
azotes? Das seis y ocho en tu cuerpo y los tres mil doscientos noventa y dos restantes en los árboles, y lo más de tu
trabajo se pierde. Lo más del trabajo humano se pierde, y
es natural que así sea, porque ¿con qué devoción va a pulir
joyas un infeliz que las pule para ganarse el pan, mas sin
estar persuadido del valor social de las tales joyas?, ¿con qué
ahínco hará juguetes para los hijos de los ricos el que ha-
ciéndolos saca el pan para los suyos, que no tienen con qué
jugar?

Trabajo de Sísifo es lo más del trabajo humano, y el pueblo no tiene conciencia de que es sólo un pretexto para que
le den el jornal, y no como cosa suya, sino como algo ajeno
que le hacen la merced de dejárselo ganar. El toque está en
que reciba Sancho su salario como cosa que no le pertenece, sino en virtud de los azotes que se hubiera dado y porque le han hecho la merced de proporcionarle azotina, y
para sostener y perpetuar la mentira del derecho de propiedad y del acaparamiento de la tierra por los poderosos se
inventan azotes, por absurdos que ellos sean. Y así se azota
Sancho con el mismo empeño con que desenchinarran calles esos desgraciados a los que en los meses de invierno,
cuando escasean azotes, les mandan los Municipios a de-
senchinarrar calles para volverlas enchinarrar y con ello justificar la limosna vergonzante que se les reparte.

Tela de Penélope y tonel de las Danaides es lo más de
tu azotina, Sancho; el caso es que te cueste ganarte el pan
y que tengas que agradecérselo a los que te proporcionan
azotes, y que reconozcas que te pagan de lo suyo y no pon-
gas el pie en sus hanegas de sembradura como en su pecho
pusiste la rodilla. Haces, pues, muy bien en desollar los árboles a jaquimazos, pues lo mismo te han de pagar, ya que
te pagan, no porque te azotes, sino porque no te rebeles.
Haces bien, pero harías mejor si volvieras la jáquima alguna vez contra tus amos y los azotaras a ellos y no a los árboles, y los echaras a azotes de sus hanegas y de sembradura, o que las aren y siembren ellos contigo y como cosa
de los dos.

CAPITULOS LXXII Y LXXIII

De cómo Don Quijote y Sancho llegaron a su aldea

Prosiguiendo su camino se encontraron en el mesón con don Alvaro Tarfe; a los dos días acabó con sus azotes Sancho, y a poco divisaron la aldea. Entraron en ella y en sus casas. Y al declarar Don Quijote al cura y al bachiller su propósito de que se hicieran pastores, descubrió Carrasco su mal, la locura pegada por Don Quijote, y que le llevó a vencer a éste al decir lo de «como ya todo el mundo sabe, yo soy celebérrimo poeta». ¿No os dije que el bachiller estaba tocado de la misma locura del hidalgo? ¿No había acaso soñado entre las doradas piedras de Salamanca sueño de no morir?

Acudió el ama al oír lo de los pastores a aconsejar a su amo, y le dijo: «estése en casa, atienda a su hacienda, confiese a menudo, favorezca a los pobres, y sobre mi ánima si mal le fuere».

Esta buena ama habla poco, pero cuando rompe a hablar se vacía en pocas palabras. ¡Y qué bien discurre!, ¡con cuánto seso! Lo que aconsejó a su amo es lo que nos aconsejan los que dicen querernos bien.

¡Querernos bien!..., ¡querernos bien!... ¡Ay cariño, y qué miedo te tengo! Así que oigo a un amigo lo de «yo te quiero bien», o «haga caso de los que bien le queremos», me echo a temblar. Los que me quieren bien... ¿y quiénes me quieren bien? Los que me quieren que sea como ellos quieren para quererme. ¡Ay cariño, cariño, terrible cariño, que nos lleva a buscar en el querido el que de él hicimos! ¿Quién me quiere como soy? Tú, Tú sólo, Dios mío, que queriéndome me creas de continuo, pues es mi existencia misma obra de tu eterno amor.

«Estése en su casa...» ¿Y por qué he de estarme en casa? Estése cada uno en la suya y no habrá Dios que esté en la de todos.

«Atienda a su hacienda...» Mi vida y mi obra son una confesión perpetua. Desgraciado del hombre que tiene que recogerse a tiempos lugares para confesarse. Eso de la confesión, de que habla el ama de Don Quijote, ¿no nos educa acaso a ser reservados y chismosos a la vez?

«Favorezca a los pobres...» Sí, pero a los verdaderos pobres, a los pobres de espíritu, y no con el favor que ellos piden, sino con el que necesitan.

Mira, lector, aunque no te conozco, te quiero tanto que si pudiese tenerte en mis manos, te abriría el pecho, y en el cogollo del corazón te rasgaría una llaga y te pondría allí vinagre y sal para que no pudieses descansar nunca y vivieras en perpetua zozobra y en anhelo inacabable. Si no he logrado desasosegarte con mi Quijote, es, créemelo bien, por mi torpeza y porque este muerto papel en que escribo ni grita, ni chilla, ni suspira, ni llora, porque no se hizo el lenguaje para que tú y yo nos entendiéramos.

Y ahora vamos a asistir a bien morir a Don Quijote.

CAPITULO LXXIV

De cómo cayó malo, y del testamento que hizo, y su muerte

Dio el alma a quien se la dio.
El cual la ponga en el cielo
y en su gloria,
y aunque la vida murió,
nos dejó harto consuelo
su memoria

> (*Final de las coplas que Jorge
> Manrique compuso a la muerte de
> su padre, don Rodrigo Manrique,
> gran maestre de Santiago.*)

Llegamos al cabo, ¡oh lector!, al remate de esta lastimosa historia; a la coronación de la vida de Don Quijote, o sea a su muerte, y a la luz de la muerte es como hay que mirar la vida. Y tan es así, que aquella antigua máxima que dice «cual fue la vida tal será la muerte» —*sicut vita finis ita*—

habrá que cambiarla diciendo «cual es la muerte tal fue la
vida». Una muerte buena y gloriosa abona y glorifica la
vida toda, por mala e infame que ésta hubiese sido, y una
muerte mala malea la vida al parecer más buena. En la
muerte se revela el misterio de la vida, su secreto fondo.
En la muerte de Don Quijote se reveló el misterio de su
vida quijotesca.

Seis días estuvo encamado con calentura, desahucióle el
médico, quedóse solo y durmió más de seis horas de un tirón. «Despertó al cabo del tiempo dicho, y dando una gran
voz dijo: Bendito sea el poder de Dios, que tanto bien me
ha hecho. En fin, sus misericordias no tienen límite, ni las
abrevian ni impiden los pecados de los hombres.» ¡Piado-
sísimas palabras! Preguntóle la sobrina qué le pasaba, y respondió: «Las misericordias, sobrina, son las que en este instante ha usado Dios conmigo, a quien, como dije, no las
impiden mis pecados. Yo tengo juicio ya libre y claro, sin
las sombras caliginosas de la ignorancia, que sobre él me pusieron mi amarga y continuada leyenda de los detestables
libros de caballerías. Yo conozco sus disparates y sus em-
belecos, y no me pesa sino que este desengaño ha llegado
tan tarde que no me deja tiempo para hacer alguna recompensa, leyendo otros que sean luz del alma. Yo me siento,
sobrina, a punto de muerte; quería hacerla de tal modo que
diese a entender que no había sido mi vida tan mala que
dejase renombre de loco: que puesto que lo he sido, no
querría confirmar esta verdad en mi muerte.»

¡Pobre Don Quijote! A lindero de morir, y a la luz de la
muerte, confiesa y declara que no fue su vida sino sueño
de locura! ¡La vida es sueño! Tal es, en resolución última,
la verdad a que con su muerte llega Don Quijote, y en ella
se encuentra con su hermano Segismundo.

Mas todavía lamenta no poder leer otros libros que sean
luz del alma. ¿Libros? ¿Pero es, noble hidalgo, que no estás
desengañado ya de ellos? Libros te metieron a caballero andante, libros te llevaron a ser pastor; ¿y si esos libros que
sean luz del alma te meten en otras, aunque nuevas, caballerías? ¿Será cosa de recordar aquí, una vez más, a Iñigo

de Loyola en cama, herido, en Pamplona, pidiendo le llevasen libros de caballerías para matar con ellos el tiempo y dándole la vida de Cristo Nuestro Señor y el *Flos Sanctorum,* los que le empujaron a meterse a ser caballero andante a lo divino?

Llamó Don Quijote a sus buenos amigos el cura, el bachiller Sansón Carrasco y a maese Nicolás el barbero y pidió confesarse y hacer testamento. Y apenas vio entrar a los tres dijo: «Dadme albricias, buenos señores, de que ya no soy Don Quijote de la Mancha, sino Alonso Quijano, a quien mis costumbres me dieron renombre de bueno.» Pocos días hace que hablando con don Alvaro Tarfe y al llamarle éste bueno, le dijo: «Yo no sé si soy bueno, pero sé decir que no soy malo», tal vez recordando aquello del Evangelio: «¿Por qué me llamas bueno? Ninguno es bueno sino uno: Dios», y ahora, a pique de morir y por la luz de la muerte alumbrado, dice que sus costumbres le dieron «renombre de bueno». ¡Renombre!, ¡renombre!, y ¡cuán dura de arrancar es, Don Quijote mío, la raíz de la locura de tu vida! ¡Renombre de bueno! ¡Renombre de bueno!, ¡renombre!

Siguió disertando piadosamente, abominó de Amadís de Gaula y «de toda la infinita caterva de su linaje», y al oírle creyeron los tres «que alguna nueva locura le había tomado». Y así era, en verdad, que le tomó la última locura, la no curadera, la de la muerte. La vida es sueño de cierto, pero dinos, desventurado Don Quijote, tú que despertaste del sueño de tu locura para morir abominando de ella, dinos: ¿no es sueño también la muerte? ¡Ah!, y si fuera sueño eterno y sueño sin ensueños ni despertar, entonces, querido Caballero, ¿en qué más valía la cordura de tu muerte que la locura de tu vida? Si es la muerte sueño, locura y sólo honda locura fue tu anhelo de inmortalidad.

Y si fue sueño y vanidad tu locura, ¿qué sino sueño y vanidad es todo heroísmo humano, todo esfuerzo en pro del bien del prójimo, toda ayuda a los menesterosos y toda guerra a los opresores? Si fue sueño y vanidad tu locura de no morir, entonces sólo tienen razón en el mundo los bachilleres Carrascos, los Duques, los don Antonio Moreno, cuantos burladores, en fin, hacen del valor y de la bondad pasatiempo y regocijo de sus ocios. Si fue sueño y vanidad tu ansia de vida eterna, toda la verdad se encierra en aquellos versos de la *Odisea*:

τὸν δὲ θεοὶ̀ μὲν τεῦξαν επεχλῶσαντο δ ὄλευθρον
ἀνθρώποιζ »ἵνα ῆσι χαὶ̀ εσσομὲνοισιν ἀοιδή

(VII, 579-580).

«Los dioses traman y cumplen la perdición de los mortales para que los venideros tengan algo que cantar.» Y entonces sí que podemos decir con Segismundo, tu hermano, que «el delito mayor del hombre es haber nacido». Más nos valiera, si eso fuese así, no haber visto la luz del sol ni haber recogido en nuestro pecho el aire de la vida.

¿Qué te arrastró, Don Quijote mío, a tu locura de renombre y fama y a tu ansia de sobrevivir con gloria en los recuerdos de los hombres, sino tu ansia de no morir, tu anhelo de inmortalidad, esa herencia que heredamos de nuestros padres, «que tenemos un apetito de divinidad y una locura y un frenesí de querer ser más de lo que somos»?, para servirme de palabras del padre Alonso Rodríguez, tu contemporáneo (*Ejercicio de perfección y virtudes cristianas,* tratado octavo, capítulo XV). ¿Qué es sino el espanto de tener que llegar a ser nada lo que nos empuja a querer serlo todo, como único remedio para no caer en eso tan pavoroso de anonadarnos?

Pero allí estaba Sancho, en la cumbre de su fe, a que llegó después de tantos tumbos, arredros y tropiezos, y Sancho, al oírle tan desengañado, le dijo: «¿Ahora, señor Don Quijote, que tenemos nueva que está desencantada la señora Dulcinea, sale vuesa merced con eso; y ahora que estamos tan a pique de ser pastores para pasar la vida cantando como unos príncipes, quiere vuesa merced hacerse ermitaño? Calle, por su vida, vuelva en sí y déjese de cuentos.» ¡Notables palabras! «¡Vuelva en sí! ¡Vuelva en sí y déjese de cuentos!» Mas ¡ay!, amigo Sancho, que tu amo no puede ya volver en sí, sino que ha de volver al seno de la tierra todopartidora, que a todos nos da a luz y a todos nos recoge en sus sombras. ¡Pobre Sancho, que te quedas solo con tu fe, con la fe que te dio tu amo!

¡Déjese de cuentos! «Los de hasta aquí —replicó Don Quijote—, que han sido verdaderos en mi daño, los ha de volver mi muerte, con ayuda del cielo, en mi provecho.» Tu muerte fue aún más heroica que tu vida, porque al llegar a ella cumpliste la más grande renuncia, la renuncia de tu gloria, la renuncia de tu obra. Fue tu muerte encumbrado sacrificio. En la cumbre de tu pasión, cargado de burlas, renuncias, no a ti mismo, sino a algo más grande que tú: a tu obra. Y la gloria te acoje para siempre.

Hizo salir la gente el cura y quedóse solo con él y confesóle. Y acabóse la confesión y salió el cura diciendo: «Verdaderamente se muere y verdaderamente está cuerdo Alonso Quijano el Bueno; bien podemos entrar para que haga su testamento.» Rompieron a llorar Sancho, el ama y la sobrina, porque en verdad, «en tanto que Don Quijote fue Alonso Quijano el Bueno a secas, y en tanto fue Don Quijote de la Mancha, fue siempre de apacible condición y de agradable trato, y por esto no sólo era bien querido de los de su casa, sino de todos cuantos le conocían». Fue siempre bueno, bueno sobre todo y ante todo, bueno con bondad nativa, y esta bondad que sirvió de cimiento a la cordura de Alonso Quijano y a su muerte ejemplar, esta misma bondad sirvió de cimiento a la locura de Don Quijote y a su ejemplarísima vida. La raíz de tu locura de inmortalidad, la raíz de tu anhelo de vivir en los inacabables siglos, la raíz de tu ansia de no morir, fue tu bondad, Don Quijote mío. El bueno no se resigna a disiparse, porque siente que su bondad hace parte de Dios, del Dios que es Dios no de los muertos sino de los vivos, pues para El viven todos. La bondad no teme ni a lo infinito ni a lo eterno; la bondad reconoce que sólo en alma humana se perfecciona y acaba; la bondad sabe que es una mentira la realización del Bien en el proceso de la especie. El toque está en ser bueno, sea cual fuere el sueño de la vida. Ya lo dijo Segismundo (jornada III, escena IV),

> que estoy soñando y que quiero
> obrar bien, pues no se pierde
> al hacer bien, aun en sueños.

Y si la bondad nos eterniza, ¿qué mayor cordura que morirse? «Verdaderamente se muere y verdaderamente está cuerdo Alonso Quijano el Bueno»; muere a la locura de la vida, despierta de su sueño.

Hizo Don Quijote su testamento y en él la mención de Sancho que éste merecía, pues si loco fue su amo parte a darle el gobierno de la ínsula, «pudiera estando cuerdo darle el de un reino, se le diera, porque la sencillez de su condición y fidelidad de su trato lo merece». Y volviéndose a Sancho, quiso quebrantarle la fe y persuadirle de que no había habido caballeros andantes en el mundo, a lo cual Sancho, henchido de fe y loco de remate cuando su amo se moría cuerdo, respondió llorando: «¡Ay, no se muera vuesa merced, señor mío, sino tome mi consejo y viva muchos años, porque la mayor locura que puede hacer un hombre en esta vida es dejarse morir sin más ni más!» ¿La mayor locura, Sancho?

> Y consiento en mi morir
> con voluntad placentera
> clara y pura;
> que querer hombre vivir,
> cuando Dios quiere que muera,
> es locura,

pudo contestarte tu amo, con palabras del maestre don Rodrigo Manrique, tales cuales en su boca las pone su hijo don Jorge, el de las coplas inmortales.

Y dicho lo de la locura de dejarse morir, volvió Sancho a las andadas, hablando a Don Quijote del desencanto de Dulcinea y de los libros de caballerías. ¡Oh heroico Sancho, y cuán pocos advierten el que ganaste la cumbre de la locura cuando tu amo se despeñaba en el abismo de la sensatez y que sobre su lecho de muerte irradiaba tu fe, tu fe,

Sancho, la fe de ti, que ni has muerto ni morirás! Don Quijote perdió su fe y murióse; tú la cobraste y vives; era preciso que él muriera en desengaño para que en engaño vi-
vificante vivas tú.

   ¡Oh Sancho, y cuán melancólico es tu recuerdo de Dulcinea, ahora que tu amo se prepara al trance de la muerte!
Ya no es Don Quijote, sino Alonso Quijano el Bueno, el
tímido hidalgo que se pasó doce años queriendo como a la
lumbre de sus ojos, de esos ojos que en breve ha de comer-
se la tierra, a Aldonza Lorenzo, hija de Lorenzo Corchuelo
y de Aldonza Nogales, la de Toboso. Al recordarle, Sancho, en su lecho de muerte, a su dama, le recuerdas a la
garrida moza a la que sólo gozó, a hurtadillas, con los ojos,
cuatro veces en doce largos años de soledad y de recato. La
vería el hidaglo ahora casada ya, rodeada de sus hijos, glo-
riándose en su marido, haciendo fructificar la vida en el Toboso. Y entonces, en su lecho de muerte de soltero, pensó
acaso que pudo haberla llevado a él y haber bebido de ella
en él la vida. Y habría muerto sin gloria, sin que Dulcinea
le llamase desde el cielo de la locura, pero sintiendo sobre
sus labios fríos los ardientes labios de Aldonza, y rodeado
de sus hijos, en quienes perviviría. ¡Tenerla allí en el lecho
en que morías, buen hidalgo, y en que se habrían confun-
dido antes tantas veces en una sola vuestras sendas vidas;
tenerla allí, cojida de su mano tu mano y dándose así con
la suya calor que de la tuya se escapaba, y ver llegar la luz
encegadora del último misterio, luz de tinieblas, en sus ojos
llorosos y despavoridos, fijos en los cuales pasarían a la eterna visión los tuyos! Te morías sin haber gozado del amor,
del único amor que a la muerte vence. Y entonces, al oír
a Sancho hablar de Dulcinea, debiste de repasar en tu corazón aquellos doce largos años de la tortura de vergonzosidad invencible. Fue tu último combate, mi Don Quijote,
del que ninguno de los que te rodeaban en tu lecho de
muerte se dio cata.

   Acudió el bachiller en ayuda de Sancho, y al oírlo dijo
Don Quijote con mortal sosiego: «Señores, vámonos poco
a poco, pues ya en los nidos de antaño no hay pájaros ho-

gaño; yo fui loco y ya soy cuerdo; fui Don Quijote de la
Mancha, y soy ahora, como he dicho, Alonso Quijano el
Bueno; pueda con vuesas mercedes mi arrepentimiento y
mi verdad volverme a la estimación que de mí se tenía.»
Sanaste, Caballero, para morir; volviste a ser Alonso Quijano el Bueno para morir. Mira, pobre Alonso Quijano,
mira a tu pueblo y ve si no sanará de su locura para morirse luego. Molido y maltrecho y después de que allá, en
las Américas, acabaron de vencerle, retorna a su aldea. ¿A
curar de su locura? ¡Quién sabe!... Tal vez a morir. Tal vez
a morir, si no quedara Sancho, que te reemplazará lleno de
fe. Porque tu fe, Caballero, se atesora en Sancho hoy.

   Sancho, que no ha muerto, es el heredero de tu espíritu,
buen hidalgo, y esperamos tus fieles en que Sancho sienta
un día que se le hincha de quijotismo el alma, que le flo-
recen los viejos recuerdos de su vida escuderil, y vaya a tu
casa y se revista de tus armaduras, que hará se las arregle
a su cuerpo y talla el herrero del lugar, y saque a Rocinante
de su cuadra y monte en él, y embrace tu lanza, la lanza
con que diste libertad a los galeotes y derribaste al Caballero de los Espejos, y sin hacer caso de las voces de tu sobrina, salga al campo y vuelva a la vida de aventuras, convertido de escudero en caballero andante. Y entonces, Don
Quijote mío, entonces es cuando tu espíritu se asentará en
la tierra. Es Sancho, es tu fiel Sancho, es Sancho el bueno,
el que enloqueció cuando tú curabas de tu locura en tu lecho de muerte, es Sancho el que ha de asentar para siempre el quijotismo sobre la tierra de los hombres. Cuando tu
fiel Sancho, noble Caballero, monte en tu Rocinante, revestido de tus armas y embrazando tu lanza, entonces resuci-
tarás en él, y entonces se realizará tu ensueño. Dulcinea os
cojerá a los dos, y estrechándoos con sus brazos contra su
pecho, os hará uno solo.

   «Vámonos poco a poco, pues ya en los nidos de antaño
no hay pájaros hogaño»; disipóse el sueño.

         Y la experiencia me enseña
         que el hombre que vive sueña

lo que es, asta dispertar.
Sueña el rey que es rey, y vive
con este engaño mandando,
disponiendo y gobernando...

(La vida es sueño, II, 19.)

Soñó Don Quijote que era caballero andante hasta que
todas sus aventuras

en cenizas le convierte
la muerte (¡desdicha fuerte!)

(II, 19.)

¿Qué fue la vida de Don Quijote?

¿Qué es la vida? Una ilusión,
una sombra, una ficción,
y el mayor bien es pequeño,
que toda la vida es sueño,
y los sueños, sueños son.

(II, 19.)

«¡Ay, no se muera vuesa merced, señor mío, sino tome
mi consejo y viva muchos años!»

¿Otra vez (¡qué es esto, cielos!)
queréis que sueñe grandezas
que ha de deshacer el tiempo?
¿Otra vez queréis que vea
entre sombras y bosquejos
la majestad y la pompa
desvanecida del viento?

(II, 3.)

«Señores, vámonos poco a poco, pues ya en los nidos de
antaño no hay pájaros hogaño.»

Idos, sombras, que fingís
hoy a mis sentidos muertos
cuerpo y voz, siendo verdad
que ni tenéis voz ni cuerpo;
que no quiero majestades
fingidas, pompas no quiero
fantásticas, ilusiones
que al soplo menos ligero
del aura han de deshacerse,
bien como el florido almendro,
que por madrugar sus flores
sin aviso y sin consejo,
al primer soplo se apagan,
marchitando y desluciendo
de sus rosados capullos
belleza, luz y ornamento.

(III, 3.)

Dejadme, que diga con mi hermana Teresa de Jesús:

Aquella vida de arriba
es la vida verdadera;
hasta que esta vida muera
no se goza estando viva;
muerte, no me seas esquiva;
vivo muriendo primero,
que muero porque no muero.

«¡Señores, vámonos poco a poco, pues ya en los nidos de
antaño no hay pájaros hogaño!» O como dijo Iñigo de Loyola cuando al tiempo de ir a despertar del sueño de la
vida, ya expirante, querían darle un poco de sustancia: «ya
no es tiempo deso» (Rivadeneira, lib. IV, cap. XVI), y murió Iñigo, como había de morir, unos cincuenta años más
tarde, Don Quijote, sencillamente, sin comedia alguna, sin
reunir gente en torno de su lecho, sin hacer espectáculo de
la muerte, como se mueren los verdaderos santos y los verdaderos héroes, casi como los animales se mueren: acostán-
dose a morir.

Siguió dictando Alonso Quijano su testamento y mandó toda su hacienda a puerta cerrada a Antonia Quijana, su sobrina, mas imponiéndola como obligación para el disfrute de ella que «si quiere casarse, se case con un hombre de quien primero se haya hecho información que no sabe qué cosa sean libros de caballerías; y en caso de que se averigüare que lo sabe y con todo eso mi sobrina quiere casarse con él y se casare, pierda todo lo que le he mandado, lo cual pueden mis albaceas distribuir en obras pías a su voluntad».

Y ¿qué bien calaba Don Quijote que entre el oficio de marido y de caballero andante hay mutua y fortísima irreductibilidad! Y al dictar esto, ¿no pensaría acaso el buen hidalgo en su Aldonza, y que de haber él roto el sello de su demasiado amor se habría ahorrado las malandanzas caballerescas, preso junto al fogón del hogar por los brazos de ella?

Tu testamento se cumple, Don Quijote, y los mozos de esta tu patria renuncian a todas las caballerías para poder gozar de las haciendas de tus sobrinas, que son casi todas las españolas, y gozar de las sobrinas mismas. En sus brazos se ahoga todo heroísmo. Tiemblan de que a sus novios y maridos les dé la ventolera por donde le dio a su tío. Es tu sobrina, Don Quijote, es tu sobrina la que hoy reina y gobierna en tu España; es tu sobrina y no Sancho. Es la medrosica, casera y encojida Antonia Quijana, la que temía te diese por dar en poeta, «enfermedad incurable y pegadiza»; la que ayudó con tanto celo al cura y al barbero a quemar tus libros; la que te aconsejaba no te metieses en pendencias ni fueses por el mundo en busca de pan de trastrigo; la que se te atrevió a asegurar en tus barbas que todo eso de los caballeros andantes es fábula y mentira, doncellesco atrevimiento que te obligó a exclamar: «Por el Dios que me sustenta que si no fueras mi sobrina derechamente como hija de mi misma hermana, que había de hacer un tal castigo en ti, por la blasfemia que has dicho, que sonara por todo el mundo»; es ésta la «rapaza que apenas sabe menear doce palillos de randas» y se atrevía a poner lengua en

las historias de los caballeros andantes y a censurarlas; es
ésta la que maneja y zarandea y asenderea como a unos do-
minguillos a los hijos de tu España. No es Dulcinea del Toboso, no; no es tampoco Aldonza Lorenzo, por la que se suspira doce años sin haberla visto sino sólo cuatro veces y sin
haberla confesado amor; es Antonia Quijana, la que apenas
sabe menear doce palillos de randas y menea a los hombres
de hoy en tu patria.

Es Antonia Quijana la que, por mezquindad de espíritu,
por creer a su marido pobre, le retiene y le impide lanzarse
a heroicas aventuras en que cobre eterno nombre y fama.
¡Si fuese siquiera Dulcinea!... Dulcinea, sí; por extraño que
nos parezca, Dulcinea puede moverle a uno a renunciar a
toda gloria, a que se dé la gloria de renunciar a ella. Dulcinea, o mejor dicho, Aldonza. Aldonza, la ideal, puede decirle: «Ven, ven acá a mis brazos y deshaz en lágrimas tus
ansias sobre mi pecho, ven acá; ya veo, veo para ti un em-
pinado tormo en los siglos de los hombres, un picacho en
que te contemplen tus hermanos todos; te veo aclamado
por sus generaciones, pero ven a mí y por mí renuncia a
todo eso; serás así más grande, mi Alonso, serás más grande. Toma mi boca entera y hártala de calientes besos en su
silencio, y renuncia a que ande en frío tu nombre en bocas
de los que no has de conocer nunca. ¿Oirás luego de muerto lo que de ti digan? ¡Sepulta en mi pecho tu amor, que
si él es grande, mejor es que lo sepultes en mí a no que lo
desparrames entre los hombres pasajeros y casquivanos! No
merecen admirarte, mi Alonso, no merecen admirarte. Serás para mí sola y así serás mejor para el Universo todo y
para Dios. Parecerán así perdidos tu poderío y tu heroísmo, mas no hagas caso: ¿sabes, por ventura, el efluvio inmenso de vida que, sin nadie notarlo, se desprende de un
amor heroico y callado y se desparrama luego por más allá
de los hombres todos hasta el confín de las últimas estrellas? ¿Sabes la misteriosa energía que irradia a todo un pueblo y a sus generaciones venideras hasta la consumación de
los siglos de una feliz pareja donde se asienta el amor triunfante y silencioso? ¿Sabes lo que es conservar el fuego sa-

grado de la vida y aun encenderlo más y más en un culto callado y recojido? El amor, con sólo amar, y sin hacer otra cosa, cumple una labor heroica. Ven y renuncia a toda acción entre mis brazos, que este tu reposo y tu oscurecimiento en ellos serán fuente de acciones y de claridades para los que nunca sabrán tu nombre. Cuando hasta el eco de tu nombre se disipe en el aire, al disiparse éste, aún el recoldo de tu amo calentará las ruinas de los orbes. Ven y date a mí, Alonso, que aunque no salgas a los caminos a enderezar entuertos,, tu grandeza no habrá de perderse, pues en mi seno nada se pierde. Ven, que yo te llevaré desde el reposo de mi regazo al reposo final e inatacable.»

Así podría hablar Aldonza, y sería grande Alonso renunciando en sus brazos a toda gloria; pero tú, Antonia, tú no sabes hablar así. Tú no crees que el amor vale más que la gloria; tú lo que crees es que ni el amor ni la gloria valen el amodorrador sosiego del hogar, que ni el amor ni la gloria valen la seguridad de los garbanzos; tú crees que el Coco se lleva a los que duermen poco, y no sabes que el amor, lo mismo que la gloria, no duerme, sino vela.

Acabó de hacer su testamento Alonso Quijano, recibió los sacramentos, abominó de nuevo de los libros de caballerías, y «entre compasiones y lágrimas de los que allí se hallaban dio su espíritu; quiero decir que se murió», agrega el historiador.

«¿Dio su espíritu?» ¿Y a quién se lo dio? ¿Dónde está hoy?, ¿dónde sueña?, ¿dónde vive?, ¿cuál es el abismo de la cordura en que van a descansar las almas curadas del sueño de la vida, de la locura de no morir? ¡Oh Dios mío; Tú que diste vida y espíritu a Don Quijote en la vida y en el espíritu de su pueblo; Tú que inspiraste a Cervantes esa epopeya profundamente cristiana; Tú, Dios de mi sueño, ¿dónde acoges los espíritus de los que atravesamos este sueño de la vida tocados de la locura de vivir por los siglos de los siglos venideros? Nos diste el ansia de renombre y fama, como sombra de tu gloria; pasará el mundo; ¿pasaremos con él también nosotros, Dios mío?

¡La vida es sueño! ¿Será acaso también sueño, Dios mío,

este tu Universo de que eres la Conciencia eterna e infinita? ¿será un sueño tuyo?, ¿será que nos estás soñando? ¿Seremos sueño, sueño tuyo, nosotros los soñadores de la vida? Y si así fuese, ¿qué será del Universo todo, qué será de nosotros, qué será de mí cuando Tú, Dios de mi vida, despiertes? ¡Suéñanos, Señor! Y ¿no será tal vez que despiertas para los buenos cuando a la muerte despiertan ellos del sueño de la vida? ¿Podemos acaso nosotros, pobres sueños soñadores, soñar lo que sea la vela del hombre en tu eterna vela, Dios nuestro? ¿No será la bondad resplandor de la vigilia en las oscuridades del sueño? Mejor que indagar tu sueño y nuestro sueño, escudriñando el Universo y la vida, mejor mil veces obrar el bien,

pues no se pierde
el hacer bien, aun en sueños

Mejor que investigar si son molinos o gigantes los que se nos muestran dañosos, seguir la voz del corazón y arremeterlos, que toda arremetida generosa trasciende del sueño de la vida. De nuestros actos, y no de nuestras contemplaciones, sacaremos sabiduría. ¡Suéñanos, Dios de nuestro sueño!

¡Consérvale a Sancho su sueño, su fe, Dios mío, y que crea en su vida perdurable y que sueñe ser pastor allá en los infinitos campos de Tu Seno, endechando sin fin a la Vida inacabable, que eres Tú mismo; consérvasela, Dios de mi España! Mira, Señor, que el día en que tu siervo Sancho cure de su locura, se morirá, y al morir él se morirá su España, tu España, Señor. Fundaste este tu pueblo, el pueblo de tus siervos Don Quijote y Sancho, sobre la fe en la inmortalidad personal; mira, Señor, que es esa nuestra razón de vida y es nuestro destino entre los pueblos el de hacer que esa nuestra verdad del corazón alumbre las mentes contra todas las tinieblas de la lógica y del raciocinio y consuele los corazones de los condenados al sueño de la vida.

Así el vivir nos mata,
que la muerte nos torna a dar la vida.

Agrega el historiador que pidió el cura al escribano le diese por testimonio «cómo Alonso Quijano el Bueno, llamado comúnmente Don Quijote de la Mancha, había pasado de esta presente vida y muerto naturalmente, y que el tal testimonio pedía para quitar ocasión de que algún autor le resucitase falsamente», y más adelante añade que yace en la huesa «tendido de largo, imposibilitado de hacer tercera jornada y salida nueva».

Pero ¿es que creéis que Don Quijote no ha de resucitar? Hay quien cree que no ha muerto; que el muerto, y bien muerto, es Cervantes, que quiso matarle, y no Don Quijote. Hay quien cree que resucitó al tercer día, y que volverá a la tierra en carne mortal y a hacer de las suyas. Y volverá cuando Sancho, agobiado hoy por los recuerdos, sienta hervir la sangre que acopió en sus andanzas escuderiles, y monte, como dije, en Rocinante, y revestido de las armas de su amo, embrace el lanzón y se lance a hacer de Don Quijote. Y su amo vendrá entonces y encarnará en él. ¡Ánimo, Sancho heroico, y aviva esa fe que encendió en ti un amo y que tanto te costó atizar y afirmar!, ¡ánimo!

Y no se cuenta milagro que hiciese después de muerto, como se cuenta del Cid, que ganó la batalla siendo cadáver, y se cuenta de él además que estando muerto también y queriendo un judío tocarle la barba, que en su vida nadie se la tocó,

     Antes que a la barba llegue, el buen Cid había
                           [empuñado
a la su espada tizona y un buen palmo la ha sacado;
y el judío que esto vido, muy gran pavor ha cobrado;
tendido cayó de espaldas, amortecido de espanto.

Don Quijote no sé que haya ganado batalla después de muerto, y sé que muchos judíos osan tocarle la barba. De Don Quijote no se sabe que haya hecho milagro alguno después de muerto, pero ¿no basta con los que hizo en vida, y no fue perpetuo milagro su carrera de aventuras? Cuanto más que, como recordaba el P. Rivadeneira en el capítulo

final de sus tantas veces citada obra al hablarnos de los milagros que Dios hizo por San Ignacio, entre los nacidos de
mujer no se había levantado, al decir del Evangelio, otro
mayor que San Juan Bautista, y con todo eso dice de él el
Evangelio mismo que no hizo milagro alguno. Y si el piadoso biógrafo de Loyola tiene por el mayor milagro de éste
la fundación de la Compañía de Jesús, ¿no hemos de tener
nosotros por el milagro mayor de Don Quijote el que hubiese hecho escribir la historia de su vida a un hombre que,
como Cervantes, mostró en sus demás trabajos la endeblez
de su ingenio y cuán por debajo estaba, en el orden natural
de las cosas, de lo que para contar las hazañas del Ingenioso Hidalgo, y tal cual él las contó se requería?

No cabe duda sino que en *El ingenioso hidalgo Don Quijote de la Mancha* que compuso Miguel de Cervantes Saa-
vedra se mostró muy por encima de lo que podríamos esperar de él juzgándole por sus otras obras; se sobrepujó con
mucho a sí mismo. Por lo cual es de creer que el historiador arábigo Cide Hamete Benengeli no es puro recurso literario, sino que encubre una profunda verdad, cual es la
de que esa historia se la dictó a Cervantes otro que llevaba
dentro de sí, y al que ni antes ni después de haberla escrito
trató una vez más; un espíritu que en las profundidades de
su alma habitaba. Y esta inmensa lejanía que hay de la historia de nuestro Caballero a todas las demás obras que Cervantes escribió, este patentísimo y espléndido milagro, es
la razón principal —si para ello hiciesen, que no hacen falta, razones, miserables siempre— para creer nosotros y confesar que la historia fue real y verdadera, y que el mismo
Don Quijote, envolviéndose en Cide Hamete Benengeli, se
la dictó a Cervantes. Y aun llego a sospechar que, mientras
he estado explicando y comentando esta vida, me han visitado secretamente Don Quijote y Sancho, y aun yo sin saberlo, me han desplegado y descubierto las entretelas de sus
corazones.

Y he de añadir aquí que muchas veces tenemos a un escritor por persona real y verdadera e histórica por verle de
carne y hueso, a los sujetos que finge en sus ficciones no

más sino por de pura fantasía, y sucede al revés, y es que estos sujetos lo son muy de veras y de toda realidad y se sirven de aquel otro que nos parece de carne y hueso para tomar ellos ser y figura ante los hombres. Y cuando despertemos todos del sueño de la vida, se han de ver a este respecto cosas muy peregrinas y se espantarán los sabios al ver qué es la verdad y qué es la mentira y cuán errados andábamos al pensar que esa quisicosa que llamamos lógica tenga valor alguno fuera de este miserable mundo en que nos tienen presos el tiempo y el espacio, tiranos del espíritu.

Cosas muy peregrinas conoceremos allí respecto a la vida y a la muerte, y allí se verá cuán profundo sentido tiene la primera parte del epitafio que en la sepultura de don Quijote puso Sansón Carrasco, y que dice:

> Yace aquí el hidalgo fuerte
> que a tanto extremo llegó
> de valiente, que se advierte
> que la muerte no triunfó
> de su vida con la muerte.

Y así es, pues Don Quijote es, merced a su muerte, inmortal; la muerte es nuestra inmortalizadora.

Nada pasa, nada se disipa, nada se anonada; eternízase la más pequeña partecilla de materia y el más débil golpecillo de fuerza, y no hay visión, por huidera que sea, que no quede reflejada para siempre en alguna parte. Así como si al pasar por un punto, en el infinito de las tinieblas, se encendiera y brillara por un momento todo lo que por allí pasase, así brilla un momento en nuestra conciencia del presente cuanto desfila de lo insondable del porvenir a lo insondable del pasado. No hay visión ni cosa ni momento de ella que no descienda de las honduras eternas de donde salió y allí se quede. Sueño es este súbito momentáneo encendimiento de la sustancia tenebrosa, sueño es la vida, y apagado el pasajero fulgor, desciende su reflejo a las honduras de las tinieblas y allí queda y persiste hasta que una suprema sacudida lo reenciende para siempre un día. Por-

que la muerte no triunfa de la vida con la muerte de ésta.
Muerte y vida son mezquinos términos de que nos vale-
mos en esta prisión del tiempo y del espacio; tienen ambas
una raíz común y la raigambre de esta raíz arraiga en la eternidad de lo infinito: en Dios, Conciencia del Universo.

Al acabar la historia colgó el historiador su pluma y le
dijo: «Aquí quedarás, colgada desta espetera y deste hilo
de alambre, ni sé si bien cortada o mal tajada péñola mía,
adonde vivirás luengos siglos, si presuntuosos y malandrines historiadores no te descuelgan para profanarte».

Líbreme Dios de meterme a contar sucesos que al puntualísimo historiador de Don Quijote se le hubiesen esca-
pado; nunca me tuve por erudito ni me he metido jamás
a escudriñar los archivos caballerescos de la Mancha. Yo
sólo he querido explicar y comentar su vida.

«Para mí sólo nació Don Quijote, y yo para él; él supo
obrar y yo escribir», hace decir el historiador a su pluma.
Y yo digo que para que Cervantes contara su vida y yo la
explicara y comentara nacieron Don Quijote y Sancho. Cervantes nació para explicarla, y para comentarla nací yo...
No puede contar tu vida, ni puede explicarla ni comentarla, señor mío Don Quijote, sino quien esté tocado de tu
misma locura de no morir. Intercede, pues, en favor mío.
¡oh mi señor y patrón!, para que tu Dulcinea del Toboso,
ya desencantada merced a los azotes de tu Sancho, me lleve
de la mano a la inmortalidad del nombre y de la fama. ¡Y
si es la vida sueño, déjame soñarla incabable!

> A reinar, fortuna, vamos:
> no me despiertes, si duermo.

(*La vida es sueño,* III, 4.)

καὶ μαχόμην κατ’ ἐμ’αὐτὸν ἐλω
ΙΛΙΑΔΟΣ, Α’ θοα’

Indice

El Libro de Bolsillo   Alianza Editorial   Madrid

Libros en venta